LE GRAND LIVRE DES

DESSERTS

LE GRAND LIVRE DES
DESSERTS

KÖNEMANN

Copyright © 1998 Murdoch Books ® a division of Murdoch Magazines Pty Ltd,
45 Jones Street, Ultimo NSW 2007

Series Editor : Wendy Stephen
Managing Editor : Jane Price
Designer : Vivien Valk
Design Concept : Marylouise Brammer
Rood Editor : Lulu Grimes
Food Director : Jody Vassallo
Editorial Assistant : Faith McKinnon
Photographer (cover and special features) : Chris Jones
Stylist (cover and special features) : Mary Harris
Stylist's Assistants (cover and special features) : Kathy Knudsen, Michelle Lawton,
Kerrie Mullins, Kerrie Ray
Additional text : Lulu Grimes, Tracy Rutherford, Jody Vassallo
Picture Librarian : Denise Martin

Titre original : *The Essential Dessert Cookbook*

Copyright © 1999 pour l'édition française
Könemann Verlagsgesellschaft mbH
Bonner Str. 126, D-50968 Cologne

Traduction : Delphine Nègre, Christine Chareyre

Réalisation : BOOKMAKER, Paris
Coordination : Régine Ferrandis
Relecture : Anouk Journo, Catherine Lucchesi
Mise en pages : Jean-Claude Marguerite

Chef de fabrication : Detlev Schaper
Impression et reliure : Leefung Asco Printers Ltd
Imprimé en Chine

ISBN : 3-8290-2959-4
10 9 8 7 6 5 4 3 2

NOTRE SYSTÈME D'ÉTOILES : Lorsque nous testons les recettes, nous leur attribuons
des étoiles en fonction de la facilité de leur préparation.
★ Une seule étoile indique une recette simple et généralement rapide à préparer,
idéale pour les débutants.
★★ Deux étoiles indiquent qu'il faut juste un peu plus de soin ou de temps.
★★★ Trois étoiles indiquent des plats particuliers nécessitant davantage de temps,
de soin et de patience.
Mais les résultats en valent la peine. Même les débutants peuvent les réaliser,
à condition de suivre attentivement la recette.

LES DESSERTS

Les desserts et gourmandises sucrées sont un des plaisirs suprêmes de l'existence. Nous savons tous qu'ils ne sont pas indispensables – et même que la plupart ne sont pas diététiques –, pourtant qui serait prêt à s'en passer ? Les desserts sont une récompense pour les enfants lorsqu'ils ont bien mangé leur assiette de viande et de légumes, ils clôturent avec bonheur un repas préparé avec amour. Si les préparations salées stimulent l'appétit, les desserts quant à eux l'assouvissent, flattent le palais et réjouissent le cœur.

Signes de luxe ou simples douceurs, ils laissent le souvenir inoubliable d'instants privilégiés. Il suffit pour cela de se remémorer les desserts de notre enfance : œufs à la neige, tarte Tatin, mille-feuille, crêpes Suzette… Ces subtiles alchimies de sucre, de crème, d'œufs, de fruits et d'autres ingrédients exquis traversent le temps sans perdre de leur charme. Anodins parfois, superflus peut-être, ils enrichissent le quotidien de moments de plaisir… Vous allez le découvrir dans les pages qui suivent.

SOMMAIRE

DENRÉES ET PRÉPARATIONS DE BASE

LES DESSERTS À TRAVERS LE TEMPS

On peut considérer que les desserts sont une marque de civilisation. En effet, ils ont pour fonction principale de clôturer le repas sur une note douce et sucrée, et non d'assouvir la faim. Ils n'ont pas de fonction nutritive et ne sont là que pour nous procurer du plaisir.

Antonin Carême, l'éminent chef des princes, des rois et des empereurs, dont le futur roi George IV et le tsar Alexandre Ier, prétendait que la principale branche de l'architecture – un des cinq beaux-arts – était la confiserie. Nombre de ses créations s'inspiraient d'ailleurs de dessins d'architecture.

L'homme apprécie depuis fort longtemps les denrées sucrées. Il y a des millénaires, les Asiatiques utilisaient comme édulcorant le sirop de canne, tandis que les Européens préféraient les fruits et le miel. Devenu moins onéreux et donc plus disponible, le sucre, ingrédient de base des desserts, a inspiré mille et une recettes.

Comme les épices, le sucre a atteint le monde occidental en empruntant les routes commerciales arabes, tout d'abord en quantités limitées et pour un usage strictement médicinal. Surnommé « or blanc », il avait alors un coût prohibitif. Pendant de nombreux siècles, les riches ont employé le sucre à l'instar des épices, comme un symbole de prestige, en en saupoudrant tout ce qu'ils mangeaient. C'est seulement au XVe siècle que les Italiens ont réhabilité la tradition arabe consistant à réserver le sucre à certaines préparations culinaires.

Si les puissants ont longtemps apprécié les douceurs des sucreries, en Occident, l'idée du dessert en tant que tel est relativement récente. Jadis, les préparations sucrées étaient présentées sur la table du banquet aux côtés des mets salés : on servait par exemple du veau, de la langue de bœuf, du poulet, un blanc-manger, des vol-au-vent, un gâteau et du poisson comme plats « principaux ». De nombreux desserts étaient d'ailleurs à l'origine des préparations salées. Ainsi, le blanc-manger, un entremets très ancien, se composait d'un mélange de chair de poulet pilée et d'amandes. Les garnitures des tourtes mêlaient souvent ingrédients sucrés (fruits) et ingrédients salés (viande).

Quand on commença à utiliser la gélatine – elle provenait alors d'os d'animaux –, c'était pour décorer les tables des banquets. Les préparations en gelée trônaient au centre, illustrant le talent du chef et sa maîtrise des ingrédients. Par la suite, on pensa à sucrer la gélatine. L'invention du moule à gelée en cuivre par les Anglais de l'ère victorienne est à l'origine d'une myriade de recettes telles que blancs-mangers, crèmes et gâteaux moulés de formes variées. La gélatine en poudre, mise au point dans les années 1840, ne devint populaire que beaucoup plus tard, avec l'apparition des systèmes de réfrigération, notamment domestiques.

Le pudding anglais n'existe que depuis quelques siècles sous une forme sucrée. Auparavant, c'était un mélange salé de céréales et de fruits secs avec lequel on farcissait des boyaux d'animaux que l'on faisait cuire dans un bouillon de viande et de légumes, à la cheminée. Ce mode de cuisson simple était à la portée de tous, tandis que seuls les riches disposaient du four nécessaire à la cuisson des gâteaux et autres desserts.

L'invention de la toile à pudding, au XVIIe siècle, a coïncidé avec l'importation de fruits secs en Angleterre et avec la baisse du prix du sucre, qui le rendait désormais accessible aux classes moyennes. Ainsi est né le pudding sucré.

Jusqu'au XVIe siècle, on aimait à exhiber sa fortune en présentant une table surchargée de mets variés. Puis l'évolution des mœurs fit que l'on commença à desservir la table du banquet pour les desserts – le mot dessert vient d'ailleurs de « desserte ». Parfois, les convives se retiraient dans une autre pièce (voire dans un autre bâtiment !) pour déguster le dessert.

Si de nombreux desserts ont des origines anciennes, les deux ou trois derniers siècles ont vu l'émergence de nouvelles recettes. Divers facteurs ont favorisé cette évolution : le développement des transports, l'invention de la réfrigération et l'exploration du monde, qui s'est accompagnée de l'exportation de centaines de fruits d'une région du globe à une autre. C'est ainsi que l'Occident a découvert de nouveaux ingrédients comme le chocolat, les épices et le sucre.

Les glaces, qui sont aujourd'hui des desserts très courants, n'ont pu être mises au point qu'après l'invention des techniques de réfrigération. Considérés à l'origine comme toxiques ou du moins comme suspects, les aliments froids ont ensuite constitué une nouveauté : on les réservait aux grandes occasions et on les dégustait avec une certaine fierté. Aliments et boissons se consommaient auparavant tièdes (les boissons chaudes comme le thé et le café furent accueillies avec quelques réticences lorsqu'elles firent leur apparition). Jusqu'à l'invention des premières machines à fabriquer la glace, dans les années 1860, il s'agissait d'un produit naturel qui devait être transporté dans des glacières. Le réfrigérateur permit par la suite de conserver chez soi les denrées périssables et de préparer soi-même des desserts froids ou glacés.

Il est surprenant de constater à quel point certaines recettes de desserts, malgré leur diversité, se ressemblent à travers le monde. Les gâteaux de riz existent sous des formes variées, des versions chaudes et crémeuses de l'Occident à celles, noires et collantes, de l'Orient. Les entremets à base de pain sont répandus dans les cuisines du monde entier et les glaces sont universelles, des *gelati* italiens aux *kulfi* indiens. Les émigrants européens qui s'établirent en Amérique et en Australie apportèrent avec eux les recettes de leurs pays respectifs et en créèrent avec les nouveaux ingrédients qu'ils découvrirent. Ainsi naquirent des spécialités : la pavlova fut adoptée par les Australiens, et la glace devint un symbole national en Amérique. Elle fut même considérée comme indispensable au moral des armées !

Soumis aux préférences nationales, les desserts sont également sujets aux fluctuations des modes : ainsi, la mousse au chocolat fut le champion incontestable des années 1950, tandis que l'omelette norvégienne et la forêt-noire furent ceux des années 1970. Le tiramisu a quant à lui été élu dessert des années 1990. Qui sait ce que nous réserve le prochain millénaire ?

LES CLÉS DE LA RÉUSSITE

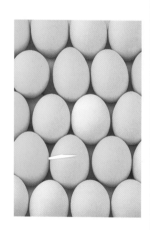

RÈGLES DE BASE

■ Lisez les recettes, choisissez le matériel conseillé et respectez les temps indiqués de réfrigération, de temps de repos, etc.

■ Les temps de cuisson varient selon les appareils utilisés : si votre préparation n'a pas la consistance souhaitée au bout du temps indiqué, prolongez la cuisson de quelques minutes.

■ Vous pouvez adapter les saveurs de nombreuses recettes en utilisant vos parfums préférés.

MESURES

■ Les quantités de liquides sont indiquées en millilitres (ml); celles des autres ingrédients en grammes (g) ou en cuillerées (cuil.).

■ Par souci de précision, les cuillerées correspondent à des mesures rases.

■ Pour mesurer les liquides, utilisez de préférence des doseurs en verre ou en plastique dont les graduations sont visibles à l'intérieur et à l'extérieur.

■ Vous pouvez utiliser des balances mécaniques pour les aliments solides.

■ Les balances électroniques ont tendance à manquer de précision au-dessous de 30 g.

INGRÉDIENTS

■ La quantité de sucre indiquée peut être modifiée lorsque le sucre ne figure pas comme ingrédient de base dans la recette. Pour les tartes, les mousses et les desserts aux fruits, vous pouvez adapter la quantité en fonction de votre goût. En revanche, si le sucre s'intègre dans une proportion équilibrée entre ingrédients liquides et ingrédients secs, tout changement risque d'affecter le résultat.

■ Employez de préférence du beurre frais et doux; toutefois, la saveur du beurre salé ne modifiera que légèrement celle de la préparation. Conservez le beurre bien enveloppé dans le réfrigérateur, car il absorbe facilement les odeurs. Coupez de fins morceaux de beurre dans un saladier pour qu'il ramollisse plus rapidement.

■ Les œufs utilisés pèsent environ 60 g. Ils doivent être conservés au réfrigérateur et employés dès que possible après l'achat.

■ Laissez les œufs à température ambiante avant de les travailler.

■ Les blancs d'œufs très frais ou un peu anciens ne montent pas aussi bien que ceux qui datent de quelques jours. Le blanc d'œuf frais est plus facile à séparer du jaune, car il est plus ferme.

■ Pour battre les blancs en neige, nettoyez soigneusement le bol et le batteur, et veillez à ce qu'il n'y ait aucune trace de jaune dans le blanc.

■ La crème destinée à être fouettée doit contenir au minimum 35 % de matières grasses. Choisissez une crème fraîche ou liquide.

■ Pour fouetter la crème fraîche, procédez lentement au départ, puis plus rapidement. Par temps chaud, la crème doit être froide, ainsi que le bol. La crème fouettée à point doit être blanche et ferme. Lorsqu'elle est trop fouettée, elle présente un aspect granuleux et jaunâtre.

■ Fouettez légèrement la crème qui doit être utilisée dans une poche à douille, car elle a tendance à s'épaissir sous l'effet de la chaleur de la main.

■ Le degré de sécheresse de la farine varie avec le taux d'humidité de l'air; de ce fait, elle absorbe plus ou moins bien les liquides.

■ Par temps humide, il est parfois nécessaire d'ajouter un peu de farine aux pâtes à tartes et à crêpes. Évitez toutefois d'en mettre trop, sinon elles risquent de durcir.

■ Les fruits à coque sèche se conservent de préférence dans des sacs hermétiquement fermés. Une fois grillés, ils dégagent une saveur fraîche.

■ Broyez les fruits à coque sèche dans un robot, avec une cuillerée à soupe de sucre ou de farine, afin d'absorber l'excès de graisse.

■ L'essence et l'extrait de vanille purs offrent une saveur plus intéressante.

■ Le temps humide n'est pas favorable à la préparation du caramel ni des meringues.

■ Le jus de citron jaune ou vert est meilleur lorsqu'il est fraîchement pressé.

■ La gélatine alimentaire est disponible en poudre ou en feuilles. Les recettes de cet ouvrage utilisent en général de la gélatine en poudre : à titre indicatif, 2 feuilles correspondent à 7 g ou à 1 cuil. à soupe de poudre. Achetez de préférence de la gélatine sans origine bovine.

MATÉRIEL

■ Sélectionnez des ustensiles de qualité, qui dureront longtemps et garantiront de bons résultats.

■ Si vous n'avez pas de moule de la dimension indiquée, sachez qu'une différence de 1 cm n'affectera pas le résultat final. En revanche, évitez une différence supérieure à 2 cm, car les quantités ne correspondraient plus.

■ Les fours ne réagissent pas tous de la même manière. Ceux qui sont équipés d'un système de convection ou à chaleur tournante assurent une cuisson plus rapide et permettent de cuire plusieurs préparations en même temps.

■ Les thermostats n'étant pas toujours précis, placez un thermomètre spécial au milieu du four.

■ La cuisson des pâtes nécessite un contact rapide avec la source de chaleur. Elles doivent donc être placées près de cette dernière, contrairement aux préparations qui cuisent au bain-marie.

■ Le matériel de cuisson doit réagir rapidement et de manière uniforme à la température du four. Les moules en métal brillant retiennent moins la chaleur, ce qui évite à la préparation de brûler. Les moules de teinte foncée, à revêtement antiadhésif, absorbent plus facilement la chaleur et nécessitent donc une température de cuisson inférieure. Utilisez des plaques à pâtisserie qui ne se déforment pas.

■ Choisissez des casseroles de bonne qualité pour éviter les réactions aux acides contenus dans certains ingrédients. En acier inoxydable et à fond épais, elles permettent une diffusion régulière de la chaleur. Utilisez des modèles équipés de poignées pratiques et de couvercles fermant hermétiquement.

■ Les casseroles à revêtement antiadhésif sont parfaites pour les crèmes, mais le caramel doit se préparer dans une casserole en acier inoxydable, qui permet d'observer le changement de couleur. N'utilisez pas d'ustensiles en métal avec des casseroles à revêtement antiadhésif.

■ Les bols ou saladiers en verre résistant à la chaleur sont utiles pour battre les blancs d'œufs en neige et pour faire fondre le chocolat. Les récipients en acier inoxydable offrent en outre l'avantage de chauffer et de refroidir rapidement. Une jatte en terre est très pratique pour mélanger de grandes quantités d'ingrédients.

■ Achetez un robot, équipé d'un bol mélangeur suffisamment grand pour accueillir les quantités importantes. Un mixeur intégré ou séparé permet de travailler les petites quantités.

■ Les mixeurs doivent être équipés et d'une lame fonctionnant en hauteur pour éviter que les petites quantités ne collent aux parois.

■ Pour aérer et mélanger les ingrédients, travaillez avec un fouet métallique ou un batteur électrique en faisant glisser une spatule sur les parois du bol. Le robot est déconseillé, car il bat les ingrédients sans les aérer.

■ S'il n'est pas possible de réduire le feu au minimum, utilisez un diffuseur à chaleur. Il s'agit d'une petite plaque qui répartit la chaleur sur le fond des casseroles pour éviter qu'elles ne chauffent trop.

■ Les thermomètres de congélateur permettent de lire avec précision la température de congélation. Les aliments conservés à -18 °C sont débarrassés des bactéries et des enzymes. L'activité enzymatique reprend vers -10 °C. Les glaces doivent être congelées à -18 °C.

■ Les thermomètres à friture servent à mesurer la température de l'huile, afin de cuire les aliments à point et d'en extraire toute la saveur.

■ Un thermomètre à sucre est indispensable pour connaître la température du sirop de sucre, qui se ramollit avant de se cristalliser et de caraméliser : toutes ces étapes sont à surveiller.

■ Un minuteur permet de programmer les temps de cuisson et de surveiller les préparations.

■ Le papier sulfurisé est utilisé pour chemiser les moules, il doit souvent être graissé au préalable.

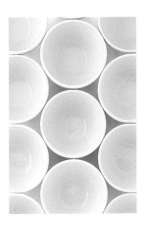

USTENSILES DE BASE

Ils vous permettront de réussir de délicieux desserts.

Choisissez-les de bonne qualité pour qu'ils durent

plus longtemps.

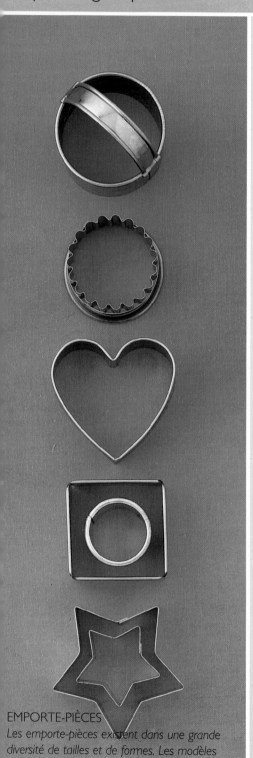

SPATULES EN CAOUTCHOUC

Elles sont utiles pour vider complètement les bols mélangeurs ainsi que les robots. Il en existe de petits modèles pour les bocaux. Lavez-les à la main pour qu'elles durent plus longtemps. Prévoyez des spatules différentes pour les préparations salées et les sucrées, car elles ont tendance à absorber les couleurs et les saveurs.

COUTEAU À CANNELER ET ZESTEUR

L'extrémité du zesteur est dotée d'une rangée de trous au bord tranchant. Il suffit de l'appliquer fermement à la surface des agrumes et de le faire glisser pour retirer le zeste en longues lanières. Certains modèles sont dotés d'un dispositif permettant de creuser des sillons dans le zeste.

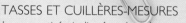

EMPORTE-PIÈCES

Les emporte-pièces existent dans une grande diversité de tailles et de formes. Les modèles simples et cannelés disposent d'un bord tranchant pour découper la pâte et d'un bord arrondi pour appuyer dessus : les plus efficaces sont en métal. Les modèles fantaisie doivent être entretenus avec soin, car ils s'abîment facilement.

CUILLÈRES EN BOIS

Les cuillères en bois servent à remuer, à mélanger et à battre les ingrédients, car elles ne conduisent pas la chaleur et n'abîment pas les revêtements antiadhésifs. Certaines ont un bord et un angle droits permettant de bien gratter les casseroles. Celles en bois dur sont plus résistantes.

TASSES ET CUILLÈRES-MESURES

Les quantités indiquées dans les recettes correspondent à des mesures rases. Les ingrédients secs doivent être aplanis avec un couteau.

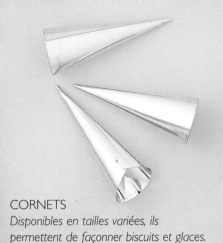

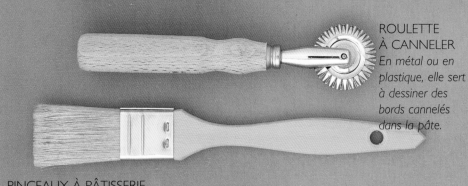

ROULETTE À CANNELER
En métal ou en plastique, elle sert à dessiner des bords cannelés dans la pâte.

PINCEAUX À PÂTISSERIE
En poils naturels ou en Nylon, ils sont plats ou ronds et s'utilisent pour graisser les plats ou pour étaler les glaçages. Évitez d'utiliser un modèle en Nylon avec un liquide chaud, car les poils risquent de fondre. Essuyez soigneusement les pinceaux avant de les ranger. Réservez-en un pour l'huile.

CORNETS
Disponibles en tailles variées, ils permettent de façonner biscuits et glaces.

SAUPOUDREUSE
Elle sert à saupoudrer de farine les plans de travail, à décorer les desserts de sucre glace ou de cacao.

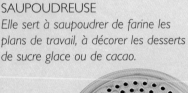

NOYAUX DE CUISSON
Ces perles de céramique ou de métal, réutilisables, servent à cuire les pâtes à blanc. On peut les remplacer par des grains de riz ou par des pois secs.

CHINOIS
Pour réduire les aliments en purée, utilisez de préférence un chinois en acier inoxydable ou une passoire de forme conique. Pressez les aliments avec le dos d'une louche ou d'une cuillère en bois.

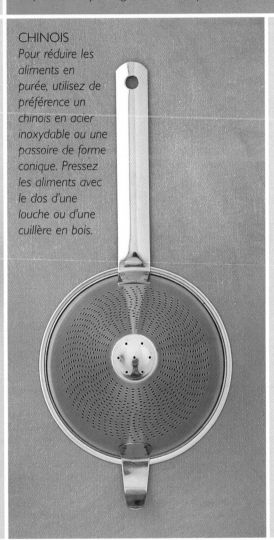

CUILLÈRE À MELON, VIDE-POMME, COUTEAU À FRUITS
Le bord tranchant et cannelé du vide-pomme entaille le fruit sans l'abîmer. On peut retirer la pulpe des fruits avec une cuillère à melon ou avec l'extrémité pointue d'un couteau.

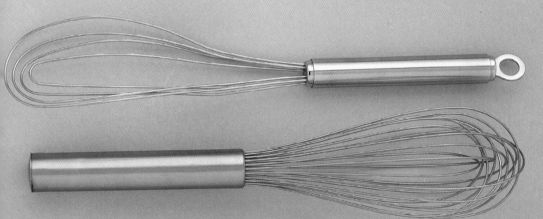

FOUETS
Le travail au fouet permet d'incorporer de l'air dans les ingrédients et d'éliminer les grumeaux. Les fouets sont formés de fils d'acier inoxydable fixés au niveau de la poignée. Il en existe des grands pour battre les blancs d'œufs et des petits pour préparer les sauces et assaisonnements. Les fouets « plats » sont très pratiques pour battre les ingrédients dans les casseroles ou les récipients dépourvus de parois arrondies; ils peuvent aussi s'utiliser sur des assiettes plates.

SPATULE MÉTALLIQUE

Sa longue lame flexible permet d'étaler facilement les préparations. Les petits modèles conviennent pour les opérations délicates, les grands pour les garnitures de gâteaux. Elle sert aussi à retourner dans la poêle des préparations telles que les crêpes.

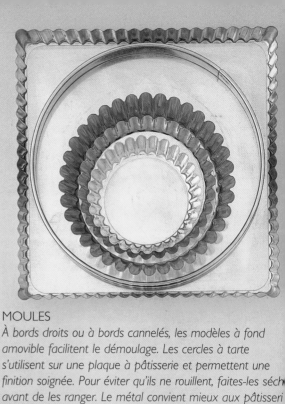

MOULES

À bords droits ou à bords cannelés, les modèles à fond amovible facilitent le démoulage. Les cercles à tarte s'utilisent sur une plaque à pâtisserie et permettent une finition soignée. Pour éviter qu'ils ne rouillent, faites-les séch avant de les ranger. Le métal convient mieux aux pâtisseri

DÉCOUPE-PÂTE

Il permet de dessiner des motifs en croisillons sur la pâte ou à la surface des tourtes. Généralement en plastique, il n'abîme pas le plan de travail.

CUILLÈRES EN MÉTAL

Elles sont utiles pour incorporer des ingrédients secs ou pour mélanger une préparation à une autre sans l'assécher.

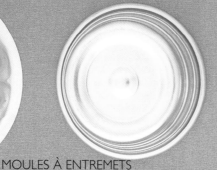

MOULES À ENTREMETS

Ces moules conçus pour donner forme aux gelées et autres entremets existent dans une grande diversité de formes, de tailles et de matières (verre, céramique, métal). Les plus répandus sont en métal. Bons conducteurs du froid, ils permettent aux desserts de prendre et peuvent être chauffés au moment du démoulage. Il faut les remplir au maximum pour obtenir le meilleur effet. Certains modèles peuvent s'utiliser pour des gâteaux, mais les reliefs risquent de rendre le démoulage délicat.

ROULEAU
À PÂTISSERIE

*Il doit être plus long
que le diamètre d'un
grand fond de tarte.
Les modèles de bonne
qualité, en bois dur,
ont une finition
très lisse. Le bois
est préférable
à la céramique
et au marbre,
car sa surface retient
la farine. Les rouleaux
sont de formes,
de tailles et
d'épaisseurs variées.
Ceux qui servent
à la confection
du strudel sont
particulièrement effilés.*

MOULES EN PORCELAINE À FEU

*Ces petits pots, ramequins et moules en forme
de cœur percés de trous sont utilisés pour cuire
au four crèmes, soufflés et autres entremets.*

MOULES MÉTALLIQUES

*Les darioles, moules à baba et à pudding
sont utilisés pour cuire au four ou à la vapeur
puddings, entremets et gelées.*

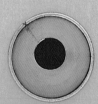

DOUILLES

*En métal ou en plastique, les douilles existent en plusieurs tailles (des plus grandes pour crèmes
et pâtisseries aux plus petites pour décorations fines) et en plusieurs formes (étoiles, cercles,
fentes, etc.).*

PRESSE-CITRON

*En verre, en céramique,
en plastique ou en bois,
les modèles disposant
d'une soucoupe pour
recueillir le jus sont
les plus pratiques.*

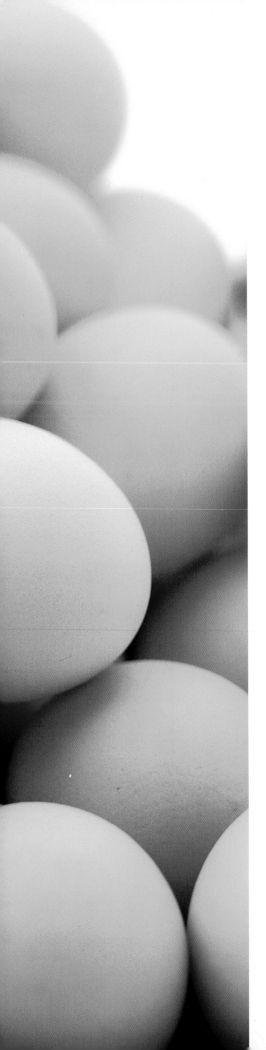

CRÈMES ET SOUFFLÉS

Simples mais raffinés, les crèmes et entremets se doivent de figurer en bonne place dans tout ouvrage consacré aux desserts. Cette délicate alliance d'œufs et de crème fraîche adoucie de sucre constitue la base de nombreuses préparations. Un coup de baguette magique suffit ensuite à transformer les crèmes en soufflés, en mousses et en sabayons, autant de compositions onctueuses propres à réjouir le palais.

UNE CRÈME PARFAITE

Elle nappe les tartes, tourtes et entremets, se sert chaude ou froide, démoulée

ou dans des ramequins… et donne lieu à de multiples variations qui, toutes, révèlent

leur délicieuse saveur.

Faite à la maison ou achetée toute prête, la crème anglaise accompagne à merveille un grand nombre de desserts. Elle entre également dans la préparation de glaces, de soufflés et de desserts comme le bavarois.

Il existe deux principaux types de crème anglaise : liquide et cuite au four. Les ingrédients de base sont toujours les mêmes : des œufs, qui doivent être utilisés à température ambiante, et du lait. Pour réussir une crème anglaise, la règle d'or est de la préparer à feu très doux, sinon on risque de la faire tourner. Il est plus facile de confectionner des crèmes à base d'œufs entiers, car le blanc prend plus rapidement que le jaune.

CRÈME LIQUIDE
Pour faire une crème anglaise liquide, séparer le jaune et le blanc de 3 œufs. Mettre les jaunes dans un bol avec 2 cuil. à

soupe de sucre en poudre et battre avec un fouet pour obtenir une consistance légère et aérée. La préparation doit former un ruban qui garde sa forme quelques secondes. Verser 375 ml de lait dans une casserole et faire chauffer jusqu'à l'apparition de bulles sur les bords. Verser sur la préparation aux œufs en battant au fouet. S'il reste du lait au fond de la casserole, la rincer pour éviter que la crème n'attache au fond. Remettre la préparation dans la casserole et remuer sur feu doux, éventuellement au bain-marie.

On peut aussi utiliser un récipient en métal, posé sur une casserole d'eau frémissante (le récipient ne doit pas toucher l'eau) de façon à obtenir une chaleur plus douce. Pour que la crème épaississe régulièrement, les œufs doivent chauffer lentement, au-dessous du point de frémissement. Remuer sans arrêt pour éviter la formation de gru-

meaux. Il est recommandé de bien passer la cuillère en bois au fond et sur les bords de la casserole, où la crème est plus chaude et cuit plus vite. Si elle menace de tourner, retirer aussitôt la casserole du feu, ajouter 1 cuil. à café d'eau glacée et mélanger vigoureusement. On évite ainsi qu'elle ne tourne, mais on ne peut plus obtenir une consistance lisse.

La crème est prête lorsqu'elle nappe le dos d'une cuillère et que l'on peut tracer au milieu une ligne qui garde sa forme. La verser immédiatement à travers une passoire dans une jatte ou plonger le fond de la casserole dans l'eau glacée pour stopper la cuisson. Si la crème doit être servie froide, couvrir la surface d'un morceau de film plastique afin d'éviter la formation d'une peau. Pour la garder au chaud, la verser dans une jatte posée sur une casserole d'eau chaude.

Pour obtenir une crème à la vanille, ajouter une gousse de vanille fendue dans le lait pendant qu'il chauffe et laisser infuser de 5 à 30 minutes en fonction du parfum souhaité. Retirer la gousse avant de verser le lait sur les œufs. On peut également ajouter 2 cuil. à café d'essence de vanille dans la crème lorsqu'elle est prête (si on le fait plus tôt, elle s'évapore).

CRÈME CUITE AU FOUR

La crème doit être enfournée au bain-marie et cuite à chaleur douce afin que la préparation ne tourne pas. Placer les ramequins ou les moules dans un plat à four contenant de l'eau jusqu'à mi-hauteur des moules. La crème est prête lorsque le centre des ramequins est pris mais frémit encore légèrement quand on remue le moule. Elle durcira en refroidissant. La consistance doit être lisse et onctueuse.

BAVAROIS À LA VANILLE

Battre les jaunes d'œufs et le sucre avec le fouet jusqu'à obtention d'un mélange clair et épais.

Lorsque le bavarois est pris, le décoller délicatement du bord du moule avec le doigt.

BAVAROIS À LA VANILLE

Préparation : 40 minutes + temps de repos
  + réfrigération
Cuisson : 10 à 15 minutes
Pour 4 personnes

★ ★

685 ml de lait

1 gousse de vanille

1 bâton de cannelle

6 jaunes d'œufs

160 g de sucre en poudre

3 cuil. à café de gélatine (en feuilles, voir p. 11)

185 ml de crème liquide

1 Dans une casserole, faire chauffer doucement le lait, la vanille et la cannelle jusqu'au point de frémissement. Retirer du feu et laisser infuser 5 minutes. Enlever le bâton de cannelle et la gousse de vanille.
2 Travailler les jaunes d'œufs et le sucre au fouet jusqu'à obtention d'un mélange clair et épais. Incorporer progressivement le lait. Verser dans une grande casserole et remuer sans arrêt sur feu doux jusqu'à épaississement, sans laisser bouillir. Retirer du feu. Couvrir la surface de film plastique pour éviter la formation d'une peau.
3 Mettre 2 cuil. à soupe d'eau dans un bol résistant à la chaleur, saupoudrer uniformément la surface avec la gélatine et laisser gonfler. Porter à ébullition une casserole contenant 4 cm d'eau, la retirer du feu et poser délicatement le bol de gélatine dedans (l'eau doit arriver à mi-hauteur du bol). Remuer jusqu'à dissolution complète. Incorporer dans la préparation en battant au fouet. Couvrir comme précédemment et laisser refroidir.
4 Fouetter la crème jusqu'à ce qu'elle devienne ferme, puis l'ajouter dans la préparation refroidie. Répartir dans quatre ramequins de 250 ml, tapoter doucement le fond sur un plan de travail pour chasser les bulles d'air, puis réserver toute la nuit au réfrigérateur.
5 Pour démouler, pencher légèrement les ramequins sur le côté. Décoller délicatement du bord avec le doigt, en laissant l'air pénétrer. Renverser sur une assiette. En cas de difficulté, poser un torchon imbibé d'eau chaude autour du moule. Décorer éventuellement de morceaux de fruits frais.

EN HAUT :
Bavarois à la vanille

LA CRÈME BRÛLÉE
La crème brûlée se prépare traditionnellement dans un grand plat peu profond, ce qui permet d'avoir une belle surface de caramel. On peut utiliser n'importe quel type de sucre pour le caramel, avec des résultats différents : ainsi, le sucre cristallisé fond bien, tandis que le caramel obtenu avec le sucre roux a une saveur plus prononcée.

CRÈME BRÛLÉE

Préparation : 30 minutes + temps de repos + réfrigération
Cuisson : 30 minutes
Pour 6 personnes

★ ★

750 ml de crème liquide
2 gousses de vanille
8 jaunes d'œufs
125 g de sucre en poudre
3 cuil. à café de sucre en poudre, pour la finition

 Faire chauffer doucement la crème et la vanille dans une grande casserole à fond épais jusqu'au point de frémissement. Laisser infuser 30 minutes hors du feu. Retirer les gousses de vanille.
2 Battre les jaunes d'œufs et le sucre dans une grande jatte jusqu'à obtention d'un mélange clair et épais. Ajouter la crème, puis verser dans une casserole sur feu doux. Remuer jusqu'à ce que la préparation épaississe légèrement et nappe le dos d'une cuillère en bois. Ne pas laisser bouillir, sous peine de faire tourner la crème. Retirer du feu, puis répartir dans six ramequins de 170 ml. Couvrir de film plastique et réserver au moins 3 heures au réfrigérateur, si possible toute la nuit.
3 Juste avant de servir, préchauffer le gril à chaleur maximale. Saupoudrer de sucre la surface des crèmes sur environ 3 mm d'épaisseur, en procédant de la façon suivante : poser les ramequins sur une feuille de papier sulfurisé et tamiser le sucre dessus; remettre ensuite dans le sucrier le sucre tombé sur le papier.
4 Placer les ramequins dans un grand plat à four et les entourer de glaçons pour empêcher les crèmes de chauffer. Laisser sous le gril jusqu'à formation d'un caramel en surveillant pour qu'il ne brûle pas : le sucre doit caraméliser rapidement pour éviter que la crème ne ramollisse. Si le gril ne chauffe pas suffisamment, se munir d'un petit chalumeau et balayer de façon uniforme la surface de la crème avec la flamme. Ne pas trop sucrer car, si le caramel est trop épais, il est difficile à casser avec une cuillère.
5 Réserver les crèmes au frais jusqu'au moment de servir, mais pas plus d'une heure, sinon le caramel risque de fondre. Décorer éventuellement de fruits frais : framboises, myrtilles…

EN HAUT : Crème brûlée

21

les ramequins, puis laisser prendre 2 heures au réfrigérateur. Pour démouler, poser un torchon imbibé d'eau chaude autour des moules et les renverser sur des assiettes.

3 Pour préparer la sauce, verser 250 ml d'eau dans une casserole, ajouter le sucre et le faire fondre à feu moyen, sans ébullition. Ajouter la cannelle et laisser frémir 5 minutes. Incorporer les framboises, le vin, et faire bouillir rapidement pendant 5 minutes. Retirer la cannelle avant de passer la sauce au chinois. Laisser refroidir à température ambiante, puis mettre au réfrigérateur jusqu'au moment de servir avec les panna cotta. Décorer éventuellement de fruits.

NOTE : Spécialité italienne, la panna cotta doit son nom, signifiant « crème cuite », au fait que l'on prépare la crème sur le feu avant d'incorporer la gélatine, pour obtenir une consistance épaisse et onctueuse. On peut fendre la gousse de vanille et ajouter les graines dans la crème.

PANNA COTTA À LA SAUCE ROUGE

Préparation : 20 minutes + réfrigération
Cuisson : 20 minutes
Pour 6 personnes

★★

750 ml de crème liquide
3 cuil. à café de gélatine (en feuilles, voir p. 11)
1 gousse de vanille
90 g de sucre en poudre

Sauce rouge
250 g de sucre en poudre
1 bâton de cannelle
125 g de framboises fraîches ou surgelées
125 ml de vin rouge de qualité supérieure

1 Graisser légèrement l'intérieur de six ramequins de 150 ml. Verser 3 cuil. à soupe de crème dans un bol, saupoudrer uniformément la surface avec la gélatine et laisser gonfler.

2 Mettre dans une casserole le reste de crème, la vanille, le sucre, puis faire chauffer doucement en remuant jusqu'au point de frémissement. Retirer du feu et incorporer la gélatine à la préparation avec un fouet, jusqu'à dissolution complète. Répartir dans

EN HAUT : Panna cotta à la sauce rouge

CRÈME AU FOUR

Préparation : 5 minutes
Cuisson : 35 minutes
Pour 4 personnes

★

3 œufs
95 g de cassonade
375 ml de lait
125 ml de crème liquide
1 cuil. à café d'essence de vanille
Noix muscade en poudre

1 Préchauffer le four à 180 °C (therm. 4). Graisser un plat résistant à la chaleur de 1 litre.

2 Mettre dans une jatte les œufs, la cassonade, le lait, la crème et l'essence de vanille. Travailler le tout au fouet pendant 1 minute et verser dans le plat. Le poser dans un autre plat à four et remplir le second d'eau bouillante jusqu'à mi-hauteur du premier. Saupoudrer la crème de noix muscade, enfourner et laisser cuire 15 minutes.

3 Baisser le thermostat à 160 °C (therm. 2-3), puis prolonger la cuisson 20 minutes, jusqu'à ce que la crème soit prise. Elle ne doit pas être liquide, mais frémir légèrement lorsqu'on remue le plat. Retirer aussitôt le plat du bain-marie. Servir chaud ou froid.

CRÈME À LA VANILLE ET AUX TAMARILLOS

Préparation : 1 heure + temps de repos
  + réfrigération
Cuisson : 1 heure
Pour 6 personnes

700 ml de crème liquide

1 gousse de vanille

2 œufs + 2 jaunes d'œufs

2 cuil. à soupe de sucre en poudre

Tamarillos pochés

6 tamarillos avec la queue

375 g de sucre en poudre

5 cm de zeste d'orange

2 ou 3 cuil. à soupe de kirsch ou de xérès

1 Placer six ramequins de 125 ml dans un grand plat à four. Mettre la crème et la gousse de vanille dans une casserole, porter doucement à ébullition, puis réduire et laisser frémir 5 minutes. Fendre la gousse de vanille hors du feu, recueillir les graines, remettre la gousse et les graines dans la crème. Couvrir et laisser reposer 30 minutes avant de filtrer.

2 Préchauffer le four à 160 °C (therm. 2-3). Battre au fouet les œufs, les jaunes et le sucre dans une jatte. Incorporer la crème, puis répartir dans les ramequins et les couvrir de papier d'aluminium. Verser de l'eau chaude dans le plat à four jusqu'à mi-hauteur des ramequins. Faire cuire 30 minutes au four, jusqu'à ce que les crèmes soient prises. Laisser refroidir au réfrigérateur, à couvert, pendant 4 heures ou toute une nuit.

3 Ébouillanter les tamarillos pendant 10 secondes, puis les plonger dans l'eau glacée et les peler en gardant les queues. Mettre dans une casserole le sucre, 750 ml d'eau et le zeste d'orange. Tourner pour faire fondre le sucre, puis laisser bouillir 3 minutes. Réduire le feu jusqu'au point de frémissement avant d'incorporer les tamarillos. Faire pocher 6 à 8 minutes, en fonction du degré de maturité des fruits. Verser la liqueur hors du feu et laisser les tamarillos refroidir dans le sirop. Les retirer juste avant de servir et laisser bouillir le sirop 5 à 10 minutes, pour qu'il réduise et épaississe. Verser dans une jatte, couvrir et laisser refroidir. Couper les tamarillos en deux en laissant la queue, puis servir avec le sirop et la crème à la vanille.

NOTE : On peut remplacer la gousse de vanille par 1 cuil. à café d'essence de vanille que l'on ajoute dans la crème à la fin de la cuisson.

LES ŒUFS

Nourrissants, les œufs se prêtent à toutes sortes de préparations. Les jaunes enrichissent et épaississent crèmes et autres entremets, tandis que les blancs battus servent à la confection des meringues, mousses et soufflés. Les œufs entrent dans la préparation des pâtisseries, mais ils permettent aussi de réaliser de superbes glaçages. Les œufs frais ont un jaune brillant entouré d'un blanc épais et visqueux. Lorsqu'ils vieillissent, le blanc se désagrège et devient liquide. Les blancs d'œufs qui manquent de fraîcheur montent plus difficilement, de même que ceux qui n'ont qu'un jour ou deux. Pour en apprécier la fraîcheur, il suffit de le plonger dans un verre d'eau. Frais, il reste en position horizontale au fond du verre car la partie située à l'extrémité arrondie contient très peu d'air. Lorsque les œufs vieillissent, ils s'emplissent d'air et flottent dans l'eau.

LES TAMARILLOS

Appelés aussi « tomates en arbre », sont les gros fruits rouges du cyphomandra, arbre qui pousse en Amérique du Sud. On en trouve dans les épiceries exotiques.

CI-CONTRE : Crème à la vanille et aux tamarillos

LE CHOCOLAT

À l'origine, le chocolat se consommait comme boisson ou entrait dans la composition des desserts. Vendu sous forme de pâte ou de barres, il était très onéreux. Les Anglais ajoutèrent du lait dans le chocolat, mais ce sont les Suisses qui, les premiers, commercialisèrent le chocolat au lait. Si les Européens ont découvert les fèves du cacaoyer grâce à Christophe Colomb, ils ont dû attendre 1519, lorsque Hernán Cortés goûta la boisson au chocolat offerte par les Aztèques, pour savoir comment les utiliser. Le chocolat à boire fut désormais considéré comme énergétique et utilisé comme un réconfortant. Il fut également adopté avec enthousiasme au XIXe siècle par les sociétés de tempérance, en remplacement de l'alcool.

EN HAUT :
Crèmes au chocolat

CRÈMES AU CHOCOLAT

Préparation : 20 minutes + réfrigération
Cuisson : 1 heure
Pour 8 personnes

170 ml de crème fraîche épaisse

1/2 gousse de vanille, fendue dans la longueur

150 g de chocolat noir amer supérieur,
   en morceaux

80 ml de lait

2 jaunes d'œufs

60 g de sucre en poudre

Crème fouettée et cacao en poudre,
   pour la décoration

1 Graisser légèrement huit ramequins de 80 ml, puis les mettre dans un plat à four profond. Préchauffer le four à 140 °C (therm. 1). Faire chauffer la crème dans une petite casserole avec la vanille, puis laisser infuser.

2 Mettre le chocolat et le lait dans une casserole sur feu doux. Remuer sans arrêt pour faire fondre le chocolat.

3 Mettre les jaunes d'œufs dans un petit saladier et incorporer lentement le sucre en battant au fouet. Continuer jusqu'à ce que le mélange devienne léger et crémeux. Recueillir les graines de vanille, les incorporer à la crème et jeter la gousse. Ajouter la crème à la vanille et le chocolat fondu au mélange jaunes d'œufs-sucre, puis remuer soigneusement.

4 Répartir la préparation dans les ramequins en les remplissant aux trois quarts. Mettre de l'eau bouillante dans le plat à four jusqu'à mi-hauteur des ramequins. Faire cuire 45 minutes au four : les crèmes doivent gonfler légèrement et offrir un aspect spongieux. Laisser refroidir complètement hors du bain-marie. Couvrir de film plastique, puis réserver 6 heures au réfrigérateur avant de servir. Décorer avec une cuillerée de crème fouettée et un peu de cacao.

NOTE : La surface des crèmes présente une légère croûte à la sortie du four.

BAVAROISE AU CHOCOLAT

Préparation : 30 minutes + réfrigération
Cuisson : 5 minutes
Pour 6 personnes

200 g de chocolat noir supérieur, en morceaux

375 ml de lait

4 jaunes d'œufs

90 g de sucre en poudre

1 cuil. à soupe de gélatine (en feuilles,
  voir p. 11)

315 ml de crème liquide

1 Mettre le chocolat et le lait dans une petite casserole. Remuer sur feu doux jusqu'à ce que le chocolat fonde et que le lait commence à bouillir.
2 Battre les jaunes d'œufs avec le sucre. Incorporer progressivement la préparation précédente, en fouettant pour bien mélanger. Verser dans une casserole et faire cuire à feu doux, sans laisser bouillir, jusqu'à ce que le mélange épaississe et nappe le dos d'une cuillère en bois. Retirer du feu.
3 Verser 2 cuil. à soupe d'eau dans un bol résistant à la chaleur, saupoudrer uniformément la surface avec la gélatine et laisser gonfler. Incorporer dans la préparation au chocolat et laisser dissoudre.
4 Mettre à refroidir au réfrigérateur sans laisser durcir la préparation, en remuant de temps en temps. Fouetter la crème jusqu'à obtention d'une consistance ferme, puis verser en deux fois dans la préparation. Répartir dans six verres de 250 ml et réserver plusieurs heures ou toute la nuit au réfrigérateur.

BLANC-MANGER

Préparation : 40 minutes + réfrigération
Cuisson : 10 minutes
Pour 6 personnes

100 g d'amandes mondées

250 ml de lait

125 g de sucre en poudre

3 cuil. à café de gélatine (en feuilles, voir p. 11)

315 ml de crème liquide

1 Graisser six ramequins cannelés de 125 ml. Broyer les amandes avec 3 cuil. à soupe d'eau dans un mixeur, jusqu'à obtention d'une pâte. Ajouter progressivement le lait, sans cesser de mixer. Verser

dans une petite casserole, incorporer le sucre et remuer sur feu doux jusqu'à dissolution complète du sucre. Laisser refroidir.
2 Filtrer le lait à travers un chinois doublé d'une mousseline. Tordre les extrémités de la mousseline de manière à extraire le lait d'amande. Il faut en obtenir au moins 300 ml.
3 Verser 3 cuil. à soupe d'eau froide dans un bol résistant à la chaleur, saupoudrer uniformément la surface avec la gélatine et laisser gonfler. Ne pas remuer. Porter à ébullition une casserole contenant 4 cm d'eau, la retirer du feu et poser le bol dedans (l'eau doit arriver à mi-hauteur du bol). Faire dissoudre la gélatine en remuant, jusqu'à ce qu'elle soit claire, et l'incorporer au lait d'amande. Laisser refroidir complètement.
4 Fouetter la crème jusqu'à ce qu'elle devienne ferme, puis ajouter la préparation aux amandes. Répartir dans les ramequins et laisser prendre 6 à 8 heures au réfrigérateur. Pour démouler, décoller délicatement du bord avec le doigt et renverser sur une assiette. En cas de difficulté, envelopper les moules dans un torchon imbibé d'eau chaude.

LE BLANC-MANGER

Le blanc-manger est l'un des entremets les plus anciens. Confectionné traditionnellement avec des amandes douces et amères finement moulues, il se fabrique désormais avec de la gélatine ou de la Maïzena. À l'origine, c'était une préparation alliant le salé et le sucré, à base de poulet et d'amandes.

EN HAUT :
Bavaroise au chocolat

CRÈME CARAMEL

Verser un peu de caramel chaud dans les ramequins pour en couvrir le fond.

CRÈME CARAMEL

Préparation : 25 minutes + réfrigération
Cuisson : 35 minutes
Pour 8 personnes

★★

185 g de sucre en poudre

Crème anglaise
750 ml de lait
90 g de sucre en poudre
4 œufs
1 cuil. à café d'essence de vanille

1 Préchauffer le four à 160 °C (therm. 2-3). Graisser huit ramequins de 125 ml.
2 Mettre le sucre et 60 ml d'eau dans une casserole. Remuer sur feu doux jusqu'à dissolution du sucre. Porter à ébullition, réduire, puis laisser frémir jusqu'à ce que le mélange devienne doré et caramélise. Retirer aussitôt du feu et verser le caramel dans les ramequins de manière à en couvrir le fond.

CI-DESSOUS :
Crème caramel

Attention : le caramel continuant à chauffer dans la casserole, il faut procéder rapidement en veillant à ne pas se brûler.
3 Pour préparer la crème, faire chauffer le lait à feu doux dans une casserole jusqu'au point de frémissement. Retirer du feu. Battre au fouet le sucre, les œufs et l'essence de vanille pendant 2 minutes, puis incorporer le lait chaud. Filtrer la préparation dans une jatte et la répartir dans les ramequins.
4 Mettre les ramequins au four dans un plat rempli d'eau bouillante jusqu'à mi-hauteur de leurs parois. Faire cuire 30 minutes, jusqu'à ce que les crèmes soient prises. Elles doivent frémir légèrement lorsqu'on remue le plat. Laisser refroidir, puis réserver au moins 2 heures au réfrigérateur. Pour démouler, glisser un couteau tout autour des ramequins et renverser délicatement sur les assiettes de service. Si nécessaire, secouer doucement pour démouler plus facilement. Servir nature, ou accompagné de fruits rouges frais, de crème fouettée et de gaufrettes.
NOTE : On peut parfumer la crème avec des épices comme la cardamome, la cannelle et la noix muscade, du zeste d'orange ou de citron, ou encore un peu de liqueur. La crème caramel (ou crème renversée) existe dans de nombreux pays sous des appellations différentes.

CRÈME À LA BANANE

Préparation : 15 minutes
Cuisson : 5 minutes
Pour 4 personnes

★

1 œuf, légèrement battu
2 cuil. à soupe de préparation pour crème anglaise
2 cuil. à soupe de sucre en poudre
250 ml de lait
125 ml de crème fraîche épaisse
2 bananes

1 Mettre l'œuf battu, la préparation pour crème anglaise, le sucre, le lait et la crème dans un saladier résistant à la chaleur. Fouetter pour obtenir un mélange onctueux.
2 Poser le saladier dans une casserole d'eau frémissante et remuer sans arrêt sur feu doux pendant 5 minutes, jusqu'à ce que la crème épaississe et nappe le dos d'une cuillère en bois.
3 Retirer le bol du feu, puis incorporer délicatement les bananes écrasées. Servir chaud ou froid.

CRÈME À LA NOIX DE COCO

Préparation : 20 minutes
Cuisson : 1 heure
Pour 8 personnes

2 bâtons de cannelle

1 cuil. à café de noix muscade en poudre

2 cuil. à café de clous de girofle entiers

315 ml de crème liquide

90 g de sucre de palme, en morceaux,
   ou de cassonade

280 ml de lait de coco

3 œufs, légèrement battus

2 jaunes d'œufs, légèrement battus

1 Préchauffer le four à 160 °C (therm. 2-3). Mettre dans une casserole les épices, la crème et 250 ml d'eau. Porter au point de frémissement, réduire le feu au minimum et laisser 5 minutes pour que les épices parfument le liquide. Ajouter le sucre, le lait de coco, remettre sur feu doux et remuer jusqu'à dissolution du sucre.

2 Mettre les œufs et les jaunes dans une jatte et battre au fouet. Incorporer la préparation précédente, filtrer dans un récipient, puis jeter les épices. Répartir dans huit ramequins de 125 ml. Les ranger dans un plat à four et verser de l'eau chaude jusqu'à mi-hauteur de leurs parois. Faire cuire 40 à 45 minutes, pour que les crèmes soient prises. Elles doivent frémir légèrement lorsqu'on remue le plat. Servir chaud ou froid, éventuellement accompagné de crème fouettée et de lanières de noix de coco grillées.

GÂTEAU DE RIZ

Préchauffer le four à 150 °C (therm. 2). Graisser légèrement un moule en porcelaine à feu de 1 litre, puis ajouter 185 g de riz cuit et 3 cuil. à soupe de raisins secs. Poser le moule dans un plat à four rempli d'eau à mi-hauteur. Mettre 3 œufs légèrement battus, 600 ml de lait, 1 cuil. à café d'essence de vanille et 3 cuil. à soupe de sucre en poudre dans une jatte. Mélanger, puis verser sur le riz et les raisins. Faire cuire 30 minutes au four, remuer délicatement avec une fourchette et prolonger la cuisson 30 minutes. Remuer de nouveau et saupoudrer éventuellement de noix muscade fraîchement moulue. Laisser cuire encore 20 minutes, jusqu'à ce que le gâteau de riz soit pris. Servir chaud ou froid.

LA NOIX DE COCO

Originaire d'Inde, d'Asie du Sud-Est et des Caraïbes, la noix de coco se prête à de multiples usages. Elle possède une enveloppe fibreuse et une coque brune très dure. Sa chair blanche, à la saveur douce, présente une consistance gélatineuse lorsqu'elle est jeune, une texture ferme et huileuse lorsqu'elle est parvenue à maturité. Le lait de coco contenu dans la noix n'est pas celui qu'on utilise en cuisine : on obtient ce dernier en pressant la pulpe de la noix de coco pour en extraire d'abord la crème, puis le lait. Le lait de coco se vend en boîte, en poudre ou en blocs compacts. Sous sa forme séchée, la noix de coco entre dans la fabrication de la glace et de nombreuses recettes exotiques. Elle s'accorde parfaitement avec le citron vert.

EN HAUT :
Crème à la noix de coco

CRÈME ESPAGNOLE À L'ORANGE

Préparation : 20 minutes + réfrigération
Cuisson : 10 minutes
Pour 6 personnes

3 œufs, jaunes et blancs séparés

160 g de sucre en poudre

2 cuil. à café de zeste d'orange finement râpé

125 ml de jus d'orange frais

1 cuil. à soupe 1/2 de gélatine (en feuilles, voir p. 11)

750 ml de lait

1 Battre les jaunes d'œufs, le sucre et le zeste d'orange dans une jatte pendant 5 minutes avec un mixeur ou un fouet, jusqu'à obtention d'un mélange épais et crémeux.

2 Verser le jus d'orange dans un bol résistant à la chaleur, saupoudrer uniformément la surface avec la gélatine et laisser gonfler. Porter à ébullition une casserole contenant 4 cm d'eau, la retirer du feu et poser délicatement le bol de gélatine dedans (l'eau doit arriver à mi-hauteur du bol). Remuer la gélatine jusqu'à dissolution complète.

3 Mélanger la préparation précédente avec le lait dans une casserole et porter au point de frémissement. Ne pas faire bouillir pour éviter que la gélatine ne se désagrège. Retirer du feu et verser progressivement sur la préparation aux jaunes d'œufs, en remuant sans arrêt.

4 Battre les blancs d'œufs en neige ferme dans une jatte en métal ou en verre, puis incorporer délicatement dans la préparation au lait avec une grande cuillère en métal. Verser dans un plat de service en verre de 1,5 litre ou dans six ramequins de 250 ml et couvrir de film plastique. Laisser prendre au réfrigérateur plusieurs heures ou, mieux, toute une nuit.

NOTE : Cette recette figure sous des appellations variées dans de nombreux ouvrages de cuisine anglo-saxons. La crème se présente en plusieurs couches : une couche spongieuse repose sur des couches onctueuses, obtenues en incorporant les blancs d'œufs dans la préparation chaude et non froide. Si l'on ajoute les blancs d'œufs dans un mélange froid, ils restent collés à la gélatine et ne se séparent pas.

MONT-BLANC

Préparation : 10 minutes
Cuisson : 25 minutes
Pour 4 personnes

250 ml de crème liquide

1 cuil. à café d'essence de vanille

90 g de sucre en poudre

435 g de purée de marrons

2 cuil. à café de sucre glace

1 Mettre dans une casserole la moitié de la crème, la vanille, le sucre et la purée de marrons. Mélanger sur feu doux. Continuer à remuer pendant 15 à 20 minutes à feu moyen, jusqu'à ce que la préparation épaississe. Couvrir de film plastique et laisser refroidir complètement.

2 Diviser la préparation en quatre portions, puis passer chacune dans un presse-purée ou une passoire en métal au-dessus d'un plat de service. Ne pas toucher aux dômes ainsi obtenus, afin de ne pas les fragiliser ni les déformer.

3 Battre le reste de crème fraîche et le sucre glace avec un mixeur jusqu'à obtention d'un mélange ferme. Déposer délicatement sur les dômes de purée de marrons.

CRÈME AU CITRON

Préparation : 5 minutes + réfrigération
Cuisson : 5 minutes
Pour 4 personnes

110 g de sucre en poudre

315 ml de crème fraîche épaisse

Le jus de 2 citrons (environ 100 ml)

1 Mettre le sucre et la crème dans une casserole. Porter doucement à ébullition, en remuant pour faire fondre le sucre et pour éviter que la préparation ne déborde. Laisser bouillir 2 à 3 minutes, puis ajouter le jus de citron et bien mélanger.

2 Répartir dans quatre ramequins de 100 ml, couvrir de film plastique et laisser au réfrigérateur 2 heures ou toute une nuit. Servir accompagné de biscuits, par exemple des tuiles.

LE MONT-BLANC
Ce dessert doit son nom à sa forme évoquant un sommet couvert de neige. Il est fait de de marrons, sucrés, écrasés et passés au presse-purée. Le dôme est décoré de crème fouettée. Les Italiens, qui le dénomment Monte Bianco, ajoutent du chocolat dans la recette.

PAGE CI-CONTRE :
Crème espagnole
à l'orange (en haut);
Crème au citron (en bas)

LES SECRETS DES SOUFFLÉS

Les soufflés doivent leur forme aux bulles d'air chaud que contiennent les blancs d'œufs

battus en neige. Sous l'effet de la chaleur, l'air se dilate et fait gonfler la préparation.

Traditionnellement, on monte les blancs en neige dans des récipients en cuivre, qui réagissent bien au contact de ce métal. Mais il faut d'abord le nettoyer avec un mélange de 2 cuil. à soupe de sel et 2 cuil. à soupe de jus de citron ou de vinaigre, puis rincer et sécher soigneusement avant l'emploi.

D'un point de vue technique, les soufflés purs sont toujours chauds. Les desserts que l'on nomme parfois soufflés froids ou glacés sont en réalité des mousses, qui ne sont pas gonflées par de l'air chaud. Ils doivent leur consistance à de la gélatine et à des blancs d'œufs montés en neige, et ne s'affaissent pas comme les soufflés chauds. Leur base est constituée soit d'une préparation au lait, soit d'une purée de fruits très légère.

POUR RÉUSSIR UN SOUFFLÉ
Avant tout, il faut utiliser un moule à soufflé à bords droits, en verre ou en porcelaine à feu (un plat en métal permet une cuisson plus rapide, mais certains fruits réagissent au contact du métal et donnent une coloration grise aux bords du soufflé). Si la préparation atteint avant cuisson plus des deux tiers de la hauteur du plat, il faut prévoir une collerette en papier.

SOUFFLÉ AUX FRUITS EXOTIQUES
Prévoir 250 g de fruits (ici, 2 mangues et la pulpe de 4 fruits de la Passion), 4 blancs

d'œufs et 3 cuil. à soupe de sucre en poudre. Casser les œufs un par un dans un bol, afin que le jaune ne se mélange pas au blanc.

1 Pour confectionner une collerette, poser une double épaisseur de papier sulfurisé autour d'un plat à soufflé de 1,5 litre, en laissant déborder de 5 cm en haut. Maintenir avec de la ficelle.

2 Graisser légèrement l'intérieur du plat et la collerette, puis saupoudrer avec un peu de sucre. Pencher le plat de manière que le sucre recouvre entièrement le plat et la collerette, puis retourner le plat et tapoter pour ôter l'excédent.

Le sucre permet à la préparation d'adhérer à la paroi et de monter pendant la cuisson. Préchauffer le four à 220 °C (therm. 7) et poser une plaque à pâtisserie sur la grille du milieu.

3 Réduire les mangues en purée dans un robot, puis ajouter les fruits de la Passion

(laisser éventuellement les graines, mais ne pas mixer).

4 Mettre les blancs d'œufs dans une grande jatte en verre ou en Inox propre et sèche (toute trace de graisse les empêche de monter). Les laisser quelques minutes à température ambiante, puis travailler avec un fouet ou un batteur électrique. Le fouet donne un meilleur volume que le batteur électrique, car il traverse à chaque fois toute la masse, mais il faut disposer d'un ustensile de bonne taille (un petit modèle est insuffisant). Battre lentement jusqu'à ce que les blancs commencent à former une mousse, puis augmenter la vitesse. Lorsque les blancs sont montés en neige ferme, ajouter petit à petit le sucre. Continuer à battre pour obtenir un mélange d'aspect brillant, sans le laisser devenir granuleux.

5 Incorporer 2 cuil. de blancs dans la purée de fruits et mélanger pour alléger la préparation. Ajouter le reste de blancs avec une

cuillère en métal, en évitant de perdre du volume. Verser dans le plat et glisser l'index tout autour du bord pour détacher la préparation de la paroi. Poser sur la plaque à pâtisserie et enfourner. Sauf nécessité absolue, éviter d'ouvrir la porte du four avant la fin de la cuisson. Compter 20 à 25 minutes de cuisson. Si le soufflé monte plus d'un côté que de l'autre, le faire tourner un peu. Avec certains fruits, plus sucrés que d'autres, le dessus du soufflé dore un peu trop vite. Dans ce cas, poser un morceau de papier d'aluminium sur le dessus pour qu'il ne brûle pas. Lorsque le soufflé est prêt, il présente une croûte légèrement dorée et une consistance un peu ferme. Il faut le servir aussitôt. Traditionnellement, on creuse un trou au milieu pour y verser une sauce aux fruits ou une crème.

la farine et remuer à feu doux pendant 2 minutes. Lorsque le mélange a pris couleur, verser le lait progressivement, en remuant pour obtenir une consistance lisse. Porter à ébullition sur feu moyen en tournant, jusqu'à ce que la préparation épaississe ; prolonger la cuisson pendant 1 minute, puis retirer du feu. Transvaser dans un grand saladier.

3 Dissoudre le café dans 1 cuil. à soupe d'eau chaude, incorporer au lait avec le reste de sucre, le chocolat fondu et les jaunes d'œufs, puis battre pour obtenir un mélange onctueux.

4 Fouetter les blancs d'œufs en neige ferme dans un saladier propre et sec, puis en incorporer une partie dans la préparation au chocolat pour l'alléger. Ajouter le reste, verser la préparation dans le plat à soufflé et faire cuire 40 minutes au four : le soufflé doit être bien gonflé et juste ferme. Retirer le papier, saupoudrer de sucre glace et servir aussitôt.

SOUFFLÉ AU CHOCOLAT

Préparation : 30 minutes
Cuisson : 20 minutes
Pour 6 personnes

★ ★

175 g de chocolat noir supérieur, en morceaux

5 jaunes d'œufs, légèrement battus

60 g de sucre en poudre

7 blancs d'œufs

Sucre glace, pour la décoration

1 Préchauffer le four à 200 °C (therm. 6). Envelopper six ramequins de 250 ml d'une double épaisseur de papier sulfurisé, en laissant déborder de 3 cm en haut. Maintenir avec de la ficelle. Graisser légèrement l'intérieur, saupoudrer de sucre, secouer pour le répartir, puis ôter l'excédent. Poser sur une plaque à pâtisserie.

2 Mettre le chocolat dans un bol résistant à la chaleur. Remplir la moitié d'une casserole d'eau et porter à ébullition. Retirer du feu et poser le bol sur la casserole : elle ne doit pas toucher l'eau. Remuer de temps en temps jusqu'à ce que le chocolat fonde. Incorporer les jaunes d'œufs et le sucre. Transvaser la préparation dans une grande jatte. Battre les blancs d'œufs en neige ferme dans une autre grande jatte.

3 Incorporer un tiers des blancs d'œufs dans la préparation au chocolat pour l'alléger. Ajouter ensuite le reste avec une cuillère en métal, sans mélanger. Répartir la préparation dans les ramequins et faire cuire 12 à 15 minutes au four, jusqu'à ce que les soufflés soient montés et à point. Couper la ficelle et retirer le papier. Servir aussitôt, après avoir saupoudré légèrement de sucre glace tamisé.

EN HAUT :
Soufflé au café

SOUFFLÉ AU CAFÉ

Préparation : 25 minutes
Cuisson : 45 minutes
Pour 4 personnes

★ ★

3 cuil. à soupe de sucre en poudre

40 g de beurre

2 cuil. à soupe de farine

185 ml de lait

1 cuil. à soupe de café soluble

100 g de chocolat noir supérieur, fondu

4 œufs, jaunes et blancs séparés

Sucre glace, pour la décoration

1 Préchauffer le four à 180 °C (therm. 4). Envelopper un moule à soufflé de 1,25 litre d'une double épaisseur de papier sulfurisé, en laissant déborder de 3 cm en haut. Maintenir avec de la ficelle. Graisser légèrement, saupoudrer avec 1 cuil. à soupe de sucre, secouer le plat pour le répartir sur le fond et les parois, puis ôter l'excédent.

2 Faire fondre le beurre dans une casserole, ajouter

SOUFFLÉ AUX FRUITS

Préparation : 15 minutes
Cuisson : 25 à 30 minutes
Pour 4 personnes

★★

60 g de beurre

60 g de farine

375 ml de fruits en purée

60 g de sucre en poudre

4 blancs d'œufs

Sucre glace, pour la décoration

1 Graisser un moule à soufflé de 1,25 litre. Saupoudrer de sucre et secouer pour le répartir de façon uniforme, puis ôter l'excédent. Préchauffer le four à 200 °C (therm. 6) et faire chauffer une plaque à pâtisserie sur la grille du haut.

2 Faire fondre le beurre dans une casserole, ajouter la farine et mélanger. Retirer du feu, remuer pour obte-nir une consistance lisse, puis incorporer la purée de fruits. Porter à ébullition et laisser frémir 2 minutes. Ajouter le sucre et remuer jusqu'à dissolution (goûter et rectifier si nécessaire). Laisser refroidir.

3 Battre les blancs d'œufs en neige ferme dans une grande jatte propre. En incorporer 1 cuil. à soupe dans la préparation aux fruits et mélanger. Ajouter le reste de blancs, en veillant à ne pas trop perdre de volume. Remplir le moule aux trois quarts, puis glisser le pouce ou un couteau le long du bord inté-rieur pour ménager un petit espace entre le plat et le soufflé afin qu'il puisse monter de façon uniforme.

4 Enfourner sur la plaque à pâtisserie et faire cuire 20 à 25 minutes. Servir aussitôt, saupoudré de sucre glace. Accompagner de crème liquide.

NOTE : Pour cette recette, les fruits qui convien-nent le mieux sont ceux qui s'écrasent facilement en purée : framboises, fraises, mangues, pêches, abri-cots et fruits de la Passion. Les bananes sont un peu trop lourdes. On peut également utiliser des pommes, des prunes ou des fruits secs, mais il faut d'abord les faire cuire et les réduire en compote.

SOUFFLÉ AUX FRUITS

Saupoudrer de sucre le moule à soufflé graissé, puis secouer pour répartir uniformément et ôter l'excédent.

Pour permettre au soufflé de monter de façon uniforme, glis-ser le pouce ou un couteau le long du bord intérieur. Lorsque le soufflé est cuit, il présente un aspect en forme de chapeau.

CI-CONTRE :
Soufflé aux fruits

MOUSSE AUX FRAMBOISES

Préparation : 35 minutes + réfrigération
Cuisson : aucune
Pour 6 personnes

★★

3 cuil. à café de gélatine (en feuilles, voir p. 11)

300 g de framboises

315 ml de crème liquide

4 blancs d'œufs

2 ou 3 cuil. à soupe de sucre en poudre

1 Préparer six ramequins de 125 ml : enrouler à l'extérieur une double épaisseur de papier sulfurisé, en laissant déborder de 2 cm en haut, puis maintenir avec de la ficelle. Graisser le haut du papier et le fond des ramequins, saupoudrer de sucre, secouer pour le répartir, puis ôter l'excédent.

2 Mettre 3 cuil. à soupe d'eau dans un bol résistant à la chaleur, saupoudrer uniformément la surface avec la gélatine et laisser gonfler. Porter à ébullition une casserole contenant 4 cm d'eau, la retirer du feu et poser délicatement le bol de gélatine dedans (l'eau doit arriver à mi-hauteur du bol). Remuer jusqu'à dissolution, puis laisser refroidir un peu.

3 Réduire la moitié des framboises en purée et les passer dans un chinois. Écraser l'autre moitié, mélanger les deux portions et incorporer dans la

CI-DESSOUS :
Mousse aux framboises

gélatine. Bien fouetter la crème. Battre les blancs d'œufs en neige ferme. Ajouter 2 cuil. à soupe de sucre dans les framboises jusqu'à dissolution – si les fruits sont acides, mettre le reste de sucre. Incorporer la crème dans les framboises, puis les blancs d'œufs, avec une grande cuillère en métal. Répartir dans les ramequins et laisser prendre plusieurs heures au réfrigérateur. Accompagner éventuellement de crème et de framboises.

MOUSSE À L'ORANGE ET AU CITRON

Préparation : 50 minutes + réfrigération
Cuisson : 10 minutes
Pour 6 personnes

★★

3 œufs, jaunes et blancs séparés

250 g de sucre en poudre

2 cuil. à café de zeste d'orange râpé

2 cuil. à café de zeste de citron râpé

80 ml de jus de citron, filtré

80 ml de jus d'orange, filtré

3 cuil. à café de gélatine (en feuilles, voir p. 11)

600 ml de crème liquide

1 Envelopper un moule à soufflé de 1 litre d'une double épaisseur de papier sulfurisé, en laissant déborder de 4 cm en haut, puis maintenir avec de la ficelle. Graisser le haut du papier. Saupoudrer de sucre en poudre, secouer pour le répartir et ôter l'excédent.

2 Mettre les jaunes d'œufs, le sucre, les zestes d'orange et de citron, ainsi que le jus de citron dans un bol en métal ou résistant à la chaleur. Remuer avec une cuillère en bois au-dessus d'une casserole d'eau frémissante, en vérifiant que le fond du bol ne touche pas l'eau, jusqu'à obtention d'une consistance épaisse et sirupeuse.

3 Retirer du feu et remuer jusqu'à ce que la préparation refroidisse. Verser le jus d'orange dans un bol résistant à la chaleur, saupoudrer uniformément la surface avec la gélatine et laisser gonfler. Porter à ébullition une casserole contenant 4 cm d'eau, la retirer du feu et poser délicatement le bol de gélatine dedans (l'eau doit arriver à mi-hauteur du bol), puis remuer jusqu'à dissolution. Laisser refroidir un peu, puis ajouter progressivement dans la préparation au citron. Couvrir de film plastique et réserver 15 minutes au réfrigérateur, pour laisser épaissir sans durcir. Fouetter la crème jusqu'à obtention d'une consistance épaisse et la mélanger délicatement avec la préparation. Battre les blancs d'œufs et les incorporer avec une grande cuillère en métal. Laisser refroidir. Lorsque la mousse commence à prendre, verser dans un moule à soufflé ou un saladier en verre. Lorsqu'elle est bien ferme, retirer le papier et servir aussitôt.

MOUSSE GLACÉE AU CITRON VERT

Préparation : 35 minutes + réfrigération
Cuisson : aucune
Pour 4 personnes

★ ★

5 œufs, jaunes et blancs séparés

250 g de sucre en poudre

2 cuil. à café de zeste de citron vert
   finement râpé

185 ml de jus de citron vert, filtré

1 cuil. à soupe de gélatine (en feuilles,
   voir p. 11)

315 ml de crème liquide, légèrement fouettée

1 Envelopper quatre ramequins de 250 ml d'une double épaisseur de papier sulfurisé, en laissant déborder de 4 cm en haut, puis maintenir avec de la ficelle.

2 Mettre les jaunes d'œufs, le sucre et le zeste de citron vert dans une petite jatte et les fouetter avec un batteur électrique pendant 3 minutes, jusqu'à dissolution du sucre et obtention d'un mélange clair et épais. Faire chauffer le jus de citron vert dans une petite casserole, puis l'ajouter progressivement en battant, pour obtenir une préparation homogène.

3 Verser 60 ml d'eau dans un bol résistant à la chaleur, saupoudrer uniformément la surface avec la gélatine et laisser gonfler. Porter à ébullition une casserole contenant 4 cm d'eau, la retirer du feu et poser délicatement le bol de gélatine dedans (l'eau doit arriver à mi-hauteur du bol). Remuer jusqu'à dissolution. Laisser refroidir un peu avant d'incorporer progressivement dans la préparation au citron vert, en battant à vitesse réduite pour bien mélanger. Transvaser dans une grande jatte et couvrir de film plastique. Laisser épaissir sans durcir 15 minutes au réfrigérateur. Incorporer la crème dans la préparation, en mélangeant à peine.

4 Monter les blancs d'œufs en neige ferme avec un batteur électrique, dans un saladier propre et sec. Incorporer rapidement et délicatement dans la préparation avec une cuillère en métal, en mélangeant à peine mais sans laisser de traces de blanc d'œuf. Répartir dans les ramequins et laisser prendre au réfrigérateur. Retirer le papier avant de servir. Accompagner de crème fouettée.

MOUSSE AU CITRON VERT

Poser du papier d'aluminium (ou du papier sulfurisé) autour des ramequins, en laissant déborder en haut. Maintenir avec de la ficelle.

Incorporer les blancs montés en neige rapidement et délicatement dans la préparation au citron vert, avec une cuillère en métal.

EN HAUT : Mousse glacée au citron vert

SABAYON AU MARSALA

Mélanger les jaunes d'œufs, le sucre en poudre et le marsala dans un bol résistant à la chaleur, posé sur une casserole d'eau frémissante.

Battre les ingrédients au fouet pour obtenir un mélange lisse et mousseux, qui triple de volume.

PAGE CI-CONTRE :
Sabayon au marsala (en haut) ; Sabayon au citron, aux fruits de la Passion et aux fruits rouges (en bas)

SABAYON AU MARSALA

Préparation : 5 minutes + réfrigération
Cuisson : 10 minutes
Pour 4 personnes

★ ★

4 jaunes d'œufs
90 g de sucre en poudre
80 ml de marsala

1 Mettre tous les ingrédients dans une grande jatte résistant à la chaleur, posée sur une casserole d'eau à peine frémissante. Vérifier que le fond de la jatte ne touche pas l'eau. Travailler avec un fouet ou un batteur électrique jusqu'à ce que le mélange devienne lisse, mousseux, et triple de volume. Ne pas cesser de battre et garder la jatte à une température moyenne pour éviter que la préparation ne tourne. Elle doit être crémeuse, claire et mousseuse.
2 Répartir le sabayon dans quatre coupes et servir aussitôt avec des biscuits (langues de chat par exemple).
3 Pour consommer froid, couvrir les coupes de film plastique et laisser au moins 1 heure au réfrigérateur. Le sabayon doit être cuit à point pour être réfrigéré, sinon il perd sa texture homogène.
NOTE : Le sabayon se prépare traditionnellement dans un récipient en cuivre. On le sert généralement dès qu'il est prêt, sauf si on souhaite le consommer glacé, auquel cas il faut le laisser plusieurs heures au réfrigérateur. Il est également délicieux présenté sur des fruits dans un plat à gratin, doré sous le gril. Le madère ou un autre vin de dessert peut remplacer le marsala.
Vin fort, originaire de Sicile, le marsala peut être sec ou doux, ce dernier étant le plus courant. Il se sert avec les desserts et entre dans la fabrication de spécialités telles que le sabayon et le tiramisu. La variante *marsala all'uovo* contient des œufs.

GRATIN DE FRUITS

Émincer finement des pêches et des fraises fraîches, puis les disposer dans quatre petits plats à gratin. Parsemer de framboises. Recouvrir d'une couche régulière de sabayon et glisser les plats sous le gril préchauffé. Faire dorer à chaleur douce et servir aussitôt. On peut également ajouter une cuil. à soupe de cognac ou de liqueur sur les fruits. Pour 4 personnes.

SABAYON AU CITRON, AUX FRUITS DE LA PASSION ET AUX FRUITS ROUGES

Préparation : 40 minutes + temps de repos + réfrigération
Cuisson : aucune
Pour 8 à 10 personnes

★ ★

2 cuil. à café de zeste de citron râpé
80 ml de jus de citron
125 g de sucre en poudre
125 ml de vin blanc sec
8 fruits de la Passion
500 ml de crème fraîche épaisse
500 g de myrtilles
500 g de framboises
2 cuil. à soupe de sucre glace
500 g de fraises, coupées en deux
Sucre glace, pour la décoration

1 Mettre dans une jatte le zeste et le jus de citron, le sucre et le vin blanc, puis laisser reposer 10 minutes. Couper les fruits de la Passion en deux et passer la pulpe dans un chinois pour retirer les graines. Ajouter la moitié de la pulpe dans le mélange précédent, de façon à obtenir un sirop.
2 Fouetter la crème au batteur électrique pour obtenir une consistance ferme. Verser progressivement tout le sirop de fruit (la préparation doit avoir la consistance d'une crème fouettée onctueuse). Incorporer le reste de fruits de la Passion, couvrir et laisser 1 heure au réfrigérateur.
3 Mettre les myrtilles, les framboises et le sucre glace dans un saladier de service de 2,5 à 3 litres. Recouvrir de la préparation, décorer de fraises, saupoudrer de sucre glace et servir aussitôt.
NOTE : Cet entremets consistant se confectionnait à l'origine en fouettant du lait ou de la crème fraîche avec du vin, du sucre, du jus de citron et parfois des épices, les éléments acides servant à épaissir la préparation. Certaines versions s'agrémentaient de cidre, d'autres de cognac. Le sabayon remplaçait la crème fraîche dans certains desserts, ou la meringue dans l'île flottante. Une variante plus liquide se consommait comme boisson dans des verres appropriés, notamment lors de grandes occasions.

2 Travailler les œufs et le sucre au batteur électrique pendant 5 minutes dans une petite jatte, le mélange doit éclaircir et prendre du volume.

3 Verser la préparation dans une grande jatte. Incorporer le chocolat fondu avec une cuillère en métal, ainsi que le rhum. Laisser refroidir, puis ajouter la crème fouettée sans trop mélanger.

4 Répartir dans des ramequins ou des coupes de 250 ml. Laisser durcir 2 heures au réfrigérateur. Décorer éventuellement de copeaux de chocolat (voir page 239).

MOUSSE AU CARAMEL

Préparation : 20 minutes + réfrigération
Cuisson : 10 minutes
Pour 6 personnes

⭐ ⭐ ⭐

2 cuil. à soupe de jus de citron
1 cuil. à soupe de gélatine (en feuille, voir p. 11)
300 g de sucre en poudre, pour le caramel
5 œufs
220 ml de crème liquide, fouettée

1 Verser le jus de citron dans un bol, saupoudrer uniformément la surface avec la gélatine et laisser gonfler. Porter à ébullition une casserole contenant 4 cm d'eau, la retirer du feu et poser délicatement le bol dedans. Remuer jusqu'à dissolution complète de la gélatine.

2 Mettre 250 g de sucre dans une casserole à fond épais. Laisser fondre à feu doux en remuant la casserole, puis augmenter le feu et laisser chauffer pour obtenir un caramel. Dès qu'il devient brun foncé, plonger le fond de la casserole dans l'évier rempli d'eau froide afin de stopper la cuisson. Reposer la casserole sur le feu, ajouter 6 cuil. à soupe d'eau, puis laisser fondre doucement jusqu'à obtention d'un caramel lisse. Laisser tiédir.

3 Battre les œufs avec le reste de sucre jusqu'à ce que le mélange devienne clair et mousseux. Ajouter le caramel et la gélatine, puis continuer à travailler. Laisser refroidir dans le réfrigérateur en remuant toutes les 2 à 3 minutes. Lorsque le mélange commence à épaissir, incorporer la crème fouettée. Si le caramel a durci au fond, mélanger soigneusement.

MOUSSE AU CHOCOLAT ET AU RHUM

Préparation : 20 minutes + réfrigération
Cuisson : 5 minutes
Pour 4 personnes

⭐ ⭐

250 g de chocolat noir supérieur, en morceaux
3 œufs
60 g de sucre en poudre
2 cuil. à café de rhum
250 ml de crème liquide, légèrement fouettée

1 Mettre le chocolat dans une jatte résistant à la chaleur. Remplir une casserole d'eau à mi-hauteur et porter à ébullition. Poser la jatte sur la casserole hors du feu, en vérifiant qu'elle ne touche pas l'eau. Remuer de temps en temps jusqu'à ce que le chocolat soit fondu, puis laisser tiédir.

EN HAUT : Mousse au chocolat et au rhum

MOUSSE AU CHOCOLAT BLANC

Préparation : 40 minutes + réfrigération
Cuisson : 5 minutes
Pour 6 personnes

★★

60 g de chocolat noir supérieur, fondu

4 jaunes d'œufs

125 g de sucre en poudre

1 cuil. à soupe de miel

1 cuil. à café de café soluble (facultatif)

200 g de chocolat blanc, fondu

125 g de beurre

170 ml de crème fraîche épaisse

Pralin

80 g d'amandes mondées, légèrement grillées

125 g de sucre en poudre

1 Verser le chocolat dans une petite poche à douille en papier et en décorer le fond de six coupes à dessert. Laisser durcir au réfrigérateur.

2 Pour préparer le pralin, garnir une plaque à pâtisserie de papier sulfurisé et répartir les amandes dessus. Verser le sucre et 80 ml d'eau dans une petite casserole. Faire fondre à feu doux, sans laisser bouillir. Humidifier les bords de la casserole. Porter à ébullition, réduire le feu et laisser frémir, sans remuer, jusqu'à ce que le caramel dore. Le retirer aussitôt du feu et le verser délicatement sur les amandes. Laisser durcir. En casser la moitié en morceaux pour la décoration. Broyer le reste dans le bol d'un robot.

3 Avec un batteur électrique, travailler les jaunes d'œufs, le sucre, le miel et le café dissous dans 1 cuil. à café d'eau chaude. Ajouter le chocolat blanc à cette préparation très épaisse, qui doit devenir onctueuse. Dans une grande jatte, travailler le beurre au batteur électrique. Dès qu'il est léger et crémeux, incorporer la préparation précédente et battre pour obtenir un mélange homogène.

4 Fouetter la crème jusqu'à obtention d'une consistance ferme. Incorporer délicatement dans la préparation au chocolat avec une cuillère en métal. Ajouter le pralin émietté. Répartir la préparation dans les coupes et laisser 2 à 3 heures au réfrigérateur. Servir décoré de morceaux de pralin et de crème fouettée.

MOUSSE AU CHOCOLAT EXPRESS

Cette recette est idéale lorsqu'on manque de temps ! Casser en morceaux 175 g de chocolat noir, les mettre dans un bol résistant à la chaleur au-dessus d'une casserole d'eau frémissante et remuer pour faire fondre le chocolat. Séparer les jaunes et les blancs de 5 œufs, mettre les blancs dans une grande jatte en verre propre. Laisser tiédir le chocolat avant d'ajouter délicatement les jaunes d'œufs. Monter les blancs d'œufs en neige ferme au batteur électrique, ajouter 1 cuil. à soupe de blancs d'œufs dans la préparation au chocolat et mélanger, puis incorporer le reste des blancs en veillant à ce qu'ils ne perdent pas de volume. Répartir la préparation dans six ramequins de 150 ml. Laisser prendre 4 heures au réfrigérateur, puis servir avec de la crème fleurette. Pour 6 personnes.

CI-DESSOUS :
Mousse au chocolat blanc

COUPES DE CHOCOLAT

Déposer le chocolat blanc fondu en forme de disque sur le film alimentaire.

Lorsque le chocolat est dur, retirer délicatement le film.

PLAISIRS AUX DEUX CHOCOLATS

Préparation : 45 minutes + réfrigération
Cuisson : 5 minutes
Pour 6 personnes

✷ ✷

250 g de chocolat blanc, en morceaux

90 g de chocolat noir supérieur, en morceaux

15 g de beurre

2 œufs, blancs et jaunes séparés

250 ml de crème liquide, fouettée

1 Découper un morceau de film alimentaire en six carrés de 16 cm de côté. Mettre le chocolat blanc dans une jatte résistant à la chaleur. Remplir une casserole d'eau à mi-hauteur et porter à ébullition. Poser la jatte sur la casserole hors du feu, en vérifiant que le fond ne touche pas l'eau. Remuer jusqu'à ce que le chocolat soit fondu, puis garder au chaud en laissant la jatte sur la casserole. Prendre les carrés un par un, et déposer sur chacun du chocolat blanc en forme de disque. En tapisser l'intérieur d'un verre ou d'un ramequin, le chocolat sur le dessus. Lorsqu'il a durci, détacher le film puis mettre au réfrigérateur.

2 Pour préparer la mousse, faire fondre le chocolat noir avec le beurre au bain-marie. Ou mettre de l'eau à frémir dans une petite casserole, la retirer du feu et poser dessus une jatte résistant à la chaleur, en vérifiant que le fond ne touche pas l'eau. Mettre le chocolat et le beurre dans la jatte. Remuer au-dessus de l'eau chaude jusqu'à ce que le chocolat soit fondu ; ou encore laisser fondre au micro-ondes pendant 1 minute à chaleur vive, en remuant au bout de 30 secondes. Incorporer les jaunes d'œufs dans le chocolat en fouettant, puis laisser refroidir. Ajouter la moitié de la crème. Battre les blancs en neige ferme et mélanger délicatement à la mousse. Ajouter le reste de crème en dessinant des cercles. Répartir la mousse dans les coupes en chocolat et laisser plusieurs heures au frais avant de servir.

EN HAUT : Plaisirs
aux deux chocolats

MOUSSE AU CHOCOLAT ET À L'ORANGE

Préparation : 25 minutes
Cuisson : 10 minutes
Pour 6 personnes

125 g de chocolat noir supérieur, en morceaux

375 ml de lait

5 jaunes d'œufs

2 cuil. à café de zeste d'orange finement râpé

90 g de sucre en poudre

1 cuil. à soupe de gélatine (en feuilles, voir p. 11)

185 ml de crème liquide, fouettée

1 Faire chauffer le chocolat et le lait à feu doux dans une casserole, jusqu'à ce que le chocolat fonde. Travailler les jaunes d'œufs, le zeste d'orange et le sucre au fouet pour obtenir un mélange léger et crémeux. Verser le chocolat au lait dans la préparation en remuant, puis remettre dans la casserole. Remuer à feu doux – la crème doit épaissir légèrement et napper le dos d'une cuillère en bois – sans faire bouillir. Transvaser dans un saladier et laisser tiédir.
2 Verser 3 cuil. à soupe d'eau dans un bol résistant à la chaleur, saupoudrer uniformément la surface avec la gélatine et laisser gonfler. Porter à ébullition une casserole contenant 4 cm d'eau, la retirer du feu et poser délicatement le bol de gélatine dedans (l'eau doit arriver à mi-hauteur du bol). Remuer jusqu'à dissolution. Ajouter dans la crème et mélanger.
3 Laisser la préparation refroidir et épaissir un peu. Incorporer la crème fouettée avec une cuillère en métal. Répartir dans six coupelles et laisser prendre au réfrigérateur. Décorer éventuellement de crème fouettée, de chocolat et d'écorces d'orange confites.
NOTE : Fouetter légèrement la crème pour qu'elle se mélange mieux à la préparation.

MOUSSE CAPPUCCINO

Préparation : 1 heure + réfrigération
Cuisson : 5 minutes
Pour 6 personnes

250 g de chocolat blanc, fondu

125 g de beurre, ramolli

2 œufs, légèrement battus

3 cuil. à café de gélatine (en feuilles, voir p. 11)

315 ml de crème liquide

3 cuil. à café de café soluble

1 Mélanger le chocolat, le beurre et les œufs dans une jatte jusqu'à obtention d'une consistance homogène. Verser 2 cuil. à soupe d'eau dans un bol résistant à la chaleur, saupoudrer uniformément la surface avec la gélatine et laisser gonfler. Porter à ébullition une casserole contenant 4 cm d'eau, la retirer du feu et poser le bol de gélatine dedans (l'eau doit arriver à mi-hauteur du bol). Remuer jusqu'à dissolution, puis laisser tiédir avant d'incorporer dans la préparation au chocolat. Bien mélanger, couvrir et laisser prendre 30 minutes au réfrigérateur.
2 Fouetter la crème jusqu'à obtention d'une consistance ferme et incorporer délicatement dans la mousse. Verser environ un tiers de la mousse dans un saladier et réserver. Faire fondre le café dans 3 cuil. à café d'eau chaude. Laisser refroidir avant d'ajouter dans le reste de mousse.
3 Mettre la mousse au café dans six coupelles en lissant la surface. Répartir la mousse blanche dessus à l'aide d'une cuillère ou d'une poche à douille, couvrir et laisser plusieurs heures au réfrigérateur avant de servir. Décorer de noix muscade râpée.

EN HAUT : Mousse au chocolat et à l'orange

LE LAIT CAILLÉ
Ce dessert sucré et onctueux se prépare en faisant coaguler du lait avec de la présure. Le lait caillé se sert traditionnellement froid avec de la crème liquide et un peu de noix muscade râpée. La présure se vend dans le commerce.

CRÈMES À L'ORANGE

Préparation : 30 minutes + réfrigération
Cuisson : 5 minutes
Pour 6 personnes

★★

125 ml de jus d'orange sanguine

3 cuil. à café de gélatine (en feuilles, voir p. 11)

4 jaunes d'œufs

125 g de sucre en poudre

315 ml de lait

1 cuil. à café de zeste d'orange sanguine
    finement râpé

250 ml de crème liquide

1 Faire refroidir une grande jatte dans le freezer. Graisser légèrement six ramequins ou darioles de 125 ml. Verser le jus d'orange dans un bol résistant à la chaleur, saupoudrer uniformément la surface avec la gélatine et laisser gonfler. Porter à ébullition une casserole contenant 4 cm d'eau, la retirer du feu et poser délicatement le bol de gélatine dedans (l'eau doit arriver à mi-hauteur du bol), puis remuer jusqu'à dissolution. Laisser tiédir.

2 Travailler les jaunes d'œufs et le sucre dans une petite jatte pour obtenir un mélange épais. Faire chauffer le lait et le zeste d'orange dans une casserole, puis verser progressivement dans la préparation aux œufs en fouettant. Remettre dans la casserole et remuer jusqu'à ce que la crème nappe le dos de la cuillère. Ne pas laisser bouillir. Ajouter la préparation à la gélatine et remuer.

3 Verser aussitôt dans la jatte refroidie, en filtrant à travers une passoire. Laisser refroidir en remuant de temps en temps, jusqu'à ce que la préparation commence à épaissir.

4 Fouetter la crème pour obtenir une consistance ferme et l'incorporer délicatement dans la préparation. Répartir dans les ramequins graissés et laisser prendre au réfrigérateur. Décorer éventuellement de quartiers d'orange ou de fines lamelles de zeste.

EN HAUT :
Crèmes à l'orange

CŒURS À LA CRÈME

Préparation : 20 minutes + égouttage
Cuisson : aucune
Pour 6 personnes

225 g de fromage frais égoutté
60 g de sucre glace
315 ml de crème liquide, fouettée

1 Passer le fromage frais au robot (ou dans un chinois) pour obtenir une consistance lisse. Incorporer le sucre glace puis la crème.
2 Garnir de mousseline six moules en forme de cœur percés de trous, et les remplir de préparation. Couvrir et laisser égoutter toute la nuit. Démouler et servir avec une sauce aux fruits ou des fruits rouges.
NOTE : Lorsqu'on ne possède pas de moules percés, procéder comme suit : garnir des ramequins de mousseline et remplir de préparation. Couvrir avec un autre morceau de mousseline et maintenir avec un élastique ou un morceau de ficelle. Renverser les ramequins sur une grille et laisser égoutter toute la nuit avant de démouler.

FLAMRIS AUX FRUITS DE LA PASSION

Préparation : 15 minutes + réfrigération
Cuisson : aucune
Pour 6 personnes

100 g de lait concentré non sucré, bien froid
200 g de sucre en poudre
10 feuilles de gélatine
330 g de coulis ou de jus de fruit de la Passion
2 fruits de la Passion, pour la décoration

1 Bien mélanger le lait concentré et le sucre au fouet ou au batteur électrique. Faire tremper les feuilles de gélatine dans une terrine d'eau froide. Les presser soigneusement et les ajouter à la préparation au lait.
2 Incorporer le coulis ou le jus de fruit de la Passion. Mélanger au fouet ou au batteur électrique.
3 Verser dans six coupes de 250 ml ou un saladier, couvrir de film plastique et laisser 1 heure au réfrigérateur. Décorer avec la pulpe des fruits de la Passion.
NOTE : On peut utiliser d'autres arômes pour cette recette et décorer avec les fruits appropriés.

LES FLAMRIS ET GELÉES
Ce sont des entremets qui remontent au Moyen Âge. À cette époque, on préparait des compotes de fruits que l'on épaississait avec de l'amidon. Aujourd'hui, on y ajoute de la crème fraîche, du lait et de la gélatine.

CI-DESSOUS : Cœur à la crème (à gauche) ; Flamris aux fruits de la Passion (à droite)

43

LES GÂTEAUX AU FROMAGE FRAIS

Ces préparations, toujours très appréciées de nos jours, existent depuis la découverte de la transformation du lait en fromage blanc. Dans l'Antiquité, les Romains confectionnaient ainsi de petits gâteaux au fromage qu'ils cuisaient sur le feu, et il existe une multitude de recettes de gâteaux au fromage datant du Moyen Âge. La version moderne – un fond de pâte ou de biscuit garni d'une préparation crémeuse – a été élaborée par les Américains, qui ont introduit cette création dans leurs cuisines modernes et ont fait du cheesecake new-yorkais un succès mondial.

LA VANILLE

L'extrait et l'essence de vanille s'obtiennent en laissant macérer des gousses de vanille dans l'alcool et l'eau, puis en laissant sécher le produit pendant plusieurs mois. Lorsqu'on utilise de l'extrait de vanille pur, qui est très fort, quelques gouttes suffisent pour une recette. L'essence de vanille contient généralement une forte proportion d'eau. Choisir de préférence des articles portant la mention « vanille naturelle » ou « extrait de vanille pur ». L'extrait doit être incorporé après la cuisson, pour éviter toute évaporation et perte de saveur. La poudre de vanille provient des gousses séchées et moulues. Elle garde sa saveur et ne s'évapore pas sous l'effet de la chaleur. Moins chère, la vanille de synthèse se compose entièrement de substances chimiques dérivées de l'industrie du papier. Sa saveur est évidemment moins subtile que celle de la vanille naturelle.

EN HAUT :
Cheesecake à la crème

CHEESECAKE À LA CRÈME

Préparation : 30 minutes + réfrigération
Cuisson : 50 minutes
Pour 8 à 10 personnes

250 g de biscuits aux céréales
1 cuil. à café d'un mélange de muscade, cannelle, clous de girofle et gingembre en poudre
100 g de beurre, fondu

Garniture

500 g de fromage frais crémeux ou de fromage blanc non battu
160 g de sucre en poudre
1 cuil. à café d'essence de vanille
1 cuil. à soupe de jus de citron
4 œufs

Nappage

250 g de crème fraîche épaisse
1/2 cuil. à café d'essence de vanille
3 cuil. à café de jus de citron
1 cuil. à soupe de sucre en poudre
Noix muscade râpée

1 Beurrer légèrement un moule à manqué de 20 cm de diamètre et garnir le fond de papier sulfurisé. Émietter finement les biscuits au mixeur ou les mettre dans un sac en plastique et les écraser au rouleau à pâtisserie. Transvaser dans une jatte, ajouter les épices et le beurre ; bien mélanger. Tasser la préparation sur le fond et les parois du moule sur une épaisseur régulière. Laisser durcir 20 minutes au réfrigérateur. Préchauffer le four à 180 °C (therm. 4).

2 Travailler le fromage frais au batteur électrique pour obtenir une consistance lisse. Ajouter le sucre, l'essence de vanille, le jus de citron, puis fouetter jusqu'à ce que le mélange devienne homogène. Incorporer les œufs un par un sans cesser de battre. Verser délicatement sur le fond de biscuits et faire cuire 45 minutes au four : le gâteau doit être juste ferme.

3 Pour le nappage, mélanger la crème, l'essence de vanille, le jus de citron et le sucre dans une jatte. Étaler sur le gâteau chaud. Saupoudrer de noix muscade et prolonger la cuisson au four pendant 7 minutes. Laisser refroidir dans le four éteint, porte ouverte. Réserver ensuite au réfrigérateur jusqu'à ce que le gâteau durcisse, et décorer éventuellement de fraises.

NOTE : Pour découper facilement le gâteau, utiliser un couteau trempé dans l'eau chaude et séché après chaque opération.

CHEESECAKE AU CHOCOLAT

Préparation : 1 h 30 + réfrigération
Cuisson : 50 minutes
Pour 8 à 10 personnes

200 g de biscuits au chocolat, écrasés
70 g de beurre, fondu

Garniture

500 g de fromage frais crémeux ou
   de fromage blanc non battu
90 g de sucre
2 œufs
1 cuil. à soupe de cacao en poudre
300 g de crème fraîche épaisse
250 g de chocolat noir supérieur, fondu
80 ml de Bailey's Irish Cream

Décoration

50 g de chocolat blanc, fondu
150 g de chocolat noir supérieur, fondu
315 ml de crème liquide, fouettée
Cacao en poudre et sucre glace

1 Beurrer un moule à manqué de 23 cm de diamètre, puis chemiser le fond et les parois de papier sulfurisé. Mélanger les biscuits émiettés et le beurre, en remplir le moule en tassant bien, et laisser 10 minutes au réfrigérateur. Préchauffer le four à 180 °C (therm. 4).

2 Fouetter le fromage frais et le sucre au batteur électrique pour obtenir un mélange lisse et crémeux. Sans cesser de battre, ajouter les œufs un par un, puis successivement, le cacao, la crème, le chocolat froid et la liqueur. Verser le tout sur le fond de biscuits. Lisser la surface et faire cuire 45 minutes au four. Ne pas s'inquiéter si le gâteau n'est pas complètement pris, il durcira au frais. Laisser au réfrigérateur toute la nuit si possible.

3 Démouler le gâteau sur une planche. Mesurer sa hauteur et ajouter 5 mm. Découper une bande de papier sulfurisé de cette largeur et de 75 cm de long. La graisser de façon à pouvoir l'ôter facilement par la suite. Dessiner tout le long du papier un motif stylisé (voir ci-contre) avec le chocolat blanc, à l'aide d'une poche à douille. Lorsqu'il est sec, étaler le chocolat noir sur toute la surface de papier. Laisser sécher un peu (on doit pouvoir plier le papier).

4 Poser le papier autour du gâteau, le chocolat à l'intérieur. Souder les extrémités et maintenir jusqu'à ce que le chocolat soit complètement sec. Retirer le papier. Napper le dessus du gâteau de crème fraîche, puis saupoudrer de cacao et de sucre glace.

DÉCORATION AU CHOCOLAT

Dessiner un motif sur la bande de papier sulfurisé avec le chocolat blanc fondu, à l'aide d'une poche à douille.

Lorsque le chocolat blanc est sec, étaler le chocolat noir fondu avec une spatule sur toute la surface du papier. Laisser sécher un peu.

Poser le papier autour du gâteau, le chocolat à l'intérieur. Souder les extrémités et maintenir jusqu'à ce que le chocolat soit totalement sec.

Lorsque le chocolat est sec, retirer délicatement le papier pour laisser apparaître la décoration autour du gâteau.

CI-CONTRE :
Cheesecake au chocolat

CHEESECAKE DES TROPIQUES

Lorsque les biscuits sont broyés, ajouter la noix de coco.

CI-DESSOUS :
Cheesecake des tropiques

CHEESECAKE DES TROPIQUES

Préparation : 50 minutes + réfrigération
Cuisson : aucune
Pour 8 personnes

★

145 g de biscuits aux céréales

25 g de poudre de noix de coco

90 g de beurre, fondu

Garniture

125 ml de jus d'orange frais

6 cuil. à café de gélatine (en feuilles, voir p. 11)

350 g de fromage frais crémeux ou
  de fromage blanc non battu

90 g de sucre en poudre

2 cuil. à soupe de jus de citron

425 g de mangues en conserve, égouttées, ou
  2 mangues fraîches, finement hachées

450 g d'ananas en conserve, égoutté et haché

315 ml de crème liquide

Crème fouettée, tranches de kiwis et de
  mangues, pour la décoration

1 Graisser légèrement un moule à manqué de 20 cm de diamètre, puis chemiser le fond de papier sulfurisé. Broyer les biscuits au mixeur. Ajouter la noix de coco, le beurre et bien mélanger. Verser dans le moule en tassant bien, puis réserver au réfrigérateur.

2 Verser le jus d'orange dans un bol résistant à la chaleur, saupoudrer uniformément la surface avec la gélatine et laisser gonfler. Porter à ébullition une casserole contenant 4 cm d'eau, puis la retirer du feu. Poser délicatement le bol dedans (l'eau doit arriver à mi-hauteur du bol) et remuer jusqu'à dissolution de la gélatine. Laisser refroidir.

3 Travailler le fromage frais et le sucre en poudre dans une jatte pendant 3 minutes. Incorporer le jus de citron, puis la mangue et l'ananas. Ajouter enfin la gélatine.

4 Fouetter la crème jusqu'à obtention d'une consistance ferme. Incorporer dans la préparation avec une cuillère en métal. Verser dans le moule, lisser la surface et laisser au frais toute la nuit. Décorer de crème fouettée et de tranches de fruits.

NOTE : Si on utilise des mangues fraîches, prévoir 125 g de sucre en poudre.

CHEESECAKE NEW-YORKAIS

Préparation : I heure + réfrigération
Cuisson : I h 50
Pour 10 à 12 personnes

60 g de farine avec levure incorporée

125 g de farine ordinaire

60 g de sucre en poudre

I cuil. à café de zeste de citron râpé

80 g de beurre, en morceaux

I œuf

375 ml de crème liquide, en accompagnement

Garniture

750 g de fromage frais crémeux ou
  de fromage blanc non battu

250 g de sucre en poudre

30 g de farine

2 cuil. à café de zeste d'orange râpé

2 cuil. à café de zeste de citron râpé

4 œufs

170 ml de crème liquide + un peu pour
  la décoration

Zestes confits

Zestes de 3 citrons jaunes, 3 citrons verts et
  3 oranges en fines lanières

250 g de sucre en poudre

1 Mélanger les farines, le sucre, le zeste de citron et le beurre pendant 30 secondes au mixeur, jusqu'à obtention d'une consistance granuleuse. Ajouter l'œuf et mélanger de nouveau. Lorsque la préparation est homogène, la poser sur un plan de travail légèrement fariné et former une boule. Envelopper de film plastique et réserver 20 minutes au réfrigérateur.

2 Préchauffer le four à 210 °C (therm. 6-7). Graisser légèrement un moule à manqué de 23 cm de diamètre. Étaler la pâte entre deux feuilles de papier sulfurisé de telle manière qu'elle couvre le fond et les parois du moule. Foncer le moule et égaliser le bord. Couvrir de papier sulfurisé et parsemer de noyaux de cuisson. Faire cuire 10 minutes à blanc, puis retirer le papier et les noyaux de cuisson. Aplatir légèrement la pâte avec le dos d'une cuillère et prolonger la cuisson 5 minutes. Laisser refroidir hors du four.

3 Pour préparer la garniture, baisser la température du four à 150 °C (therm. 2). Travailler le fromage frais, le sucre, la farine et les zestes jusqu'à obtention d'une consistance lisse. Incorporer les œufs un par un sans cesser de remuer, puis la crème. Verser la préparation sur le fond de pâte et enfourner environ 1 h 30, jusqu'à ce que le gâteau soit pris. Laisser refroidir dans le four, porte ouverte, puis réserver au réfrigérateur.

4 Pour préparer les zestes confits, les mettre avec un peu d'eau dans une casserole, porter à ébullition et laisser frémir 1 minute. Égoutter les zestes et répéter l'opération avec de l'eau fraîche, de manière à éliminer leur amertume. Dans une casserole, faire fondre le sucre dans 60 ml d'eau à feu doux. Ajouter les zestes, porter à ébullition, puis laisser frémir 5 à 6 minutes : les zestes doivent devenir translucides. Laisser refroidir, égoutter les zestes et les faire sécher sur du papier sulfurisé (réserver éventuellement le sirop pour servir avec le gâteau). Fouetter la crème liquide, en napper le gâteau froid et décorer de zestes confits.

NOTE : Pour découper plus facilement le gâteau, disposer les zestes sous forme de petits dômes et couper entre les tas.

ZESTES CONFITS

Ajouter les zestes dans le sirop de sucre, puis porter à ébullition.

Poser les zestes sur une feuille de papier sulfurisé.

EN HAUT :
Cheesecake new-yorkais

CHEESECAKE AUX POIRES ET AU GINGEMBRE

Préparation : 50 minutes + réfrigération
Cuisson : 1 h 10
Pour 10 personnes

250 g de biscuits sucrés

2 cuil. à soupe de gingembre moulu

100 g de beurre, fondu

Garniture

3 ou 4 poires mûres et fermes

250 g de sucre en poudre

2 cuil. à soupe de jus de citron

500 g de fromage frais crémeux ou de
    fromage blanc non battu

2 œufs

2 cuil. à soupe de gingembre en poudre

300 g de crème fraîche épaisse

EN HAUT :
Cheesecake aux poires
et au gingembre

1 Beurrer légèrement un moule à manqué de 23 cm de diamètre et chemiser le fond de papier sulfurisé. Saupoudrer de farine, puis ôter l'excédent.
2 Broyer les biscuits et le gingembre au mixeur. Ajouter le beurre et bien mélanger. Verser dans le moule en appuyant fermement sur le fond et les parois. Réserver 10 minutes au réfrigérateur. Préchauffer le four à 150 °C (therm. 2).
3 Pour préparer la garniture, éplucher les poires, les ouvrir en deux, ôter le cœur et les couper en tranches fines. Les mettre dans une casserole avec la moitié du sucre, le jus de citron et 375 ml d'eau. Porter à ébullition, puis laisser frémir jusqu'à ce que les poires soient cuites, tout en restant un peu fermes. Égoutter et laisser refroidir.
4 Travailler le fromage frais et le reste de sucre au mixeur pour obtenir un mélange léger et onctueux. Incorporer les œufs, le gingembre puis la crème, et mélanger de nouveau. Disposer les poires sur le fond de pâte, couvrir avec la garniture et faire cuire 1 heure au four. Laisser refroidir dans le moule, puis garder au réfrigérateur toute la nuit. Servir éventuellement accompagné de crème liquide.

NOTE : Pour renforcer la saveur du gingembre, on peut remplacer les biscuits nature par des biscuits au gingembre.

CHEESECAKE AUX FRAMBOISES

Préparation : 40 minutes + réfrigération
Cuisson : aucune
Pour 8 à 10 personnes

250 g de biscuits aux céréales
90 g de beurre, fondu

Garniture

2 cuil. à soupe de gélatine (en feuilles, voir p. 11)
500 g de fromage frais léger ou
    de fromage blanc non battu
80 ml de jus de citron
125 g de sucre en poudre
315 ml de crème liquide, fouettée
250 g de framboises
2 cuil. à soupe de sucre en poudre

1 Graisser légèrement un moule à manqué de 23 cm de diamètre et chemiser le fond de papier sulfurisé. Broyer les biscuits au mixeur, ajouter le beurre et mélanger. Verser dans le moule, en appuyant fermement sur le fond et les parois ; réserver 20 minutes au réfrigérateur.

2 Verser 60 ml d'eau dans un bol résistant à la chaleur, saupoudrer uniformément la surface avec la gélatine et laisser gonfler. Porter à ébullition une casserole contenant 4 cm d'eau, puis la retirer du feu. Poser délicatement le bol dedans (l'eau doit arriver à mi-hauteur du bol) et remuer jusqu'à dissolution de la gélatine. Laisser refroidir.

3 Fouetter le fromage frais au batteur électrique pour obtenir une consistance crémeuse. Ajouter le jus de citron, le sucre, et battre jusqu'à obtention d'un mélange homogène. Incorporer délicatement la crème fouettée et la moitié de la gélatine.

4 Mélanger soigneusement les framboises et le sucre au mixeur. Passer la purée à travers un chinois pour éliminer les graines. Ajouter le reste de gélatine. Déposer la préparation dans le moule en petits tas avec une cuillère et combler les espaces avec la purée de framboises. Mêler grossièrement les deux préparations avec la pointe d'un couteau. Laisser durcir 4 heures au réfrigérateur. Décorer éventuellement de crème fouettée et de framboises.

CONSEILS

FROMAGE FRAIS

La teneur en matières grasses et le degré d'humidité variant selon le type de fromage frais, il est important de respecter la variété indiquée dans la recette pour obtenir le résultat souhaité.

REFROIDISSEMENT

Les gâteaux au fromage doivent refroidir lentement, de préférence dans le four éteint, porte ouverte, avant d'être réfrigérés. Un gâteau cuit trop rapidement risque de présenter des craquelures.

MOULES

Les moules à revêtement antiadhésif et foncé sont de très bons conducteurs de chaleur. En conséquence, l'extérieur du gâteau brunit ou brûle parfois avant que le centre ne soit cuit.

EN HAUT : Cheesecake aux framboises

PRODUITS LAITIERS

Le lait est un aliment très riche : il contient des protéines, des glucides, des lipides,

des vitamines et des minéraux. De nombreux produits en sont dérivés et servent

à la préparation de desserts savoureux…

CRÈME

Lorsqu'on laisse reposer le lait frais, il se forme à la surface un dépôt de crème correspondant à la graisse. Ainsi, la crème est simplement une forme de lait dans laquelle la graisse est plus concentrée. On la recueille au moyen d'écrémeuses-centrifugeuses dans les laiteries. Disponible sous forme épaisse et liquide, la crème varie en richesse selon son contenu en matières grasses.

La crème à fouetter doit contenir au moins 35 % de matières grasses pour capter les bulles d'air et les garder. Il faut qu'elle soit bien froide lorsqu'on la fouette. Les crèmes moins riches ont au maximum 25 % de matières grasses, et les crèmes légères entre 15 et 18 %. La crème liquide contient entre 31 et 48 % de matières grasses, la crème double épaisse au minimum 48 %.

Pour préserver toutes ses qualités de fraîcheur, la crème doit impérativement être conservée au réfrigérateur.

CRÈME AIGRE

Elle s'utilise, le plus souvent, dans les cuisines anglo-saxonne, allemande, slave et scandinave. On l'obtenait autrefois en laissant aigrir la crème à température ambiante, mais aujourd'hui on la fabrique par fermentation bactérienne. Sa saveur légèrement acide vient du fait que le sucre du lait, le lactose, se transforme en acide lactique. On peut facilement remplacer la crème aigre par de la crème fraîche additionnée de jus de citron.

RICOTTA

Fabriquée à l'origine avec le petit-lait, elle est désormais le plus souvent à base de lait. Elle a un faible contenu en matières grasses, offre un goût légèrement sucré et ne se conserve pas longtemps. La ricotta doit présenter un aspect humide et blanc lorsqu'elle est fraîche.

FROMAGE FRAIS OU BLANC

Son contenu en matières grasses est très variable. Il peut se présenter sous forme lisse ou caillée. Il entre dans la préparation de nombreux desserts, dont le célèbre gâteau au fromage blanc ou cheesecake.

LAIT FERMENTÉ (LAIT RIBOT)

Le lait fermenté s'obtient à partir de lait écrémé auquel on ajoute des ferments pour l'épaissir. Il devient légèrement acide lorsque le lactose se transforme en acide lactique. Il entre souvent dans la préparation des gâteaux, auxquels il confère une texture légère.

YAOURT

On le fabrique en ajoutant des ferments dans le lait chaud : Lactobacillus bulgaricus, Lactobacillus acidophilus ou Streptococcus thermophilus. Les bacilles créent une acidité qui fermente, épaissit le lait et détruit certaines bactéries intrinsèques, prolongeant sa durée de vie et facilitant sa digestion.

MASCARPONE

Ce fromage riche et crémeux est originaire d'Italie. Il entre dans la préparation du tiramisu, ainsi que dans la confection de gâteaux au fromage et de glaces.

DANS LE SENS DES AIGUILLES D'UNE MONTRE, À PARTIR DU HAUT À GAUCHE : crème épaisse entière, lait fermenté, lait, crème liquide, mascarpone, ricotta, yaourt, (sur l'assiette : fromage blanc et fromages frais), crème fraîche, crème aigre et « clotted cream » (spécialité anglo-saxonne).

LA RICOTTA

Ricotta signifie littéralement « recuit », par allusion à son mode de fabrication, dans lequel on fait chauffer le petit-lait et le lait de vache écrémé pour provoquer la coagulation des protéines. La ricotta, qui contient du petit-lait, n'est pas à proprement parler un fromage, c'est un sous-produit de la fabrication du fromage.

La ricotta a un contenu en matières grasses relativement faible et un arrière-goût légèrement sucré dû à la présence de lactose (sucre du lait). Elle est riche en calcium et peut remplacer le fromage frais crémeux. On peut la fouetter, la consommer fraîche ou la faire cuire dans des préparations. Elle existe également en variétés allégées. Si elle paraît un peu humide, la laisser égoutter toute la nuit dans une passoire doublée d'une mousseline. Utilisée traditionnellement dans la cuisine italienne, la ricotta entre notamment dans la préparation de la cassate et de gâteaux au fromage.

EN HAUT : Tarte à la ricotta et au chocolat

TARTE À LA RICOTTA ET AU CHOCOLAT

Préparation : 20 minutes + réfrigération
Cuisson : 1 heure
Pour 8 à 10 personnes

185 g de farine
100 g de beurre, en morceaux
2 cuil. à soupe de sucre en poudre

Garniture

1,25 kg de ricotta
125 g de sucre en poudre
2 cuil. à soupe de farine
1 cuil. à café de café soluble
125 g de chocolat, râpé
4 jaunes d'œufs

40 g de chocolat
1/2 cuil. à café d'huile végétale

1 Pour préparer la pâte brisée, tamiser la farine dans une grande terrine et ajouter le beurre. Manier la farine et le beurre du bout des doigts afin d'obtenir la consistance de la semoule. Ajouter le sucre, puis 3 cuil. à soupe d'eau froide. Remuer avec un couteau pour former une pâte, en mouillant si nécessaire avec un peu d'eau. Poser sur un plan de travail fariné et former une boule. Graisser légèrement un moule à manqué de 25 cm de diamètre. Abaisser la pâte au rouleau, puis foncer le moule jusqu'aux deux tiers de sa hauteur. Couvrir et laisser au réfrigérateur pendant la confection de la garniture.

2 Pour préparer la garniture, mélanger la ricotta, le sucre, la farine et une pincée de sel jusqu'à obtention d'une consistance homogène. Dissoudre le café dans 2 cuil. à café d'eau chaude. Incorporer dans la préparation précédente, avec le chocolat et les jaunes d'œufs, et mélanger soigneusement. Verser sur le fond de pâte en lissant la surface. Laisser 30 minutes au réfrigérateur. Préchauffer le four à 180 °C (therm. 4).

3 Poser le moule à manqué sur une plaque à pâtisserie, puis enfourner 1 heure. Laisser refroidir dans le four, porte ouverte – les éventuelles craquelures seront dissimulées par le décor. Pour la décoration, faire fondre le reste de chocolat et ajouter l'huile. Dessiner de fins motifs sur la tarte avec une fourchette ou une poche à douille. Laisser refroidir complètement avant de découper pour servir.

CHEESECAKE PRALINÉ AU MIEL

Préparation : 1 heure + congélation
Cuisson : 25 minutes
Pour 8 à 10 personnes

100 g d'amandes effilées

185 g de sucre

225 g de biscuits aux céréales

100 g de beurre, fondu

Garniture

250 g de mascarpone

250 g de fromage frais crémeux ou
   de fromage blanc non battu

400 g de lait concentré en boîte

60 ml de miel

315 ml de crème liquide

2 cuil. à café de cannelle moulue

1 Préchauffer le four à 150 °C (therm. 2). Pour préparer le pralin, étaler les amandes sur une plaque à pâtisserie couverte de papier d'aluminium huilé. Dans une casserole, dissoudre le sucre dans 125 ml d'eau à feu doux. Porter à ébullition, puis laisser frémir sans remuer jusqu'à formation de caramel. Verser sur les amandes, laisser refroidir et durcir avant de briser en morceaux.

2 Beurrer légèrement un moule à manqué de 23 cm de diamètre et chemiser le fond de papier sulfurisé. Réserver la moitié du pralin, puis broyer finement le reste au mixeur avec les biscuits. Ajouter le beurre, mettre dans le moule en appuyant fermement sur les parois. Faire cuire 15 minutes au four, puis laisser refroidir.

3 Pour préparer la garniture, mélanger le mascarpone et le fromage frais au mixeur. Ajouter le lait et le miel. Dans une jatte, fouetter la crème jusqu'à obtenir une consistance ferme, puis l'incorporer au mélange. Verser dans le moule, saupoudrer de cannelle et mêler grossièrement avec la pointe d'un couteau. Laisser durcir plusieurs heures au congélateur, puis décorer avec le reste de pralin.

CHEESECAKE PRALINÉ AU MIEL

Verser le caramel sur les amandes effilées, sur une plaque à pâtisserie recouverte de papier d'aluminium huilé.

Mélanger la cannelle et la garniture du gâteau avec la pointe d'un couteau.

CI-CONTRE : Cheesecake praliné au miel

LES NOISETTES

Il existe différentes variétés de noisettes. Elles se cultivent de manière intensive dans le sud-ouest de la France, en Turquie, en Italie et en Espagne. Pour rehausser leur saveur, on peut les passer au gril ou au four. Elles s'accordent à merveille avec le chocolat, la cannelle et les oranges. Pour retirer la peau, les faire griller 8 minutes dans le four à 180 °C (therm. 4). Il suffit ensuite de les frotter dans un torchon pour détacher la peau.

EN HAUT : Cheesecake au café et à la liqueur

CHEESECAKE AU CAFÉ ET À LA LIQUEUR

Préparation : 50 minutes + réfrigération
Cuisson : 1 heure
Pour 6 à 8 personnes

★★

150 g de biscuits au gingembre, écrasés

80 g de noisettes moulues

100 g de beurre, fondu

400 g de fromage frais crémeux ou de fromage blanc non battu

60 g de sucre en poudre

3 œufs

6 cuil. à café de farine

125 ml de crème liquide

80 ml de liqueur (Kahlua, Tia Maria ou Irish Cream)

Nappage

375 g de sucre

1 cuil. à café de café soluble

100 g de noisettes entières, grillées

315 ml de crème liquide

1 Beurrer légèrement un moule à manqué de 20 cm de diamètre et chemiser le fond de papier sulfurisé. Mélanger les biscuits, les noisettes, le beurre. Verser la moitié au fond du moule en appuyant fermement. Étaler le reste le long des parois. Réserver 10 à 15 minutes au réfrigérateur.

2 Préchauffer le four à 180 °C (therm. 4). Mélanger le fromage frais et le sucre au batteur électrique pour obtenir un mélange lisse. Ajouter les œufs un par un sans cesser de fouetter. Mélanger séparément la farine et la crème, incorporer dans la préparation précédente, puis parfumer avec la liqueur. Verser dans le moule et le poser sur une plaque à pâtisserie pour recueillir éventuellement le jus. Faire cuire 40 à 50 minutes au four : le gâteau doit être ferme. Laisser durcir complètement hors du four. Réserver plusieurs heures au réfrigérateur.

3 Pour la garniture, mettre le sucre et 185 ml d'eau dans une casserole. Faire fondre le sucre, sans laisser bouillir. Laisser frémir le sirop 10 à 12 minutes : il doit prendre une coloration dorée. Ajouter le café hors du feu. Plonger les noisettes une par une dans le caramel avec deux cuillères et les poser sur une plaque garnie de papier d'aluminium légèrement huilé. Laisser durcir. Fouetter la crème jusqu'à obtention d'une consistance ferme. Démouler le gâteau et décorer de crème fouettée, de noisettes au caramel, éventuellement de filets de caramel.

PETITS CHEESECAKES À L'ORANGE

Préparation : 40 minutes + réfrigération
Cuisson : aucune
Pour 8 tartelettes

250 g de biscuits aux céréales
125 g de beurre, fondu

Garniture

4 oranges
250 g de fromage frais crémeux ou
  de fromage blanc non battu
1 cuil. à café de zeste d'orange râpé
185 ml de lait concentré
2 cuil. à soupe de jus de citron
1 cuil. à soupe de jus d'orange

Décoration

125 ml de crème liquide, fouettée
Lanières de zeste d'orange, pour la décoration

1 Graisser légèrement huit moules à flan cannelés de 8 cm de diamètre. Pour préparer le fond de pâte, broyer les biscuits au mixeur. Ajouter le beurre fondu et mixer pendant 15 secondes. Répartir la préparation dans les moules en appuyant fermement sur le fond et les parois. Poser sur un plateau et réserver au réfrigérateur pendant la confection de la garniture.

2 Peler les oranges à vif. Détacher les quartiers en passant un couteau entre la membrane et la chair, au-dessus d'une jatte pour recueillir le jus. Réserver deux ou trois quartiers pour la décoration de chaque gâteau. Couper les autres en petits morceaux.

3 Mélanger le fromage frais et le zeste d'orange dans une petite jatte au batteur électrique, jusqu'à formation d'un mélange léger et crémeux. Ajouter progressivement le lait, le citron et le jus d'orange. Fouetter à vitesse moyenne pendant 5 minutes, pour obtenir une préparation homogène, qui double de volume. Incorporer ensuite les morceaux d'orange.

4 Répartir la préparation dans les moules en lissant la surface. Laisser toute la nuit au réfrigérateur. Décorer de crème fouettée, de lanières de zeste et de quartiers d'orange.

EN HAUT : Petits cheesecakes à l'orange

CHEESECAKE AU COULIS DE FRAMBOISES

Préparation : 35 minutes + réfrigération
Cuisson : 1 h 20
Pour 8 personnes

250 g de biscuits sucrés
125 g de beurre, fondu
3 cuil. à café de zeste de citron râpé

Garniture

750 g de ricotta
4 œufs, légèrement battus
250 ml de babeurre
2 cuil. à soupe de Maïzena
125 ml de miel
1 cuil. à soupe de jus de citron
Sucre glace, pour la décoration

Coulis de framboises

300 g de framboises fraîches ou surgelées
30 g de sucre glace
1 cuil. à café de jus de citron

CI-DESSOUS :
Cheesecake au coulis
de framboises

1 Beurrer un moule à manqué de 23 cm et chemiser le fond de papier sulfurisé. Préchauffer le four à 160 °C (therm. 2-3). Broyer les biscuits au mixeur, puis ajouter le beurre et 2 cuil. à café de zeste de citron, en mélangeant bien. Verser dans le moule en appuyant fermement sur le fond. Réserver au réfrigérateur pendant la confection de la garniture.

2 Travailler la ricotta au batteur électrique pendant 2 minutes, jusqu'à obtention d'une consistance lisse. Ajouter les œufs un par un, sans cesser de battre. Mélanger le babeurre et la Maïzena au fouet pour obtenir une consistance homogène, puis incorporer dans la ricotta. Ajouter le miel, le reste de zeste et le jus de citron. Verser dans le moule et faire cuire 1 h 20 au four. Laisser refroidir, puis réserver au moins 6 heures au réfrigérateur.

3 Pour préparer le coulis, décongeler éventuellement les fruits, en réserver quelques-uns pour la décoration et travailler le reste avec le sucre glace pendant 20 secondes au mixeur. Ajouter le jus de citron. Saupoudrer le gâteau de sucre glace. Le laisser un peu à température ambiante et le servir accompagné du coulis et décoré de framboises.

CHEESECAKE SICILIEN

Préparation : 45 minutes + réfrigération
Cuisson : 1 h 25
Pour 8 personnes

250 g de farine
160 g de beurre, en morceaux
60 g de sucre en poudre
1 cuil. à café de zeste de citron râpé
1 œuf, légèrement battu

Garniture

60 g de raisins secs, hachés
80 ml de marsala
500 g de ricotta
125 g de sucre en poudre
1 cuil. à soupe de farine
4 œufs, blancs et jaunes séparés
125 ml de crème liquide

1 Graisser légèrement un moule à manqué de 26 cm de diamètre. Tamiser la farine et une pincée de sel dans une grande jatte avant de mélanger avec le beurre, du bout des doigts. Ajouter le sucre, le zeste de citron, l'œuf, un peu d'eau si nécessaire, puis travailler avec un couteau pour obtenir une pâte. Former une boule.

2 Étaler la pâte entre deux feuilles de papier sulfurisé. En foncer le fond et les parois du moule, puis laisser 30 minutes au frais. Préchauffer le four à 190 °C (therm. 5). Piquer à la fourchette le fond de pâte, couvrir de papier sulfurisé et parsemer de noyaux de cuisson. Enfourner 15 minutes, retirer les noyaux de cuisson et le papier, puis prolonger la cuisson 8 minutes, jusqu'à ce que la pâte soit sèche. Si elle gonfle par endroits, appuyer légèrement dessus avec le dos d'une cuillère. Laisser refroidir. Réduire la température du four à 160 °C (therm. 2-3).

3 Pour préparer la garniture, mettre les raisins secs et le marsala dans un bol, couvrir et laisser macérer. Passer la ricotta à travers un chinois et mélanger avec le sucre à l'aide d'une cuillère en bois. Ajouter au mélange la farine et les jaunes d'œufs, puis la crème et les raisins non égouttés. Malaxer soigneusement. Battre les blancs d'œufs en neige ferme dans un saladier propre et sec. Pour finir, incorporer dans la préparation en deux fois.

4 Verser sur la pâte et enfourner 1 heure. Vérifier la cuisson et couvrir de papier d'aluminium si la pâte brunit trop. Laisser refroidir légèrement dans le four, porte ouverte, pour éviter que le gâteau ne s'affaisse. Servir chaud.

NOTE : Le marsala est un vin sicilien foncé, sec ou doux, au goût prononcé. Le marsala doux accompagne les desserts et entre dans leur confection.

CHEESECAKE AU CITRON VERT ET AUX FRUITS DE LA PASSION

Préparation : 50 minutes + réfrigération
Cuisson : 55 minutes
Pour 6 à 8 personnes

250 g de biscuits aux céréales
125 g de beurre, fondu

Garniture

500 g de fromage frais crémeux ou
   de fromage blanc non battu
90 g de sucre en poudre
3 cuil. à café de zeste de citron vert râpé
2 cuil. à soupe de jus de citron vert frais
2 œufs, légèrement battus
125 ml de pulpe de fruit de la Passion

Nappage

1 cuil. à soupe de sucre en poudre
3 cuil. à café de Maïzena
125 ml de pulpe de fruit de la Passion

1 Graisser un moule à manqué de 20 cm de diamètre et chemiser le fond de papier sulfurisé. Préchauffer le four à 160 °C (therm. 2-3). Broyer les biscuits au mixeur, puis mélanger avec le beurre. Verser dans le moule en appuyant fermement sur le fond et les parois. Laisser 30 minutes au réfrigérateur.

2 Avec un batteur électrique, fouetter le fromage frais, le sucre, le zeste et le jus de citron vert, jusqu'à obtention d'un mélange crémeux. Incorporer les œufs un par un, puis la pulpe de fruit de la Passion. Verser dans le moule, poser sur une plaque à pâtisserie pour recueillir le jus et faire cuire 45 à 50 minutes au four : le gâteau doit être à peine ferme. Laisser refroidir complètement.

3 Pour préparer le nappage, mélanger le sucre, la Maïzena et 2 cuil. à soupe d'eau dans une petite casserole à feu doux. Remuer pour obtenir un mélange lisse, ajouter 2 cuil. à soupe d'eau, la pulpe de fruit de la Passion, et continuer à remuer jusqu'à ce que le mélange épaississe. Verser la préparation chaude sur le gâteau froid. Réserver toute la nuit au réfrigérateur. Servir avec de la crème fraîche.

NOTE : Prévoir environ 8 fruits de la Passion.

EN HAUT : Cheesecake au citron vert et aux fruits de la Passion

LA MERINGUE

La meringue est un mélange de blancs d'œufs et de sucre que l'on fouette jusqu'à obtenir une consistance ferme, puis que l'on fait cuire à four doux. L'un des desserts les plus renommés à base de meringue, la pavlova, est une spécialité australienne qui doit son nom à la danseuse russe Anna Pavlova. Les amateurs sont capables de débattre sans fin de la qualité de ces fragiles gourmandises qui fondent sur la langue dès qu'on les met en bouche. La pavlova à l'ancienne, croustillante à l'extérieur et moelleuse à l'intérieur, est particulièrement appréciée.

PAVLOVA À L'ANCIENNE

Préparation : 30 minutes
Cuisson : 1 heure
Pour 6 à 8 personnes

★

4 blancs d'œufs
250 g de sucre en poudre
2 cuil. à café de Maïzena
1 cuil. à café de vinaigre blanc
250 ml de crème liquide

Décoration

La pulpe de 3 fruits de la Passion
Fraises et kiwis

1 Préchauffer le four à 160 °C (therm. 2-3). Garnir de papier sulfurisé une plaque à pâtisserie de 32 x 28 cm.
2 Mettre les blancs d'œufs et une pincée de sel dans une grande jatte en verre ou en Inox propre et sèche (toute trace de graisse empêche les blancs de monter) et laisser quelques minutes à température ambiante. Fouetter lentement au batteur électrique jusqu'à ce que les blancs commencent à mousser, puis augmenter la vitesse. Lorsque les blancs sont montés en neige ferme, ajouter le sucre progressivement sans cesser de battre : le mélange doit devenir brillant et épais. Veiller à ne pas trop battre, car la préparation prendrait un aspect granuleux.
3 Incorporer la Maïzena tamisée et le vinaigre avec une cuillère en métal. Verser la préparation sur la plaque en lui donnant une forme de dôme de 2,5 cm de haut. Aplatir légèrement le dessus et lisser les bords. Faire cuire 1 heure au four : la meringue doit être légèrement dorée et croustillante. Sortir du four et démouler délicatement sur un plat de service.
4 Fouetter la crème jusqu'à ce qu'elle devienne ferme, puis l'étaler sur la meringue. Décorer de pulpe de fruit de la Passion, de fraises coupées en deux et de rondelles de kiwi. Découper avant de servir.
NOTE : On ajoute de la Maïzena et du vinaigre pour que l'intérieur de la meringue ait une consistance moelleuse.

CI-DESSOUS :
Pavlova à l'ancienne

Fouetter les blancs d'œufs en neige ferme, puis ajouter le sucre progressivement et continuer à battre jusqu'à obtention d'un mélange épais et brillant.

Étaler la préparation en forme de cercle régulier. Pour plus de facilité, dessiner au préalable un cercle de 20 cm de diamètre sur le papier.

PAVLOVA AUX FRUITS FRAIS

Préparation : 15 minutes
Cuisson : 40 minutes
Pour 6 à 8 personnes

4 blancs d'œufs

250 g de sucre en poudre

375 ml de crème liquide, fouettée

1 banane

125 g de framboises

125 g de myrtilles

1 Préchauffer le four à 150 °C (therm. 2). Garnir de papier sulfurisé une plaque à pâtisserie. Dessiner éventuellement un cercle de 20 cm de diamètre sur le papier pour délimiter l'emplacement de la meringue.
2 Mettre les blancs d'œufs et une pincée de sel dans une grande jatte en verre ou en Inox propre et sèche (toute trace de graisse empêche les blancs de monter) et laisser quelques minutes à température ambiante. Fouetter lentement au batteur électrique jusqu'à ce que les blancs commencent à mousser, puis augmenter la vitesse. Lorsque les blancs sont montés en neige ferme, ajouter le sucre progressivement sans cesser de battre : le mélange doit devenir brillant et épais. Veiller à ne pas trop battre, car la préparation prendrait un aspect granuleux.
3 Étaler la préparation sur le papier en forme de cercle, en lissant avec une spatule. Dessiner des sillons sur toute la surface avec la pointe d'un couteau ou d'une spatule. Cette opération a pour but de rendre la pavlova plus compacte tout en la décorant.
4 Faire cuire 40 minutes au four, pour obtenir une meringue claire et croquante. Laisser refroidir dans le four éteint, la porte ouverte. Lorsque la pavlova est froide, décorer de crème fouettée, de rondelles de banane, de framboises et de myrtilles.
NOTE : On peut cuire la meringue à l'avance et la garder une nuit dans un récipient hermétique. Servir au maximum 1 heure après l'avoir décorée.

EN HAUT :
Pavlova aux fruits frais

LA MERINGUE

Il existe trois sortes de meringue : la meringue ordinaire, la meringue italienne et la meringue à pâte cuite. Il faut compter environ 50 g de sucre par blanc d'œuf; si les quantités sont inférieures, les meringues n'ont pas de tenue. Pour qu'ils montent bien, il faut choisir des blancs d'œufs très frais et les travailler à température ambiante; il faut aussi veiller à ce qu'ils ne comportent aucune trace de graisse ou de jaune d'œuf. Pour préparer la meringue ordinaire, on incorpore le sucre au moins en deux fois. La meringue doit être épaisse, brillante, et conserver sa forme lorsqu'on l'étale avec une poche à douille. Attention : par temps humide, la meringue se tient moins bien. On confectionne la meringue italienne en ajoutant du sirop de sucre bouillant dans les blancs battus, et la meringue à pâte cuite en battant les blancs d'œufs et le sucre glace au bain-marie. Ces deux meringues gardent bien leur forme.

PAGE CI-CONTRE,
DE HAUT EN BAS :
Nids de meringue garnis;
Mousse au chocolat;
Ricotta et figues grillées.

NIDS DE MERINGUE

Préparation : 20 minutes
Cuisson : 35 minutes + réfrigération
Pour 4 personnes

2 blancs d'œufs
125 g de sucre en poudre

1 Préchauffer le four à 150 °C (therm. 2). Garnir une plaque à pâtisserie de papier sulfurisé et tracer quatre cercles de 9 cm de diamètre. Mettre les blancs d'œufs dans un grand bol propre et sec et laisser quelques minutes à température ambiante. Fouetter les blancs en neige ferme au batteur électrique. Ajouter progressivement le sucre, sans cesser de battre : le mélange doit devenir épais et brillant. Ne pas trop battre.
2 Étaler 1 cuil. à soupe de préparation sur 5 mm d'épaisseur à l'emplacement de chaque cercle. Mettre le reste de la préparation dans une poche munie d'une douille de 1 cm de diamètre en forme d'étoile. Verser la préparation tout autour des cercles de meringue pour former des nids de 1 à 2 cm de haut.
3 Faire cuire 30 à 35 minutes au four, jusqu'à ce que les meringues soient légèrement dorées, puis laisser refroidir dans le four éteint. Conserver dans un récipient hermétique jusqu'au moment de servir.

GARNITURE À LA RHUBARBE ET À LA CRÈME DE GINGEMBRE

Travailler au fouet 4 jaunes d'œufs et 125 g de sucre jusqu'à obtention d'un mélange crémeux, puis ajouter 1 cuil. à soupe de Maïzena. Mettre dans une petite casserole 250 ml de lait et 2 cuil. à café de gingembre frais et râpé ; porter à ébullition. Retirer du feu, filtrer et laisser tiédir, puis incorporer progressivement dans la préparation aux œufs avec un fouet. Remettre dans la casserole et remuer à feu doux pendant 5 minutes, jusqu'à épaississement. Laisser refroidir hors du feu. Couper 2 tiges de rhubarbe en deux dans la longueur, puis en sections de 3 cm. Dans une petite casserole, dissoudre 1 cuil. à soupe de sucre en poudre dans 60 ml d'eau, à feu doux. Ajouter la rhubarbe et faire cuire doucement 3 à 5 minutes : elle doit ramollir tout en conservant sa forme. Verser la crème refroidie dans les nids, disposer la rhubarbe dessus et servir aussitôt. Saupoudrer de sucre glace ou décorer de fines lanières de gingembre confit. Pour 4 personnes.

GARNITURE AU MASCARPONE ET À LA FRAMBOISE

Mettre dans une jatte 250 g de mascarpone et le zeste finement râpé d'un citron vert. Ajouter 60 g de framboises et mélanger soigneusement pour que le mascarpone s'imprègne du jus de framboise. Répartir la préparation dans quatre nids de meringue et décorer avec 60 g de framboises. Ajouter des feuilles de menthe fraîche ou saupoudrer de sucre glace. Pour 4 personnes.

GARNITURE À LA MOUSSE AU CHOCOLAT

Porter à ébullition une casserole remplie d'environ 4 cm d'eau, puis retirer du feu. Mettre 60 g de chocolat noir coupé en morceaux dans un bol résistant à la chaleur et le poser sur la casserole en veillant à ce qu'il ne touche pas l'eau. Remuer jusqu'à ce que le chocolat fonde, puis laisser refroidir. Fouetter 250 ml de crème liquide et 60 g de sucre en poudre au batteur électrique pour obtenir une consistance ferme. Mélanger un tiers de cette crème avec le chocolat fondu. Incorporer le reste de crème, couvrir et laisser 2 heures au réfrigérateur. Lorsqu'elle est ferme, répartir la préparation dans les nids de meringue et décorer de copeaux de chocolat. Servir aussitôt, après avoir saupoudré de sucre glace. Pour 4 personnes.

GARNITURE À LA RICOTTA ET AUX FIGUES GRILLÉES

Mettre dans le bol d'un robot 500 g de ricotta, 2 cuil. à soupe de miel, 2 ou 3 cuil. à soupe de jus d'orange, 2 cuil. à café de cassonade, 1/2 cuil. à café d'essence de vanille. Mélanger jusqu'à obtention d'une consistance lisse. Verser dans une jatte et ajouter 50 g de raisins secs. Couper 4 figues fermes en quatre dans le sens de la hauteur, les poser sur une plaque allant au four, puis saupoudrer avec 1 cuil. à soupe de cassonade. Laisser 5 à 6 minutes sous le gril, pour que le sucre commence à caraméliser. Verser la préparation à la ricotta dans les nids de meringue, décorer de figues, saupoudrer de pistaches finement hachées et servir aussitôt. Présenter séparément les figures restantes. Pour 4 personnes.

2 Fouetter les blancs d'œufs en neige ferme dans une grande jatte propre et sèche, ajouter progressivement le sucre sans cesser de battre : le mélange doit devenir épais et brillant. Bien enrober les fruits de meringue. Dessiner des motifs à la surface avec une fourchette. Saupoudrer de sucre roux et faire cuire 15 à 20 minutes au four, jusqu'à ce que la meringue soit légèrement dorée. Sortir délicatement du four. Servir avec de la crème ou de la glace.

DÉLICES MERINGUÉS AUX FRUITS ROUGES

Préparation : 50 minutes + réfrigération
Cuisson : 35 minutes
Pour 6 personnes

★

2 blancs d'œufs

125 g de sucre en poudre

250 g de fraises

150 g de myrtilles

125 g de framboises

1 cuil. à soupe de cassonade

375 ml de crème liquide, fouettée

Sucre glace, pour la décoration

1 Préchauffer le four à 150 °C (therm. 2). Couvrir des plaques à pâtisserie de papier sulfurisé et dessiner dix-huit cercles de 9 cm de diamètre.
2 Dans une grande jatte propre et sèche, fouetter les blancs d'œufs en neige ferme au batteur électrique. Ajouter progressivement le sucre sans cesser de battre, pour obtenir un mélange épais et brillant. Remplir chacun des cercles avec 1 cuil. à soupe de préparation, sur une épaisseur de 5 mm. Faire cuire 30 à 35 minutes, jusqu'à ce que les meringues soient dorées, puis laisser refroidir complètement dans le four éteint.
3 Équeuter soigneusement les fraises et réunir avec les autres fruits dans une grande terrine. Saupoudrer de cassonade, couvrir et réserver 20 minutes au réfrigérateur.
4 Pout assembler les délices, prendre les cercles de meringue trois par trois : poser un cercle sur une assiette, étaler dessus un peu de crème fouettée et de préparation aux fruits ; le couvrir d'un autre cercle et renouveler l'opération ; poser dessus le dernier cercle. Saupoudrer généreusement de sucre glace. Procéder de même avec tous les cercles de meringue pour obtenir six délices meringués, et servir aussitôt.

MERINGUE AUX FRUITS

Préparation : 25 minutes
Cuisson : 20 minutes
Pour 4 personnes

★ ★

4 pêches ou nectarines mûres

40 g de pâte d'amandes

3 blancs d'œufs

160 g de sucre en poudre

Sucre roux, pour soupoudrer

1 Préchauffer le four à 200 °C (therm. 6). Couper les pêches en deux et les dénoyauter. Pour ôter la peau, poser les pêches sur une assiette le côté coupé dessous, mettre l'assiette dans l'évier et verser dessus de l'eau bouillante puis de l'eau froide. Égoutter aussitôt et peler. Façonner la pâte d'amandes en 4 boulettes, puis en remplir la cavité laissée par les noyaux. Reconstituer les pêches en soudant les moitiés. Poser dans un plat à four peu profond.

EN HAUT :
Meringue aux fruits

SURPRISE MERINGUÉE AUX NOISETTES

Préparation : 20 minutes
Cuisson : 55 minutes
Pour 8 personnes

300 g de noisettes

8 blancs d'œufs

375 g de sucre en poudre

2 cuil. à café d'essence de vanille

2 cuil. à café de vinaigre blanc

600 ml de crème fraîche, additionnée de
    quelques gouttes de jus de citron

200 ml de crème liquide, fouettée

230 g de cassonade

Décoration
Crème liquide, fouettée
Noisettes

1 Préchauffer le four à 180 °C (therm. 4). Faire dorer les noisettes sur une plaque à pâtisserie pendant 5 à 10 minutes. Les envelopper d'un torchon et frotter vigoureusement pour enlever les peaux. Mettre dans un robot et réduire en poudre.
2 Abaisser la température du four à 150 °C (therm. 2). Couvrir quatre plaques de papier sulfurisé et dessiner un cercle de 21 cm de diamètre.
3 Laisser les blancs d'œufs à température ambiante dans une grande jatte propre et sèche, puis battre en neige ferme. Ajouter progressivement le sucre en poudre sans cesser de battre, pour obtenir un mélange ferme et brillant. Incorporer les noisettes, l'essence de vanille et le vinaigre.
4 Répartir la préparation sur les cercles, en les remplissant bien. Faire cuire 45 minutes : les meringues doivent être croustillantes. Laisser refroidir dans le four éteint, porte ouverte.
5 Pour préparer la garniture, mélanger dans une jatte la crème fraîche, la crème liquide et la cassonade.
6 Pour assembler le dessert, alterner les cercles de meringue et la garniture. Décorer de crème fouettée et de noisettes pilées ou caramélisées.

LES FRUITS À COQUE SÈCHE

Pour être réduits en poudre, les noix, noisettes et autres fruits à coque sèche doivent être bien froids, sinon ils deviendront huileux pendant l'opération. Les mettre dans le bol d'un robot, en ajoutant éventuellement 1 cuil. à soupe de sucre ou de farine pour absorber l'excès d'huile, et broyer.

Ces fruits se conservent parfaitement dans un récipient hermétique, au congélateur ou au réfrigérateur.

EN HAUT : Surprise meringuée aux noisettes

BAIES ET FRUITS ROUGES

En été, les baies et les fruits rouges nous offrent leurs couleurs vives et leur goût acidulé. Ils

accompagnent à merveille les meringues croustillantes et enrichissent l'univers des desserts…

LE CASSIS

Fruit du cassissier (ou groseillier noir), cette baie noire à la peau épaisse se présente sous forme de grappes et a une saveur aigrelette. Le cassis sert à fabriquer gelées et confitures, ainsi que la crème de cassis. Il entre dans la confection de sorbets, de mousses et de soufflés.

LA FRAISE

Si elle est désormais en vente toute l'année, grâce aux importations, celle que l'on trouve en pleine saison est plus savoureuse. Son goût, sa taille et sa couleur diffèrent en fonction des variétés. La gariguette est particulièrement parfumée. Les fraises doivent être gardées au réfrigérateur, et lavées puis équeutées avant emploi. Elles sont délicieuses nature, avec du sucre, de la crème fraîche, de la glace. Elles entrent dans la préparation de recettes traditionnelles comme le fraisier ou les tartes, et servent à confectionner des confitures.

LA FRAMBOISE

Ce fruit indissociable de l'été se cultive et pousse de manière sauvage. Particulièrement fragiles, les framboises se conservent au réfrigérateur à condition de ne pas être abîmées. Il ne faut pas les laver. Elles se consomment dans les mousses froides ou les soufflés chauds.

LA GROSEILLE

Elle se présente sous forme de grappes, la variété blanche étant légèrement plus sucrée que la rouge. Riche en vitamine C, la groseille rouge est souvent associée à l'amande, à la cerise et à l'orange. Laisser les fruits sur leur tige jusqu'au moment de les utiliser, puis tirer délicatement dessus à l'aide d'une fourchette. Les groseilles décorent les gâteaux et entrent dans la confection de gelées ou de tartes aux fruits.

LA MÛRE

Sauvage ou cultivé, ce fruit légèrement acidulé est un ingrédient essentiel des entremets d'été. Il faut garder les mûres au réfrigérateur et les laver avant emploi. Elles entrent dans la confection de tartes et de crumbles, et font d'excellentes gelées et confitures. Elles sont délicieuses avec de la crème fraîche, du cognac et des pommes.

LA MYRTILLE

Ce fruit sauvage des régions montagneuses est bleu à l'extérieur, et blanc ou vert clair à l'intérieur. Les myrtilles se conservent une semaine au réfrigérateur (ne pas les mettre dans un récipient en métal, car elles s'abîmeraient). Il faut les laver avant emploi. Excellentes dans les desserts, tartes et gâteaux au fromage, elles s'accordent bien avec le porto, la cannelle et la crème fraîche.

LE PHYSALIS

Cette petite baie d'été, de couleur orange ou jaune-vert, est enfermée dans un calice membraneux que l'on enlève avant de consommer le fruit cru. Sa durée de vie est relativement courte. Aigrelets, les physalis se servent enrobés de caramel, de chocolat ou de fondant. Ils font de ravissantes décorations sur desserts et plateaux de fruits.

DANS LE SENS DES AIGUILLES D'UNE MONTRE, EN PARTANT DE LA GAUCHE :
Framboises ; Mûres de culture ; Groseilles rouges, groseilles blanches et cassis ; Myrtilles ; Fraises ; Mûres sauvages ; Physalis.

L'OMELETTE NORVÉGIENNE

L'idée de passer une glace au four doit sans doute être attribuée aux Chinois, qui avaient mis au point une préparation à base de glace enveloppée dans de la pâte. On s'est par la suite inspiré de ce dessert pour confectionner l'omelette norvégienne, en remplaçant la pâte par de la meringue.

OMELETTE NORVÉGIENNE

Préparation : 40 minutes + congélation
Cuisson : 8 minutes
Pour 6 à 8 personnes

★★

2 litres de glace à la vanille de bonne qualité

250 g de fruits confits mélangés, finement hachés

125 ml de Grand-Marnier ou de Cointreau

2 cuil. à café de zeste d'orange râpé

60 g d'amandes grillées, finement hachées

60 g de chocolat noir, finement haché

1 génoise ou un quatre-quarts, coupés en tranches de 3 cm d'épaisseur

3 blancs d'œufs

185 g de sucre en poudre

1 Chemiser un moule à glace de 2 litres d'une mousseline humide. Laisser ramollir 1 litre de glace ; le mélanger avec les fruits confits, 2 cuil. à soupe de liqueur et 1 cuil. à café de zeste d'orange. Verser dans le moule en couvrant le fond et les parois, puis faire congeler. Laisser ramollir le reste de glace ; incorporer les amandes, le chocolat, le reste de liqueur et de zeste d'orange. Sortir le moule du congélateur, le remplir de cette préparation et lisser.

2 Tapisser la surface de tranches de gâteau, en procédant rapidement pour éviter que la première couche de glace ne fonde. Recouvrir de papier d'aluminium et laisser au moins 2 heures au congélateur. Préchauffer le four à 220 °C (therm. 7), puis préparer la meringue. Fouetter les blancs d'œufs en neige ferme au batteur électrique. Ajouter progressivement le sucre, sans cesser de battre. Travailler pendant 4 à 5 minutes, pour obtenir un mélange épais et brillant.

3 Démouler la glace sur un plat allant au four et retirer la mousseline. Napper rapidement de meringue : la glace doit être entièrement recouverte. Enfourner 5 à 8 minutes, jusqu'à ce que le dessus soit doré. Couper et servir aussitôt.

NOTE : Poser une demi-coquille d'œuf sur le dessus de la meringue avant d'enfourner, en l'enfonçant un peu. Remplir de cognac chaud à la sortie du four et faire flamber au moment de servir.

MERINGUE ROULÉE À LA FRAMBOISE ET AU CHOCOLAT BLANC

Préparation : 35 minutes + réfrigération
Cuisson : 10 minutes
Pour 6 à 8 personnes

4 blancs d'œufs

185 g de sucre en poudre

125 g de fromage frais crémeux, ramolli

185 g de crème fraîche épaisse

125 g de chocolat blanc, fondu

125 g de framboises fraîches

1 Préchauffer le four à 180 °C (therm. 4). Couvrir de papier sulfurisé le fond et les parois d'un moule à biscuit de 25 x 30 cm. Battre les blancs d'œufs en neige ferme. Ajouter progressivement le sucre, sans cesser de battre, pour obtenir un mélange épais et brillant.

2 Étaler la préparation dans le moule et faire cuire 10 minutes au four : la meringue doit être légèrement dorée. Renverser rapidement et délicatement sur du papier sulfurisé saupoudré de sucre, puis laisser refroidir.

3 Travailler le fromage et la crème jusqu'à obtention d'un mélange lisse et crémeux. Ajouter le chocolat froid et mélanger soigneusement. Étaler sur la meringue en laissant une bordure de 1 cm tout autour. Répartir les framboises dessus. En s'aidant du papier, rouler délicatement la meringue. L'envelopper dans le papier saupoudré de sucre. Recouvrir de film plastique et laisser durcir au frais. Découper en tranches pour servir.

GÂTEAU DE MERINGUE PRALINÉ

Préparation : 1 heure + congélation
Cuisson : 1 h 10
Pour 8 à 10 personnes

4 blancs d'œufs

375 g de sucre en poudre

100 g d'amandes mondées

2 litres de glace à la vanille de bonne qualité, ramollie

Coulis de fraises

500 g de fraises

2 cuil. à soupe de jus de citron

30 g de sucre glace

1 Préchauffer le four à 150 °C (therm. 2). Recouvrir deux plaques à pâtisserie de papier sulfurisé, puis dessiner deux cercles de 20 cm de diamètre. Humecter d'huile et saupoudrer de sucre. Monter les blancs d'œufs en neige ferme, puis ajouter progressivement 250 g de sucre. Battre jusqu'à obtention d'un mélange épais et brillant. Avec une poche à douille, remplir les cercles en dessinant une spirale. Faire cuire 1 heure au four, puis laisser les meringues refroidir dans le four éteint, porte ouverte.

2 Pour le pralin, couvrir une plaque à pâtisserie de papier sulfurisé et parsemer d'amandes. Dissoudre le reste de sucre dans 80 ml d'eau, à feu doux. Porter à ébullition sans remuer, puis verser sur les amandes lorsque le sirop est doré. Laisser durcir avant de broyer au robot ou avec un rouleau à pâtisserie.

3 Travailler la glace au fouet ou au mixeur pour lui donner une consistance crémeuse, puis incorporer le pralin. Poser un cercle de meringue dans un moule à manqué de 23 cm de diamètre, chemisé de papier sulfurisé. Verser la glace et couvrir avec l'autre cercle de meringue. Congeler jusqu'au moment de servir.

4 Pour préparer le coulis, mélanger les ingrédients dans un robot jusqu'à obtention d'une consistance homogène. Mouiller avec un peu d'eau si le coulis est trop épais. Servir avec le gâteau de meringue praliné.

NOTE : Pour obtenir des meringues bien croustillantes, il faut les cuire très lentement. Ce dessert se conserve quatre jours au congélateur.

CI-DESSOUS : Gâteau de meringue praliné

PANIER MERINGUÉ

Préparation : 30 minutes
Cuisson : 2 heures
Pour 6 personnes

8 blancs d'œufs
450 g de sucre glace, tamisé
375 ml de crème liquide, fouettée
450 g de fruits frais

1 Préchauffer le four à 140 °C (therm. 1). Mettre 4 blancs d'œufs dans une jatte en métal ou en porcelaine à feu, laisser quelques minutes à température ambiante, puis battre en neige ferme. Poser la jatte sur une grande casserole d'eau frémissante et ajouter la moitié du sucre glace sans cesser de battre, en veillant à ce qu'il ne vole pas de tous côtés. Travailler ensuite la préparation au batteur électrique pour obtenir une consistance épaisse et très ferme. Couvrir de film plastique et réserver.

2 Dessiner au crayon quatre cercles de 18 cm de diamètre sur du papier sulfurisé, le graisser et en garnir deux plaques à pâtisserie. Remuer deux ou trois fois la préparation à meringue, en remplir une poche munie d'une douille de 1 cm de diamètre, puis remplir l'un des cercles : ce sera le fond du panier. Former un seul cercle de meringue sur les trois autres cercles, au niveau des traits de crayon : ils formeront la paroi du panier. Faire cuire 45 à 50 minutes au four, jusqu'à ce que les meringues soient sèches et croustillantes. Laisser refroidir sur des grilles à pâtisserie.

3 Confectionner une préparation à meringue identique à la précédente. Poser le fond du panier sur du papier sulfurisé et monter les trois cercles sur le fond en les « collant » avec un peu de préparation non cuite. Ajuster sur la poche une douille en forme d'étoile de 1 cm de diamètre et, avec le reste de préparation, former des bandes décoratives tout autour du panier. Pour terminer, agrémenter le bord du panier de rosaces de meringue. Faire cuire 50 à 60 minutes au four, jusqu'à ce que la meringue soit croustillante. Laisser refroidir avant de garnir de crème fouettée et de fruits frais.

NOTE : Très ferme, cette meringue garde sa forme pendant la cuisson et se travaille facilement avec la poche à douille. Elle se conserve toute une nuit au réfrigérateur dans une terrine couverte.

CYGNES MERINGUÉS

Préparation : 1 h 25
Cuisson : 1 heure
Pour 6 personnes

2 blancs d'œufs
125 g de sucre en poudre
90 g d'amandes effilées, légèrement grillées

Coulis de cerises

425 g de griottes dénoyautées en conserve, dans leur sirop
1 cuil. à soupe de kirsch
1 cuil. à café de sucre en poudre
1 cuil. à café de jus de citron

Garniture au mascarpone

250 g de mascarpone
2 cuil. à soupe de sucre glace
1 cuil. à café d'essence de vanille
125 ml de crème liquide

1 Préchauffer le four à 150 °C (therm. 2). Pour faire les corps des cygnes, prendre deux feuilles de papier sulfurisé, dessiner sur chacune six motifs en forme de goutte d'eau de 10 cm de long, larges de 5 cm à la base. Pour les cous, dessiner six motifs en S sur chaque feuille (prévoir quelques S supplémentaires au cas où certains se briseraient). Poser le papier sur les plaques à pâtisserie. Dans un bol propre et sec, monter les blancs d'œufs en neige ferme au batteur électrique. Ajouter peu à peu le sucre, sans cesser de battre. Étaler généreusement la préparation à l'intérieur des « gouttes », en veillant à ce que la couche soit plus épaisse au niveau de la base. Pour représenter les plumes, planter des amandes en oblique dans la meringue. Verser un peu de préparation dans une poche munie d'une douille simple de 5 mm de diamètre et dessiner les cous. Tracer des S supplémentaires avec le reste de meringue. Faire cuire 1 heure au four, en tournant les plaques au bout de 30 minutes. Laisser refroidir dans le four éteint, porte ouverte.

2 Égoutter les griottes, en réservant le jus. Réduire en purée avec 80 ml de jus, puis filtrer. Ajouter le kirsch, le sucre et le jus de citron.

3 Mélanger le mascarpone, le sucre glace et l'essence de vanille. Battre la crème jusqu'à obtention d'une consistance épaisse et incorporer dans le mascarpone. Fouetter si besoin pour épaissir.

4 Coller deux « gouttes » à l'aide de la préparation au mascarpone pour faire le corps de chaque cygne et insérer un S pour le cou. Mettre un peu de coulis sur chaque assiette et poser délicatement le cygne au milieu.

CYGNES MERINGUÉS

Étaler une épaisse couche de meringue à l'intérieur des formes en goutte.

Placer l'extrémité des amandes effilées en oblique pour figurer les plumes.

Dessiner des motifs en S pour les cous à l'aide d'une poche à douille. Prévoir quelques motifs supplémentaires au cas où certains se briseraient.

PAGE CI-CONTRE : Panier meringué (en haut) ; Cygne meringué (en bas)

ŒUFS À LA NEIGE

Préparation : 15 minutes
Cuisson : 25 minutes
Pour 4 à 6 personnes

✷ ✷

4 œufs, blancs et jaunes séparés

250 g de sucre en poudre

750 ml de lait

1 gousse de vanille, fendue dans la longueur

125 g de sucre, pour le caramel

1 Mettre les blancs d'œufs dans une jatte propre et sèche, laisser quelques minutes à température ambiante, puis monter en neige ferme. Ajouter petit à petit 90 g de sucre sans cesser de battre, jusqu'à obtention d'un mélange ferme et brillant.
2 Mettre dans une grande sauteuse le lait, 90 g de sucre et la vanille, porter au point de frémissement. À l'aide de deux cuillères à soupe, façonner seize œufs avec les blancs en neige et en poser quelques-uns dans le lait frémissant, sans qu'il se

touchent. Les laisser pocher 5 minutes (ils doivent être fermes) en les retournant une fois, délicatement car ils sont fragiles. Les retirer avec une écumoire et les réserver. Faire de même pour tous les œufs, puis filtrer le lait.
3 Fouetter les jaunes d'œufs avec le reste de sucre pour obtenir une préparation claire et épaisse. Ajouter petit à petit le lait, en battant bien. Jeter la gousse de vanille. Verser la crème obtenue dans une casserole et remuer sur feu doux, jusqu'à ce qu'elle épaississe et nappe le dos d'une cuillère en bois. Ne pas laisser bouillir. Transvaser la crème anglaise dans un saladier de service et laisser refroidir.
4 Lorsque la crème est bien froide, disposer les œufs dessus. Pour préparer le caramel, mettre le sucre et 2 cuil. à soupe d'eau dans une petite casserole, sur feu doux. Porter à ébullition et laisser frémir jusqu'à obtention d'un caramel doré. En arroser les œufs et la crème avec un léger mouvement de va-et-vient.

NOTE : Variante des œufs à la neige, l'île flottante se prépare avec des blancs en neige que l'on fait cuire dans un moule à savarin, au bain-marie. On démoule la couronne refroidie sur la crème anglaise et on arrose le tout de caramel.

EN HAUT :
Œufs à la neige

GÂTEAU MERINGUÉ AU CHOCOLAT

Préparation : 50 minutes + réfrigération
Cuisson : 45 minutes
Pour 10 à 12 personnes

6 œufs, jaunes et blancs séparés

375 g de sucre en poudre

2 cuil. à soupe 1/2 de cacao en poudre

200 g de chocolat à pâtisser, fondu

1 cuil. à soupe de café soluble

600 ml de crème liquide, fouettée

1 Préchauffer le four à 150 °C (therm. 2). Couvrir quatre plaques à pâtisserie de papier sulfurisé. Tracer un cercle de 22 cm de diamètre sur trois plaques et des lignes droites, à 3 cm d'intervalle, sur la dernière. Mettre les blancs d'œufs dans une grande jatte propre et sèche, laisser quelques minutes à température ambiante puis monter en neige ferme. Ajouter progressivement le sucre, sans cesser de battre. Travailler pendant 5 à 10 minutes, jusqu'à obtention d'un mélange épais et brillant. Tamiser le cacao et l'incorporer délicatement dans la meringue.

2 Diviser la préparation en quatre. Étaler trois portions à l'intérieur des cercles. Avec la dernière, former des bandes sur les lignes à l'aide d'une poche à douille simple de 1 cm de diamètre. Faire cuire 45 minutes, jusqu'à ce que les meringues soient croustillantes. Vérifier la cuisson à intervalles réguliers, pour éviter qu'elles ne brûlent. Laisser refroidir dans le four éteint, porte ouverte.

3 Verser le chocolat fondu dans une jatte, incorporer les jaunes d'œufs avec un fouet, ainsi que le café dissous dans 1 cuil. à soupe d'eau. Battre pour obtenir un mélange lisse. Ajouter la crème fouettée et bien mélanger. Réserver au réfrigérateur jusqu'à ce que la mousse soit froide et épaisse.

4 Pour assembler le gâteau, poser un cercle de meringue sur un plat et étaler dessus un tiers de la mousse au chocolat. Couvrir avec un autre cercle et garnir avec un deuxième tiers de mousse. Procéder de même avec le dernier disque et le reste de mousse. Glisser un couteau tout autour du gâteau pour égaliser la surface. Couper les bandes de meringue en bâtonnets et en appliquer sur le pourtour du gâteau, à la verticale, en les enfonçant délicatement dans la mousse. Disposer le reste dessus, saupoudrer de cacao et laisser durcir au réfrigérateur.

LE CACAO

La poudre de cacao s'obtient à partir des fèves du cacaoyer, arbre tropical. Les fèves, torréfiées et broyées, donnent la pâte de cacao. Cette pâte est ensuite dégraissée, et la poudre est fabriquée à partir des résidus solides.

Le chocolat à boire devint populaire au XVIIe siècle et prit le nom de cacao au XVIIIe siècle. La poudre de cacao fut inventée en 1828 par le Hollandais Van Houten. C'est le cacao hollandais qui a la saveur la plus subtile.

CI-CONTRE : Gâteau meringué au chocolat

LES DESSERTS AUX FRUITS

En matière de cuisine, simplicité ne rime pas nécessairement avec banalité. Un fruit frais est le dessert le plus simple qui puisse exister, mais ce peut aussi être l'un des plus délicieux. Il existe de multiples façons de préparer les fruits : cuits au four, grillés ou pochés dans un sirop, en salade ou avec de la crème fraîche… La perfection à l'état pur : c'est ce que nous propose la merveilleuse palette des fruits, de la minuscule groseille à la figue généreuse et à l'indémodable pomme. Et quelle meilleure manière de révéler la beauté des fruits que de les présenter enrobés d'une fragile gelée translucide ?

LA CUISSON DES FRUITS

Si la cuisson des fruits n'exige aucun soin particulier, il va de soi qu'on ne peut obtenir un résultat satisfaisant qu'avec des fruits de bonne qualité et suffisamment mûrs. Tous les fruits ne conservent pas leur forme durant la cuisson, mais ceux qui se défont au terme d'une cuisson prolongée gardent néanmoins leur saveur. On peut les écraser en purée ou en compote pour accompagner d'autres desserts. Qu'ils soient présentés entiers ou coupés, les fruits frais sont toujours délicieux et appétissants.

EN HAUT :
Oranges grillées au beurre
de caramel

ORANGES GRILLÉES AU BEURRE DE CARAMEL

Préparation : 20 minutes + réfrigération
Cuisson : 20 minutes
Pour 4 personnes

★★

6 oranges

90 g de sucre en poudre

60 ml de crème liquide

45 g de beurre, en morceaux

2 cuil. à café de zeste d'orange râpé

2 cuil. à soupe de menthe fraîche,
    finement ciselée

Noix muscade râpée, pour la décoration

Crème fraîche ou mascarpone,
    en accompagnement

1 Peler les oranges à vif, puis les couper en tranches fines.

2 Faire fondre le sucre dans 3 cuil. à soupe d'eau sur feu doux, sans laisser bouillir (secouer de temps en temps, mais ne pas remuer). Porter à ébullition et prolonger la cuisson jusqu'à obtention d'un caramel. Retirer du feu pour incorporer petit à petit la crème (la préparation devient grumeleuse et il faut se méfier des projections). Remettre sur le feu et remuer jusqu'à dissolution du caramel. Ajouter le beurre, le zeste d'orange, la menthe, puis bien mélanger avec un fouet. Verser dans une jatte et réserver au réfrigérateur.

3 Préchauffer le gril. Disposer les tranches d'orange dans un plat en porcelaine à feu de 24 cm de diamètre, en les faisant se chevaucher légèrement. Parsemer de beurre de caramel, puis mettre sous le gril pour faire fondre le beurre et réchauffer les oranges. Saupoudrer de noix muscade, et servir avec de la crème fraîche ou du mascarpone.

NOTE : Le beurre de caramel peut se préparer à l'avance et se conserver 24 heures au réfrigérateur.

POIRES POCHÉES AVEC SABAYON AU GINGEMBRE

Préparation : 30 minutes
Cuisson : 1 heure
Pour 6 personnes

500 ml de vin rouge de bonne qualité

4 morceaux de gingembre confit

125 g de sucre en poudre

6 poires, pelées

Sabayon au gingembre

8 jaunes d'œufs

90 g de sucre en poudre

1 cuil. à café de gingembre en poudre

315 ml de marsala

1 Verser le vin dans une casserole contenant 1 litre d'eau, ajouter le gingembre et le sucre. Mettre sur feu moyen et remuer jusqu'à dissolution du sucre. Ajouter les poires, couvrir et laisser pocher 45 minutes, jusqu'à ce que la chair soit tendre.

2 Pour préparer le sabayon, travailler au batteur électrique les jaunes d'œufs, le sucre et le gingembre dans un bol résistant à la chaleur, jusqu'à obtention d'un mélange jaune clair. Porter à ébullition une grande casserole à moitié remplie d'eau, la retirer du feu dès que l'eau commence à bouillir et poser le bol au-dessus en veillant à ce qu'il ne touche pas l'eau. Battre sans arrêt, en ajoutant peu à peu le marsala. Travailler le mélange pendant 5 minutes, jusqu'à ce qu'il devienne épais et mousseux.

3 Retirer les poires de la casserole avec une écumoire. Les dresser sur des assiettes et les napper de sabayon au gingembre. Servir aussitôt.

NOTE : Il est important d'utiliser un vin de bonne qualité, et non un simple vin de table.

DATTES POCHÉES AU THÉ EARL GREY

Mettre deux sachets de thé Earl Grey dans 250 ml d'eau bouillante et laisser infuser 30 minutes. Retirer les sachets et verser le liquide dans une petite casserole contenant 250 g de sucre. Poser sur feu moyen et remuer jusqu'à dissolution du sucre. Porter à ébullition, puis laisser frémir 10 minutes, sans remuer. Ajouter 12 dattes fraîches et faire pocher 2 à 3 minutes, en remuant une fois. Servir aussitôt avec de la crème fraîche ou du mascarpone.

LES POIRES

Les poires se prêtent à de multiples préparations. Délicieuses nature, elles peuvent être pochées, préparées en charlottes, cuites au four sous forme de tartes, gâteaux, crumbles… ou entrer dans la composition de salades de fruits. Leur texture, leur forme et leur couleur varient selon les espèces. Parmi les variétés d'été figurent la williams et la jules-guyot, toutes deux de couleur jaune. En automne, beurré-hardy, doyenné du Comice et louise-bonne se partagent les étals, tandis qu'en hiver domine la passe-crassane.

CI-CONTRE :
Poires pochées avec sabayon au gingembre

BROCHETTES DE FRUITS AU SIROP DE MIEL ET DE CARDAMOME

Préparation : 20 minutes + macération
Cuisson : 5 minutes
Pour 8 brochettes

1/4 de petit ananas ou 2 rondelles d'ananas
  en conserve

1 pêche

1 banane

16 fraises

Crème liquide ou yaourt nature

Sirop de miel et de cardamome

2 cuil. à soupe de miel

20 g de beurre, fondu

1/2 cuil. à café de cardamome en poudre,

1 cuil. à soupe de rhum ou de cognac (facultatif)

1 cuil. à soupe de cassonade

CI-DESSOUS : Brochettes de fruits au sirop de miel et de cardamome

1 Faire tremper huit brochettes en bois dans de l'eau froide pendant 20 minutes. Couper l'ananas en huit petits cubes, la pêche et la banane en huit morceaux. Piquer tous les fruits sur les brochettes et les poser sur un plat peu profond.

2 Pour préparer le sirop, mélanger le miel, le beurre, la cardamome, le rhum et la cassonade dans une jatte. Verser sur les brochettes et bien les enrober à l'aide d'un pinceau. Couvrir, puis laisser macérer 1 heure à température ambiante. Préparer un barbecue ou préchauffer le gril.

3 Faire cuire les brochettes 5 minutes sur la grille chaude du barbecue légèrement graissée, ou sous le gril. Badigeonner de sirop pendant la cuisson. Servir arrosé avec le reste de sirop. Accompagner éventuellement de crème fraîche ou de yaourt nature.

NECTARINES POCHÉES AU SIROP D'ÉPICES

Préparation : 10 minutes
Cuisson : 20 minutes
Pour 4 personnes

4 nectarines

125 g de sucre en poudre

4 graines de cardamome

2 anis étoilé

1 bâton de cannelle

2 clous de girofle

Crème fraîche ou mascarpone

1 Inciser en croix la base de chaque nectarine. Poser dans une jatte résistant à la chaleur et ébouillanter pendant 1 minute. Égoutter, laisser refroidir 2 à 3 minutes, puis peler.

2 Faire chauffer doucement 500 ml d'eau et le sucre dans une casserole, en remuant jusqu'à dissolution du sucre. Écraser légèrement les graines de cardamome avec le dos d'un couteau, puis ajouter dans la casserole avec l'anis étoilé, la cannelle et les clous de girofle. Porter à ébullition et laisser frémir 5 minutes.

3 Incorporer les nectarines, couvrir, puis laisser pocher 6 à 8 minutes à feu doux, jusqu'à ce que la chair soit tendre. Retirer avec une écumoire et dresser dans des coupelles.

4 Filtrer le sirop, en napper les nectarines et servir chaud ou froid, avec de la crème ou du mascarpone.

NOTE : On peut dénoyauter les nectarines avant de les cuire en les coupant par le milieu et en séparant les deux moitiés.

POMMES AU FOUR

Préparation : 20 minutes
Cuisson : 45 minutes
Pour 6 personnes

6 pommes

60 g de raisins de Smyrne

3 cuil. à soupe de cassonade

1 cuil. à café d'un mélange de cannelle,
    gingembre, clous de girofle et muscade
    en poudre

40 g de beurre, en morceaux

375 ml de jus d'orange

Crème fouettée, en accompagnement

1 Préchauffer le four à 180 °C (therm. 4). Évider les pommes, puis entailler la peau au milieu du fruit (pour éviter qu'elle n'éclate pendant la cuisson).
2 Mélanger les raisins, la cassonade et les épices, puis en remplir les pommes. Les disposer dans un plat à four, ajouter le beurre et le jus d'orange. Faire cuire 45 minutes, en arrosant. Laisser refroidir

5 minutes, dresser sur des assiettes et napper du jus de cuisson. Servir avec de la crème fouettée.

COINGS POCHÉS

Préparation : 15 minutes
Cuisson : 4 heures
Pour 6 personnes

6 coings

500 g de sucre en poudre

2 cuil. à soupe de jus de citron

1 gousse de vanille

1 bâton de cannelle

Crème fraîche, en accompagnement

1 Peler les coings et couper en deux.
2 Mettre le sucre et 2 litres d'eau dans une grande casserole, puis remuer à feu doux jusqu'à dissolution du sucre.
3 Ajouter les coings, le jus de citron et les épices. Couvrir et laisser pocher 4 heures, jusqu'à ce que les coings deviennent roses et tendres. Servir chaud avec de la crème fraîche.

LES COINGS
Les coings présentent une peau dure, jaunâtre, qui ne ramollit pas à maturité mais devient légèrement dorée. Ils nécessitent une cuisson lente et longue, qui leur confère une belle coloration rouge foncé.

EN HAUT :
Pommes au four

LA PAPAYE

La papaye est le fruit d'un grand arbre tropical à bois tendre. La couleur de la peau varie du jaune verdâtre au rose-rouge, celle de la pulpe du jaune au rouge orangé. Laisser mûrir à température ambiante jusqu'à ce que la peau perde sa teinte verdâtre et que le fruit dégage un parfum agréable, puis conserver au réfrigérateur. Couper en deux dans la longueur et épépiner. Peler, puis détailler en tranches ou en morceaux. La papaye sert à la confection de délicieux entremets. Elle ne s'utilise pas avec de la gélatine car elle contient une enzyme, la papaïne, qui empêche la gélification.

PAGE CI-CONTRE, DE HAUT EN BAS :
Salade de fruits exotiques; Salade de melons; Salade d'agrumes.

SALADE D'AGRUMES

Préparation : 15 minutes
Cuisson : 5 minutes
Pour 4 à 6 personnes

3 pamplemousses roses, sans zeste ni peau

3 grosses oranges, sans zeste ni peau

1 cuil. à soupe de sucre en poudre

1 bâton de cannelle

3 cuil. à soupe de feuilles de menthe entières

1 Détailler les pamplemousses et les oranges en quartiers, puis les mélanger dans une jatte.
2 Mettre le sucre, la cannelle et la menthe dans une petite casserole avec 3 cuil. à soupe d'eau, et remuer sur feu doux jusqu'à dissolution du sucre. Retirer la cannelle, la menthe, puis napper les fruits de sirop.

SALADE DE FRUITS EXOTIQUES

Préparation : 15 minutes
Cuisson : 5 minutes
Pour 4 à 6 personnes

La partie blanche d'une tige de lemon-grass, émincée

1 morceau de gingembre de 2 cm, grossièrement émincé

1 cuil. à café de cassonade

125 ml de lait de coco

2 mangues

1 poire, coupée en quatre

6 litchis ou ramboutans, dénoyautés

1 papaye, épépinée et coupée en tranches

2 carambolles, coupées en tranches

1 citron vert, coupé en quatre

1 Laisser frémir 5 minutes le lemon-grass, le gingembre, la cassonade et le lait de coco dans une petite casserole à feu doux. Filtrer et réserver.
2 Couper les mangues en deux, en suivant le noyau. Ôter le noyau. Entailler la pulpe en formant des croisillons jusqu'à la peau. Pousser sur la peau pour faire ressortir les dés de chair. Dresser sur un plat de service avec les autres fruits. Arroser de jus de citron.
3 Servir la sauce à la noix de coco séparément, ou en napper les fruits juste avant de servir.

SALADE DE MELONS

Préparation : 10 minutes + réfrigération
Cuisson : aucune
Pour 4 personnes

1/2 melon galia

1/2 melon charantais

1/4 de pastèque

La pulpe de 2 fruits de la Passion

1 Couper les melons et la pastèque en petits morceaux ou en boules à l'aide d'une cuillère parisienne. Couvrir et laisser 30 minutes au réfrigérateur. Décorer de pulpe de fruit de la Passion.

SALADE DE FRUITS ROUGES

Préparation : 10 minutes + macération
Cuisson : 5 minutes
Pour 4 personnes

250 g de fraises, coupées en deux

125 g de framboises

250 g de cerises, dénoyautées

1 cuil. à soupe de Cointreau

1 cuil. à soupe de cassonade

1 Mettre les fruits dans une jatte, arroser de Cointreau, couvrir et laisser macérer 20 minutes.
2 Faire fondre la cassonade dans 2 cuil. à soupe d'eau sur feu doux, pendant 3 minutes. Laisser refroidir, en napper les fruits et servir.

SALADE DE FRUITS À NOYAU

Préparation : 15 minutes
Cuisson : aucune
Pour 4 personnes

4 abricots, 4 pêches, 4 nectarines, 4 prunes

2 cuil. à soupe de jus d'abricot

125 g de mascarpone

1 cuil. à café de cassonade

1 Émincer les fruits et les mettre dans une jatte. Arroser de jus d'abricot. Mélanger le mascarpone et la cassonade, servir avec la salade de fruits.

FRUITS À NOYAU ET À PÉPINS Les richesses prodiguées par la nature sont inimitables…

Un fruit de saison frais, mûr et juteux, offre l'un des plaisirs les plus simples de la vie!

L'ABRICOT

On trouve des abricots à la fin du printemps et en été. Les abricots, à la peau veloutée et à la saveur sucrée, se marient avec le miel, les amandes et la vanille. Délicieux crus, ils peuvent aussi se consommer pochés, en compote, garnir tourtes et tartes, ou entrer dans la confection de glaces.

LA CERISE

Les cerises apparaissent brièvement au début de l'été, les variétés les plus courantes étant la burlat et la reverchon. Elles se consomment crues, servent à préparer les fameux clafoutis, garnissent tartes et crêpes ou se conservent dans l'eau-de-vie. Elles se marient avec le fromage frais crémeux, les amandes, et le chocolat.

LA FIGUE

En vente en été et en automne, les figues fraîches ont une couleur variant du vert au noir, une chair délicate et sucrée, une peau douce que l'on peut ôter avant de manger. Elles se consomment crues, cuites au four, pochées ou grillées. Elles s'accordent avec la vanille, le mascarpone, les oranges et le caramel.

LA MANGUE

Il existe de nombreuses variétés de mangues. Les mûres offrent un merveilleux arôme et une délicate saveur sucrée. En purée, elles permettent de réaliser glaces et mousses. Elles entrent aussi dans la préparation de crumbles, et se marient parfaitement avec le citron vert et la noix de coco.

LA NECTARINE ET LE BRUGNON

Les nectarines et les brugnons ont une peau lisse et plus foncée que celle des pêches. Appuyer délicatement pour vérifier le degré de maturité. Nectarines et brugnons s'utilisent de la même manière que les pêches.

LA PÊCHE

Il en existe de nombreuses variétés, qui se répartissent en deux catégories principales : à chair blanche et à chair jaune. Les pêches de vigne présentent une chair lie-de-vin. Pour des desserts, on peut les pocher, les cuire au four ou les griller. Elles se marient avec les amandes, la cannelle, la vanille et le gingembre. Elles se conservent dans l'alcool et, réduites en purée, permettent de préparer d'excellents sorbets et glaces.

LA PRUNE

Les prunes se trouvent en été et au début de l'automne, dans de nombreuses variétés plus ou moins juteuses, aux saveurs et aux couleurs différentes : jaune, vert, violet. Les plus connues sont la reine-claude, la mirabelle et la quetsche. Elles s'accordent bien avec la pâte d'amandes et les amandes, la cannelle, la vanille, la noix muscade et le vin rouge. Elles entrent dans la fabrication de tartes et de tourtes, et sont également succulentes pochées dans du vin rouge.

LE RAISIN

L'un des fruits cultivés les plus anciens, le raisin constitue la principale récolte de fruits du monde. Le garder au réfrigérateur et le laver juste avant de le servir. Le raisin peut être rehaussé de sucre roux, de crème fraîche et de fromage frais crémeux. Consommé le plus souvent cru, il entre également dans la confection de tartes et de desserts gratinés.

DANS LE SENS DES AIGUILLES D'UNE MONTRE, EN PARTANT DU HAUT À GAUCHE : Abricots ; Nectarines ; Mangues ; Raisin ; Cerises ; Pêches ; Nectarines ; Prunes ; Pêches ; Figues.

EN HAUT : *Fondue de chocolat blanc aux fruits (en haut) ; Fondue de chocolat noir aux fruits (en bas).*

Servir dans la jatte ou le poêlon à fondue avec la guimauve et les fruits frais.
NOTE : Pour cette recette, choisir de préférence des fraises, des poires, des cerises et des bananes.

FONDUE DE CHOCOLAT BLANC AUX FRUITS

Préparation : 30 minutes
Cuisson : 20 minutes
Pour 6 à 8 personnes

125 ml de mélasse
170 ml de crème fraîche épaisse
60 ml de Cointreau
250 g de chocolat blanc, en morceaux
Guimauve et fruits frais en morceaux

1 Mettre la mélasse et la crème dans une petite casserole ou un poêlon à fondue. Porter à ébullition, puis retirer du feu.
2 Ajouter le Cointreau, le chocolat, et remuer jusqu'à obtention d'un mélange lisse. Servir avec la guimauve et les fruits frais.

DÉLICE DE POMMES GRILLÉES

Préparation : 10 minutes
Cuisson : 5 à 10 minutes
Pour 4 personnes

3 ou 4 grosses pommes
30 g de beurre
Marmelade de citron vert, ou une autre confiture, selon le goût
Crème liquide, glace ou crème anglaise, en accompagnement

1 Évider les pommes, puis les couper en rondelles fines et les poser sur une plaque à pâtisserie légèrement graissée. Couvrir chaque rondelle avec un petit morceau de beurre et 1/2 cuil. à café de confiture.
2 Faire cuire sous le gril chaud jusqu'à ce que le beurre soit fondu et les pommes dorées. Poser quatre ou cinq rondelles les unes sur les autres et servir avec de la crème liquide, de la glace ou de la crème anglaise.
NOTE : Choisir des pommes qui tiennent bien à la cuisson (granny-smith ou reine des reinettes,).

FONDUE DE CHOCOLAT NOIR AUX FRUITS

Préparation : 30 minutes
Cuisson : 20 minutes
Pour 6 à 8 personnes

250 g de chocolat noir supérieur, en morceaux
125 ml de crème fraîche épaisse
Guimauve et fruits frais en morceaux

1 Mettre le chocolat et la crème dans un poêlon à fondue ou une jatte résistant à la chaleur. Faire chauffer doucement dans le poêlon, en remuant pour obtenir une consistance lisse, ou poser la jatte au-dessus d'une casserole d'eau fumante, hors du feu – le fond de la jatte ne doit pas toucher l'eau.

MOUSSE À LA PAPAYE ET AU CITRON VERT

Préparation : 15 minutes + réfrigération
Cuisson : aucune
Pour 4 personnes

2 papayes (environ 1 kg)
1 ou 2 cuil. à soupe de jus de citron vert
3 cuil. à soupe de sucre vanillé
315 ml de crème liquide

1 Peler, épépiner et réduire les papayes en purée. Ne pas utiliser de robot, la pulpe deviendrait liquide.
2 Ajouter le jus de citron et le sucre vanillé (adapter les quantités en fonction de la saveur des fruits).
3 Fouetter la crème jusqu'à obtention d'une consistance ferme, puis incorporer dans la purée de fruits. Répartir dans des coupes et réserver au réfrigérateur jusqu'au moment de servir.
NOTE : On peut remplacer les papayes par 500 g de rhubarbe cuite.

MOUSSE À LA MANGUE

Préparation : 20 minutes + réfrigération
Cuisson : aucune
Pour 6 personnes

3 grosses mangues
250 ml de crème anglaise
400 ml de crème liquide

1 Peler les mangues, les dénoyauter et les réduire en purée dans le bol d'un robot. Ajouter la crème anglaise et mixer pour bien mélanger.
2 Fouetter la crème jusqu'à obtention d'une consistance ferme, puis incorporer délicatement dans la préparation à la mangue. Ne pas trop malaxer afin de créer un effet marbré.
3 Verser la préparation dans un saladier de service ou dans des coupes. Lisser la surface, et réserver au moins 1 heure au réfrigérateur avant de servir.
NOTE : La mousse peut s'accompagner de fruits frais.

CI-DESSOUS :
Mousse à la papaye
et au citron vert

COMPOTE DE FRUITS D'ÉTÉ

Préparation : 40 minutes
Cuisson : 30 minutes
Pour 8 personnes

★

5 abricots, coupés en deux

4 nectarines, coupées en deux

4 prunes, dénoyautées

4 pêches, coupées en quatre

200 g de cerises en conserve, dénoyautées

250 ml de bordeaux

80 ml de xérès sec

185 g de sucre en poudre

Crème fouettée, en accompagnement

1 Ébouillanter les fruits en plusieurs fois, pendant 30 secondes. Les retirer avec une écumoire et les plonger dans un saladier d'eau glacée. Peler tous les fruits, sauf les cerises.

2 Mettre le bordeaux, le xérès, le sucre et 250 ml d'eau dans une grande casserole à fond épais. Remuer sur feu doux sans laisser bouillir, jusqu'à dissolution du sucre. Porter à ébullition, réduire le feu et laisser frémir 5 minutes.

3 Ajouter les fruits égouttés en plusieurs fois dans le sirop, les laisser pocher 5 minutes et les retirer avec une écumoire. Les réserver dans un saladier. Porter le sirop à ébullition, réduire le feu et prolonger la cuisson à feu doux 5 minutes. Laisser refroidir légèrement, de manière à obtenir la consistance d'un sirop. Verser sur les fruits, puis servir avec de la crème fouettée.

NOTE : Ce dessert peut se servir chaud ou froid. On peut le garder, couvert, une journée au réfrigérateur. Il peut également se préparer en mélangeant des pommes, des poires, des figues ou d'autres fruits de saison. Les fruits doivent pocher doucement dans le sirop, jusqu'à devenir tendres.

CI-DESSOUS :
Compote de fruits d'été

FIGUES À LA CRÈME D'ORANGE ET AUX RAISINS SECS

Préparation : 20 minutes + macération
Cuisson : 12 minutes
Pour 8 personnes

250 g de raisins secs

155 ml de porto

1 cuil. à soupe de préparation pour
crème anglaise

250 ml de lait écrémé

1 cuil. à soupe de sucre en poudre

100 g de ricotta fraîche

200 g de fromage blanc

Le zeste et le jus d'une orange

1 cuil. à café de cannelle en poudre

16 figues fraîches

1 Laisser macérer les raisins secs 1 heure dans le porto, jusqu'à ce qu'ils gonflent.
2 Mélanger la préparation pour crème anglaise et le lait dans une petite casserole, ajouter le sucre, puis remuer à feu doux jusqu'à dissolution du sucre. Augmenter la chaleur et remuer sans arrêt jusqu'à ce que la crème commence à bouillir et épaississe. Retirer aussitôt du feu, verser dans un petit saladier et couvrir de film plastique. Laisser refroidir.
3 Verser la crème refroidie dans un saladier, incorporer la ricotta, le fromage blanc, le zeste et le jus d'orange. Battre au fouet ou au mixeur jusqu'à obtention d'une consistance lisse.
4 Juste avant de servir, mettre dans une petite casserole les raisins, le porto et la cannelle. Laisser chauffer 2 à 3 minutes à feu doux. Couvrir et réserver au chaud.
5 Couper les figues en quatre à partir du sommet, sur les deux tiers. Dresser dans des ramequins ou sur un plat. Remplir chaque figue avec 2 cuil. à soupe de crème d'orange, garnir de préparation aux raisins chaude et servir aussitôt.

LA FIGUE

Les figues fraîches se vendent de fin juin à novembre. Il en existe deux variétés principales, la blanche et la violette. La plupart des figues sèches viennent des pays de l'Adriatique.

EN HAUT : Figues à la crème d'orange et aux raisins secs

FRAISES ROMANOFF

Préparation : 20 minutes + réfrigération
Cuisson : aucune
Pour 4 personnes

750 g de fraises, coupées en quatre
2 cuil. à soupe de Cointreau
1/4 de cuil. à café de zeste d'orange
  finement râpé
1 cuil. à soupe de sucre en poudre
125 ml de crème liquide
2 cuil. à soupe de sucre glace

1 Mettre dans une grande jatte les fraises, le Cointreau, le zeste d'orange et le sucre en poudre, couvrir et laisser 1 heure au réfrigérateur. Égoutter les fraises, en réservant le jus. Écraser environ un quart des fraises avec le jus réservé.
2 Répartir le reste de fraises dans quatre verres. Battre la crème et le sucre glace jusqu'à obtention d'une consistance ferme, puis incorporer la purée de fraises dans la crème fouettée. Napper les fraises de cette préparation, couvrir et réserver au réfrigérateur jusqu'au moment de servir.

PÊCHES AU COINTREAU

Préparation : 10 minutes
Cuisson : 8 minutes
Pour 6 personnes

6 pêches
1 ou 2 cuil. à soupe de cassonade
80 ml de Cointreau
Noix muscade râpée, pour la décoration
250 g de mascarpone, en accompagnement

1 Couvrir une plaque à pâtisserie de papier d'aluminium et graisser légèrement. Préchauffer le gril à chaleur moyenne. Partager les pêches en deux, dénoyauter et poser sur la plaque, le côté coupé sur le dessus.
2 Saupoudrer les pêches de cassonade, arroser de Cointreau, puis laisser 5 à 8 minutes sous le gril, jusqu'à ce qu'elles se colorent d'un glaçage doré.
3 Saupoudrer légèrement de noix muscade. Servir aussitôt avec du mascarpone.

PÊCHE MELBA

Préparation : 25 minutes
Cuisson : 10 minutes
Pour 4 personnes

300 g de framboises, fraîches ou surgelées
2 cuil. à soupe de sucre glace
375 g de sucre en poudre
1 gousse de vanille, fendue dans la longueur
4 pêches mûres et fermes
Glace à la vanille, en accompagnement

1 Écraser les framboises en purée avec le sucre glace, de préférence au robot. Passer au chinois et jeter les graines. Dans une casserole, mélanger le sucre, la vanille et 600 ml d'eau sur feu doux, pour faire fondre le sucre.
2 Porter à ébullition, puis ajouter les pêches en veillant à bien les enrober de sirop. Laisser pocher 5 minutes, jusqu'à ce que la chair soit tendre, puis retirer avec une écumoire et peler délicatement.
3 Déposer une boule de glace à la vanille et une pêche sur chaque assiette de service, et napper de purée de framboises.

POIRES BELLE HÉLÈNE

Préparation : 15 minutes
Cuisson : 15 minutes
Pour 6 personnes

375 g de sucre en poudre
2 bâtons de cannelle
2 clous de girofle
6 poires, pelées et évidées
6 cuil. de glace à la vanille
250 ml de sauce au chocolat noir (voir p. 204)

1 Mettre dans une grande casserole le sucre, la cannelle, les clous de girofle et 750 ml d'eau. Remuer sur feu doux pour faire fondre le sucre, puis porter le sirop à ébullition. Ajouter les poires et laisser pocher 10 minutes, jusqu'à ce que la chair soit tendre. Retirer avec une écumoire et laisser refroidir.
2 Déposer une boule de glace sur chaque assiette, puis la creuser avec le dos d'une cuillère. Poser les poires dans le creux et napper de sauce au chocolat.

LA PÊCHE MELBA
Lors de sa création par Escoffier à l'hôtel Carlton en 1892, ce dessert était fait de pêches et de glace à la vanille réunies entre les ailes d'un cygne sculpté dans la glace et recouvert de sucre filé. En 1900, l'éminent chef en proposa une version simplifiée, dans laquelle une purée de framboise remplaçait le cygne. Escoffier servit le dessert à Nelly Melba, célèbre cantatrice australienne, et lui demanda s'il pouvait emprunter son nom pour baptiser sa nouvelle création.

PAGE CI-CONTRE : Fraises Romanoff (en haut) ; Pêche Melba (en bas).

CHARLOTTE D'ÉTÉ

Découper un cercle de pain pour couvrir le fond du moule et tailler le reste du pain en rectangles.

Plonger un côté de chaque morceau de pain dans le jus de fruits et poser dans le moule, le côté humecté contre la paroi, sans laisser d'intervalles.

Lorsque le moule est rempli de fruits, couvrir le dessus de pain humecté et protéger avec du film plastique.

CHARLOTTE D'ÉTÉ

Préparation : 30 minutes + réfrigération
Cuisson : 5 minutes
Pour 4 à 6 personnes

★★

150 g de mûres
150 g de groseilles rouges
150 g de framboises
150 g de cassis
200 g de fraises, équeutées et coupées en
 deux ou en quatre
Sucre en poudre
6 à 8 tranches de pain de mie, sans la croûte
Crème liquide, en accompagnement

1 Mettre tous les fruits, sauf les fraises, dans une grande casserole avec 125 ml d'eau, et les pocher doucement jusqu'à ce qu'ils commencent à se défaire. Ajouter les fraises et éteindre le feu. Incorporer le sucre (la quantité est fonc-tion du degré de maturité des fruits). Laisser refroidir.

2 Garnir de pain six moules de 150 ml ou un moule à pudding de 1 litre. Dans le cas de petits moules, utiliser 1 tranche de pain pour chacun : découper un cercle pour le fond et des morceaux pour les parois. Dans le cas d'un grand moule, découper un grand cercle dans une tranche de pain pour le fond et tailler le reste du pain en rec-tangles. Recueillir un peu de jus du mélange de fruits. Plonger un côté de chaque morceau de pain dans le jus avant de le poser dans le moule, le côté humecté contre la paroi, sans laisser d'intervalles. Le pain doit être posé de manière à pouvoir absor-ber le jus.

3 Remplir le centre du moule avec les fruits et ver-ser un peu de jus. Couvrir de pain humidifié, le côté imbibé au-dessus, et protéger avec du film plastique. Poser dessus une assiette de la dimension du moule puis un poids, ou entasser les petits moules les uns sur les autres. Réserver toute une nuit au réfrigérateur. Démouler délicatement la charlotte. Servir avec le reste de fruits et de la crème fraîche.

CI-CONTRE :
Charlotte d'été

KISSEL RUSSE À LA FRAISE

Préparation : 15 minutes + réfrigération
Cuisson : 10 minutes
Pour 4 à 6 personnes

250 g de fraises + quelques-unes en
  accompagnement
125 g de sucre en poudre
2 cuil. à soupe d'arrow-root ou de Maïzena

1 Laver et essuyer les fraises, les mettre dans
une jatte et verser le sucre dessus. Réserver
quelques heures au réfrigérateur, puis réduire en
purée, de préférence au robot. Tamiser à travers
un chinois.
2 Dissoudre l'arrow-root dans 2 ou 3 cuil. à soupe
d'eau. Ajouter 350 ml d'eau et mélanger. Mettre
dans une casserole, porter à ébullition en remuant,
puis ajouter la purée de fraises. Porter de nouveau
à ébullition, en remuant sans arrêt, jusqu'à ce que la
préparation épaississe légèrement. Répartir dans des
assiettes individuelles, laisser prendre et servir avec
les fraises réservées.
NOTE : Cette préparation ne durcit pas complètement.

BAIES AU MASCARPONE

Préparation : 20 minutes + réfrigération
Cuisson : 10 minutes
Pour 4 à 6 personnes

125 g de mûres
250 g de framboises
155 g de myrtilles
4 cuil. à soupe de sucre en poudre
2 oranges
Mascarpone, légèrement ramolli, en
  accompagnement

1 Mettre tous les fruits dans une jatte, saupoudrer
de 2 cuil. de sucre et remuer légèrement. Couvrir
et réserver au réfrigérateur.
2 Peler les oranges, détailler le zeste en lanières.
Ébouillanter, puis égoutter. Recommencer deux
autres fois afin de supprimer l'amertume du
zeste.
3 Mettre 80 ml d'eau et 2 cuil. de sucre dans une
petite casserole, et remuer sur feu doux pour faire
fondre le sucre. Ajouter le zeste d'orange et laisser

frémir 1 à 2 minutes, jusqu'à ce qu'il ramollisse.
Laisser refroidir.
4 Réserver 1 cuil. à soupe de zeste d'orange et
mélanger légèrement le reste avec le sirop de cuisson et les fruits.
5 Pour servir, répartir la préparation aux fruits dans
des verres. Décorer de mascarpone et de lanières de
zeste réservées.

EN HAUT :
Kissel russe à la fraise

LES GELÉES

Brillantes, translucides, multicolores, les gelées dévoilent leurs saveurs variées

et rehaussent celle des fruits frais.

Si la gélatine est surtout connue comme agent solidifiant dans la préparation des gelées, elle entre aussi dans la confection des desserts moulés ou renversés, comme les bavarois. La gélatine est commercialisée sous forme de poudre ou de feuilles. À titre indicatif, 6 feuilles de gélatine correspondent à 3 cuil. à café de gélatine en poudre. Cette quantité suffit pour solidifier 500 ml de liquide.

L'agar-agar, équivalent végétarien de la gélatine, se vend dans les boutiques de diététique : compter 1 cuil. à café d'agar-agar pour 250 ml de liquide.

Les gelées doivent être suffisamment fermes pour conserver leur forme une fois démoulées, mais elles ne doivent pas l'être trop afin d'offrir cette texture fragile qui les caractérise. Si la gelée est trop solide, elle est probablement trop froide.

Dans ce cas, la laisser ramollir légèrement à température ambiante. Les gelées perdent leur homogénéité lorsqu'elles sont congelées.

GELÉES DE FRUITS

Ces gelées peuvent se préparer avec différentes variétés de fruits. Toutefois, certains sont à éviter : ananas, papaye, kiwi et figues contiennent des enzymes qui empêchent

la gélification. Les jus et purées de fruits peuvent se transformer en gelées, les premiers donnant une finition plus claire et plus brillante.

Détailler les fruits en morceaux de la taille souhaitée. Éviter toutefois les trop gros morceaux pour faciliter le service.

Pour utiliser la gélatine, suivre les indications ci-après. La saupoudrer en couche régulière à la surface d'une petite quantité d'eau froide (environ 2 cuil. à soupe) dans un bol résistant à la chaleur, et laisser gonfler. Pour favoriser la dissolution, il est important que la gélatine soit versée à la surface de l'eau. Porter à ébullition une casserole contenant 4 cm d'eau. La retirer du feu et poser délicatement le bol dedans (l'eau doit arriver à mi-hauteur du bol). Remuer jusqu'à dissolution complète de la gélatine, puis laisser tiédir. Si l'on utilise des feuilles de gélatine, les laisser tremper dans un grand bol d'eau froide pour qu'elles ramollissent, puis les essorer soigneusement. On peut ensuite les incorporer dans un liquide chaud ou les faire fondre comme la gélatine en poudre. La gélatine se solidifie à 20 °C : en ajoutant de la gélatine fondue dans un liquide ou une purée, vérifier que la température est suffisante pour éviter la formation de grumeaux ou de filaments. Laisser la gelée refroidir.

Rincer et essuyer le moule. Il ne doit pas être trop grand, pour faciliter le démoulage. Verser un peu de gelée dedans et laisser prendre au réfrigérateur – cette opération donne une surface brillante à la gelée une fois démoulée, et elle évite que les fruits ne se détachent.

Poser délicatement les fruits dans le moule et verser dessus le reste de gelée. Taper le moule d'un coup sec sur le plan de travail pour chasser les bulles d'air, couvrir et laisser prendre au réfrigérateur.

Pour démouler la gelée, la décoller en glissant une spatule humide tout autour du moule. Retourner le moule sur une assiette et donner une secousse pour décoller complètement la gelée. En cas de difficulté, envelopper le moule pendant quelques secondes dans un torchon chaud et essayer de nouveau. Si la gelée est trop ramollie, la remettre au réfrigérateur. Avant de retourner la gelée sur une assiette, penser à humidifier celle-ci afin d'éviter que la gelée n'adhère.

La gelée peut aussi être servie dans le plat qui a servi à sa préparation. Les gelées créent également des effets inattendus lorsqu'elles sont présentées dans des verres à vin ou des coupes à champagne…

LA GÉLATINE

Avant l'invention de la gélatine commerciale, non parfumée, en 1889, son utilisation était particulièrement complexe. On faisait bouillir des os de bœuf ou de veau et l'on filtrait le liquide recueilli. Malgré sa facilité d'emploi actuelle, la gélatine conserve une part de mystère.

Six feuilles de gélatine correspondent à 3 cuil. à café de gélatine en poudre, donnant 500 ml de liquide. Si votre gelée est ratée (si elle se solidifie trop, comporte des grumeaux ou offre une saveur fade), il suffit de la couper avec un couteau humide et d'y incorporer de la crème fouettée. Un peu de liqueur en rehaussera la saveur.

*PAGE CI-CONTRE,
DE HAUT EN BAS :
Gelée de mûres ; Gelée
de fruits multicolore ;
Gelée à l'orange.*

GELÉE DE FRUITS MULTICOLORE

Préparation : 35 minutes + réfrigération
Cuisson : 30 minutes
Pour 6 à 8 personnes

 ★ ★ ★

200 g de sucre en poudre

Le zeste et le jus de 2 citrons verts

6 cuil. à café de gélatine (en feuilles, voir p. 11)

125 ml de crème fraîche épaisse

1 cuil. à soupe de sucre en poudre

125 g de yaourt nature

400 g de cerises en conserve, dénoyautées et
   égouttées (réserver le sirop)

1 Faire fondre le sucre dans 315 ml d'eau sur feu doux. Porter doucement à ébullition. Laisser frémir 15 minutes, puis retirer du feu. Verser la moitié des 200 ml obtenus dans une cruche et réserver. Remettre sur le feu, ajouter le jus et le zeste de citron, puis faire chauffer 5 minutes à feu doux. Filtrer dans une jatte et jeter le zeste.

2 Mettre 2 cuil. à soupe d'eau dans un bol résistant à la chaleur, saupoudrer uniformément la surface avec 2 cuil. à café de gélatine et laisser gonfler. Porter à ébullition une casserole contenant 4 cm d'eau, la retirer du feu et poser délicatement le bol de gélatine dedans. Remuer jusqu'à dissolution complète de la gélatine. Laisser tiédir avant d'ajouter dans le sirop au citron. Rincer un moule de 750 ml. Y verser le sirop au citron et faire prendre au réfrigérateur. Ne pas laisser trop longtemps pour que la couche suivante adhère bien.

3 Mettre 2 cuil. à soupe d'eau dans un bol résistant à la chaleur, saupoudrer la surface avec 2 cuil. à café de gélatine et laisser gonfler. Mettre la crème fraîche et le sucre dans une petite casserole et faire chauffer doucement, en remuant, pour faire fondre le sucre. Ajouter dans la gélatine et tourner jusqu'à dissolution complète. Incorporer le yaourt au fouet. Couvrir et réserver au réfrigérateur (pas trop, pour éviter le durcissement). Verser sur la couche au citron, puis laisser prendre au réfrigérateur.

4 Mettre 2 cuil. à soupe de sirop de cerise dans un bol, saupoudrer la surface avec 2 cuil. à café de gélatine et laisser gonfler. Ajouter au reste de sirop de sucre, encore chaud. Incorporer 150 ml de sirop de cerise, remuer jusqu'à dissolution, couvrir et laisser refroidir.

5 Lorsque la couche de gelée au yaourt est prise, poser les cerises dessus et verser le sirop de cerise. Laisser prendre au réfrigérateur. Pour démouler, décoller la gelée du bord du moule avec les doigts ou avec une spatule, et renverser en donnant une secousse.

GELÉE DE MÛRES

Préparation : 10 minutes + réfrigération
Cuisson : 20 minutes
Pour 6 à 8 personnes

★

300 g de mûres, fraîches ou surgelées

185 g de sucre en poudre

60 ml de vodka (facultatif)

3 cuil. à soupe de gélatine (en feuilles, voir p. 11)

1 Mettre dans une casserole les mûres et leur jus, le sucre, la vodka et 1 litre d'eau. Remuer à feu doux jusqu'à dissolution du sucre. Couvrir et porter à ébullition. Laisser frémir 15 minutes, puis refroidir 10 minutes à découvert.

2 Mettre les fruits dans une passoire garnie d'une mousseline et filtrer dans un saladier sans presser les fruits. Verser un peu de jus dans une petite casserole, saupoudrer uniformément la surface avec la gélatine et laisser gonfler. Remuer à feu doux jusqu'à dissolution complète, sans laisser bouillir. Mélanger avec le reste de jus.

3 Humidifier un moule à glace de 1,25 litre et verser la préparation. Laisser prendre 4 heures au réfrigérateur.

GELÉE À L'ORANGE

Préparation : 10 minutes + réfrigération
Cuisson : 5 minutes
Pour 6 personnes

 ★

750 ml de jus d'orange

6 cuil. à café de gélatine (en feuilles, voir p. 11)

1 cuil. à soupe de Grand Marnier (facultatif)

1 Mettre 125 ml de jus d'orange dans un bol résistant à la chaleur, saupoudrer uniformément la surface avec la gélatine et laisser gonfler. Porter à ébullition une casserole contenant 4 cm d'eau, la retirer du feu et poser délicatement le bol dedans. Remuer jusqu'à dissolution complète de la gélatine. Laisser refroidir. Verser dans le reste de jus.

2 Filtrer le liquide et ajouter la liqueur. Rincer six moules de 125 ml, les poser sur un plateau et les remplir avec la préparation. Laisser durcir 4 heures au réfrigérateur.

TERRINE DE FRUITS ROUGES

Faire ramollir les feuilles de gélatine dans un saladier d'eau froide.

Retirer la gélatine de l'eau et la presser soigneusement.

Incorporer la gélatine dans le sirop chaud et remuer jusqu'à dissolution complète.

Répartir les fruits sur la couche prise, puis couvrir avec de la gélatine liquide.

EN HAUT :
*Terrine de fruits rouges
au champagne*

TERRINE DE FRUITS ROUGES AU CHAMPAGNE

Préparation : 15 minutes + refroidissement
Cuisson : 5 minutes
Pour 4 à 6 personnes

✷✷

75 g de sucre en poudre

Le zeste d'une orange

3 cuil. à café de gélatine (ou 6 feuilles)

600 ml de champagne rosé

300 g de baies ou fruits rouges mélangés, frais
ou surgelés

1 Mettre le sucre, le zeste d'orange et 350 ml d'eau dans une casserole. Porter à ébullition en remuant, sur feu doux, jusqu'à dissolution du sucre. Retirer du feu et laisser refroidir 1 heure.

2 Retirer le zeste du sirop. Verser 60 ml de sirop dans un bol résistant à la chaleur, saupoudrer uniformément la surface avec la gélatine et laisser gonfler. Porter à ébullition une casserole contenant 4 cm d'eau, la retirer du feu et poser délicatement le bol dedans. Remuer jusqu'à dissolution complète de la gélatine. Pour utiliser des feuilles de gélatine, procéder comme indiqué ci-contre. Laisser tiédir avant d'ajouter le reste de sirop et de mélanger. Incorporer le champagne, puis verser un peu de préparation au fond d'un moule à cake de 1,25 litre et faire prendre au réfrigérateur. Ne pas laisser trop longtemps, pour que la couche suivante adhère facilement.

3 Disposer les fruits dans le moule, couvrir avec un peu de préparation, laisser prendre au réfrigérateur, puis verser le reste de préparation et laisser durcir. En procédant par couches, on obtient une surface lisse et on évite que les fruits ne se dispersent.

4 Pour démouler, juste avant de servir, envelopper le moule dans un torchon imbibé d'eau chaude, puis renverser la terrine sur un plat. Laisser à température ambiante avant de servir. La terrine doit s'affaisser légèrement. Accompagner éventuellement de crème fraîche ou de glace.

LE RAISIN

Le raisin existe en de nombreuses variétés. Parmi les plus répandues pour le raisin de table figurent le muscat, aux grains violets, le chasselas, aux grains jaune doré, l'italia, à peau épaisse et grains jaune-vert. Le raisin doit être cueilli à maturité, car il ne mûrit plus ensuite. Il doit être conservé bien sec, sinon il risque de moisir. Laisser de préférence au réfrigérateur et consommer dès que possible après l'achat.

GELÉE AU VIN ROUGE ET AUX FRUITS GIVRÉS

Préparation : 20 minutes + réfrigération
Cuisson : 5 minutes
Pour 4 personnes

★★

600 ml de vin rouge de bonne qualité

Le zeste d'un citron

Le zeste et le jus d'une orange

2 bâtons de cannelle

125 g de sucre en poudre + pour givrer les
   fruits

5 cuil. à café de gélatine (en feuilles, voir p. 11)

1 blanc d'œuf

200 g de groseilles et de cassis, ou mélange de
   raisins noir et blanc

1 Mettre dans une petite casserole le vin, les zestes, la cannelle et le sucre. Faire chauffer doucement jusqu'à dissolution du sucre. Mettre le jus d'orange dans un bol résistant à la chaleur, saupoudrer uniformément la surface avec la gélatine et laisser gonfler. Porter à ébullition une casserole contenant 4 cm d'eau, la retirer du feu et poser délicatement le bol dedans. Remuer jusqu'à dissolution complète de la gélatine. Laisser refroidir.

2 Incorporer la gélatine dans la préparation au vin. Verser dans un moule humidifié de 1,5 litre, à travers un chinois doublé d'une mousseline. Laisser prendre au réfrigérateur (environ 3 heures).

3 Fouetter légèrement le blanc d'œuf dans une jatte. Verser le sucre en poudre dans une autre. Plonger les fruits dans l'œuf puis dans le sucre, en laissant tomber l'excédent. Laisser sécher sur du papier sulfurisé. Démouler la gelée et servir avec les fruits givrés.

EN HAUT : Gelée au vin rouge et aux fruits givrés

LES CRÊPES

Le rituel lié à la confection des crêpes semble empreint d'une sorte de magie : on verse la pâte dans la poêle chaude, on penche celle-ci en lui imprimant un mouvement circulaire, on lance la crêpe en l'air pour révéler le dessous doré et croustillant… Agréables à préparer, amusantes à faire sauter, elles sont délicieuses à déguster avec quelques gouttes de jus de citron, un peu de sucre en poudre, ou nappées d'une riche sauce à la liqueur. Les crêpes et autres gourmandises (telles que beignets, pancakes et gaufres) qui sont présentées ici sont propres à ravir le palais des plus exigeants : délicates crêpes Suzette, moelleuses gaufres au chocolat, savoureux blinis fourrés à la ricotta, beignets de fruits dorés et croustillants à souhait…

EN HAUT :
*Crêpes au sucre,
au citron et à la crème*

CRÊPES SUZETTE

Faire cuire les crêpes sur une face, jusqu'à ce que le pourtour commence à se décoller.

Bien imbiber les crêpes précuites de la préparation à l'orange, puis les plier en quatre et les disposer au fur et à mesure sur le bord de la poêle.

CRÊPES AU SUCRE, AU CITRON ET À LA CRÈME

Préparation : 10 minutes + temps de repos
Cuisson : 25 minutes
Pour environ 14 crêpes

★ ★

125 g de farine

1 œuf

315 ml de lait

30 g de beurre, fondu

Sucre, jus de citron et crème fraîche épaisse,
     en accompagnement

1 Tamiser la farine et une pincée de sel dans une grande jatte, creuser un puits au milieu. Incorporer petit à petit l'œuf et le lait mélangés avec un fouet, jusqu'à obtention d'une pâte lisse et sans grumeaux. Verser dans une cruche, couvrir et laisser reposer 30 minutes.

2 Faire chauffer une petite poêle à crêpes ou à revêtement antiadhésif, et graisser légèrement de beurre fondu. Verser un peu de pâte dans la poêle, en la penchant pour bien couvrir le fond; reverser l'excédent dans la cruche. Si la pâte est trop épaisse, ajouter 2 ou 3 cuil. à café de lait. Faire cuire 20 secondes, jusqu'à ce que le bord commence à se décoller, puis retourner et laisser dorer l'autre côté. Poser sur une assiette et couvrir avec un torchon.

Procéder de même pour les autres crêpes, en graissant la poêle si nécessaire. Empiler les crêpes entre des feuilles de papier sulfurisé pour éviter qu'elles ne collent les unes aux autres.

3 Saupoudrer les crêpes de sucre, arroser de jus de citron et les plier en quatre. Poser deux ou trois crêpes sur chaque assiette, puis garnir de crème fraîche.

CRÊPES SUZETTE

Préparation : 10 minutes + temps de repos
Cuisson : 45 minutes
Pour 4 à 6 personnes

★ ★

Crêpes

250 g de farine

3 œufs, légèrement battus

200 ml de lait

50 g de beurre, fondu

125 g de beurre

125 g de sucre en poudre

Le zeste râpé d'une orange

185 ml de jus d'orange

3 cuil. à soupe de liqueur d'orange

2 cuil. à soupe de cognac

Le zeste d'une orange, détaillé en fines lanières

I Pour préparer les crêpes, tamiser la farine dans une grande jatte, puis creuser un puits au milieu. Incorporer petit à petit les œufs battus avec un fouet, en faisant tomber la farine. Lorsque la préparation s'épaissit, verser le lait mélangé à 250 ml d'eau, puis fouetter jusqu'à obtention d'une pâte lisse et sans grumeaux. Incorporer le beurre fondu. Verser dans une cruche, couvrir et laisser reposer 30 minutes.

2 Faire chauffer une poêle à crêpes ou à revêtement antiadhésif de 20 cm de diamètre, et graisser légèrement de beurre fondu. Verser un peu de pâte dans la poêle, en la penchant pour bien couvrir le fond ; reverser l'excédent dans la cruche. Faire cuire jusqu'à ce que le bord de la crêpe commence à se décoller, puis retourner et laisser dorer l'autre côté. Poser sur une assiette et couvrir d'un torchon pendant la cuisson des autres crêpes, en graissant la poêle si nécessaire. Empiler les crêpes entre des feuilles de papier sulfurisé pour éviter qu'elles ne collent les unes aux autres.

3 Mettre dans une grande poêle le beurre, le sucre, le zeste, le jus et la liqueur d'orange, puis laisser frémir 2 minutes. Placer les crêpes une par une dans la préparation, d'abord à plat pour bien les imbiber, puis en les pliant en quatre et en les disposant au fur et à mesure sur le pourtour de la poêle.

4 Verser le cognac sur les crêpes et faire flamber avec précaution. (Prévoir un couvercle suffisamment grand à proximité pour étouffer éventuellement la flamme.) Servir sur des assiettes chaudes, et décorer de lanières d'orange.

PANCAKES AUX POIRES ET AU SIROP DE CITRON

Préparation : 40 minutes + temps de repos
Cuisson : 1 h 10
Pour 6 personnes

125 g de farine ordinaire

85 g de farine avec levure incorporée

2 cuil. à soupe de sucre en poudre

3 œufs, légèrement battus

375 ml de lait

60 g de beurre, fondu

Poires au sirop de citron

5 poires fermes

1 citron

185 g de sucre en poudre

2 cuil. à soupe de miel

125 ml de jus de citron

250 g de crème liquide

I Tamiser les farines dans une grande jatte, ajouter le sucre et creuser un puits au milieu. Mélanger les œufs, le lait et le beurre, puis incorporer avec un fouet. Battre jusqu'à obtention d'une consistance lisse et laisser reposer 30 minutes.

2 Pour préparer les poires au sirop de citron, peler les fruits, les couper en deux, les évider et les émincer. Prélever le zeste de citron et le détailler en fines lanières. Mettre le sucre, le miel et 375 ml d'eau dans une casserole, puis remuer sur feu doux jusqu'à dissolution du sucre. Ajouter le jus de citron, porter à ébullition, baisser le feu et laisser frémir 8 minutes. Retirer l'écume, incorporer les poires et laisser pocher 5 minutes, jusqu'à ce que la chair soit tendre. Ajouter le zeste de citron hors du feu et laisser tiédir.

3 Verser 60 ml de pâte à crêpes dans une poêle à revêtement antiadhésif de 20 cm de diamètre légèrement graissée, puis faire cuire 2 minutes de chaque côté à feu moyen. Procéder de même avec le reste de pâte, en graissant la poêle si nécessaire. Empiler les crêpes entre des feuilles de papier sulfurisé pour éviter qu'elles ne collent les unes aux autres. Filtrer 125 ml de sirop de citron et mélanger avec la crème pour préparer une sauce. Égoutter les poires avant de servir et décorer de lanières de citron.

NOTE : Les poires pochées peuvent rester deux jours dans leur sirop, au réfrigérateur, pour s'imprégner des différents parfums. Réchauffer avant de servir.

CI-DESSOUS :
Pancakes aux poires et au sirop de citron

CRÊPES À LA NOIX DE COCO ET AU SIROP DE SUCRE DE PALME

Préparation : 40 minutes + temps de repos
Cuisson : 45 minutes
Pour environ 12 crêpes

★★

Garniture à la noix de coco

185 g de sucre de palme, concassé

120 g de noix de coco râpée

125 ml de crème de coco

125 g de farine

1 œuf

250 ml de crème de coco

Tranches de mangue et d'ananas,
    en accompagnement

*CI-DESSOUS : Crêpes à
la noix de coco et au sirop
de sucre de palme*

1 Pour préparer la garniture à la noix de coco, mélanger le sucre avec 375 ml d'eau dans une petite casserole à fond épais, sur feu doux, jusqu'à dissolution du sucre. Laisser frémir 15 minutes, de manière à obtenir un sirop. Mélanger la noix de coco dans une jatte avec 170 ml de sirop et la crème de coco. Remettre la poêle sur le feu avec le reste de sirop et faire réduire 15 minutes pour obtenir un sirop épais.
2 Malaxer la farine, l'œuf, la crème de coco et 125 ml d'eau jusqu'à obtention d'une pâte lisse et sans grumeaux. Verser dans une cruche, couvrir et laisser reposer 30 minutes.
3 Faire chauffer une petite poêle à crêpes ou à revêtement antiadhésif, et graisser légèrement de beurre fondu. Verser un peu de pâte dans la poêle, en la penchant pour bien couvrir le fond; reverser l'excédent dans la cruche. Faire cuire 20 secondes, jusqu'à ce que le bord commence à se décoller, puis retourner et laisser dorer l'autre côté. Poser sur une assiette et couvrir avec un torchon pendant la cuisson des autres crêpes, en graissant la poêle si nécessaire. Empiler les crêpes entre des feuilles de papier sulfurisé pour éviter qu'elles ne collent les unes aux autres.
4 Déposer 1 cuil. à soupe de garniture à la noix de coco au centre de chaque crêpe. Enrouler les crêpes en serrant bien et en rentrant les extrémités. Servir avec des tranches de mangue et d'ananas, en arrosant de sirop.
NOTE : On trouve du sucre de palme (en galets) dans les épiceries exotiques.

CONSEILS

POÊLES À CRÊPES

La poêle à crêpes classique est la meilleure. Peu coûteuse, elle existe en différentes dimensions. Après usage, il suffit de la nettoyer avec un chiffon humide. Les poêles à revêtement antiadhésif conviennent, mais elles ne permettent pas d'obtenir des crêpes aussi dorées. Pour préparer la poêle, faire chauffer de l'huile végétale et du gros sel, puis nettoyer avec un chiffon.

CONFECTION DES CRÊPES

Pour incorporer le liquide dans la farine, travailler avec un fouet plutôt qu'avec une cuillère, de manière à éviter la formation de grumeaux. Lorsqu'on utilise une cuillère, on étire les protéines de gluten contenues dans la farine et on obtient une pâte moins souple.

Il faut préparer la pâte à l'avance et la laisser reposer avant de la faire cuire. Ainsi, les grains d'amidon de la farine gonflent, le gluten se relâche, et on obtient une pâte plus élastique.

Ne pas s'inquiéter si la première crêpe est ratée – ce qui arrive le plus souvent. Ajouter un peu d'eau si la pâte est trop épaisse, de manière à obtenir la consistance désirée. Procéder avec précaution car il est plus facile d'allonger la pâte que de l'épaissir.

CRÊPES À LA RICOTTA ET LEUR SAUCE À L'ORANGE

Préparation : 40 minutes + temps de repos
  + macération
Cuisson : 30 minutes
Pour 4 personnes

★ ★

85 g de farine

1 pincée de sel

1 œuf, légèrement battu

350 ml de lait

30 g de raisins de Smyrne

250 ml de jus d'orange

200 g de ricotta

1 cuil. à café de zeste d'orange finement râpé

Quelques gouttes d'essence de vanille

50 g de beurre

60 g de sucre en poudre

 Tamiser la farine et le sel dans une jatte, puis creuser un puits au milieu. Mélanger l'œuf et le lait, puis incorporer petit à petit jusqu'à obtention d'une pâte lisse et sans grumeaux. Verser dans une cruche, couvrir et laisser reposer 30 minutes.

2 Faire chauffer une petite poêle à crêpes ou à revêtement antiadhésif, et graisser légèrement de beurre fondu. Verser un peu de pâte dans la poêle, en la penchant pour obtenir un cercle de 16 cm de diamètre ; reverser l'excédent dans la cruche. Faire cuire 1 à 2 minutes à feu moyen, jusqu'à ce que le bord commence à se décoller, puis retourner et laisser dorer 30 secondes l'autre côté. Poser sur une assiette, puis procéder de même avec le reste de pâte, en graissant la poêle si nécessaire. Empiler les crêpes entre des feuilles de papier sulfurisé pour éviter qu'elles ne collent les unes aux autres. Préchauffer le four à 160 °C (therm. 2-3).

3 Laisser macérer les raisins secs 15 minutes dans le jus d'orange. Égoutter, en réservant le jus. Mélanger la ricotta, le zeste d'orange, l'essence de vanille et les raisins. Déposer une cuil. à soupe pleine de préparation au bord de chaque crêpe, plier en deux puis encore en deux. Mettre les crêpes garnies dans un plat à four et faire cuire 10 minutes.

4 Pour préparer la sauce à l'orange, faire fondre le beurre et le sucre dans une petite poêle à feu doux. Ajouter le jus réservé et remuer à feu doux jusqu'à dissolution du sucre. Porter à ébullition, réduire le feu et laisser épaissir pendant 10 minutes. Faire tiédir 3 à 4 minutes, puis verser sur les crêpes garnies. Servir aussitôt, en accompagnant éventuellement de quartiers d'orange pochés.

NOTE : Les crêpes peuvent se congeler. Décongeler, remplir de garniture et réchauffer avant de servir.

EN HAUT :
Crêpes à la ricotta
et leur sauce à l'orange

LES NOIX DE MACADAM

Les noix de macadam sont originaires d'Australie, et proviennent d'un arbre tropical célèbre pour l'ombrage qu'il procure. Aux États-Unis, les noix de macadam sont connues sous le nom de noix de Hawaii. Très riches en protéines, elles ont figuré pendant des millénaires dans le régime alimentaire des Aborigènes d'Australie. De forme sphérique, ces fruits à la saveur crémeuse sont enfermés dans une coque très dure qui doit être cassée avec un ustensile spécial. Grillées, elles sont encore plus savoureuses. Aux États-Unis, les noix de macadam entrent dans de nombreuses préparations sucrées : confiseries et friandises diverses, biscuits, gâteaux, confitures…

EN HAUT : Beignets de fruits à la sauce aux noix

BEIGNETS DE FRUITS À LA SAUCE AUX NOIX

Préparation : 55 minutes + réfrigération
Cuisson : 30 minutes
Pour 6 personnes

215 g de farine, tamisée

2 cuil. à café 1/2 de levure chimique

2 cuil. à soupe d'huile

2 cuil. à soupe de sucre en poudre

2 œufs, jaunes et blancs séparés

Huile, pour friture

800 g de fruits frais (cerises dénoyautées, morceaux d'ananas, de bananes, quartiers de pomme et de poire)

Glace ou crème fraîche, en accompagnement

Sauce aux noix

125 g de beurre

230 g de cassonade

125 ml de crème fraîche épaisse

2 cuil. à café de jus de citron

2 cuil. à soupe de noix de macadam, hachées et grillées

1 Tamiser la farine et la levure dans une grande jatte, puis creuser un puits au milieu. Ajouter l'huile, le sucre, les jaunes d'œufs et 250 ml d'eau chaude. Travailler au fouet pour obtenir une pâte lisse, couvrir et laisser 2 heures au réfrigérateur.

2 Pour préparer la sauce aux noix, faire fondre le beurre dans une petite poêle à feu doux. Saupoudrer avec la cassonade et remuer jusqu'à dissolution. Ajouter la crème fraîche et le jus de citron. Porter à ébullition en remuant. Incorporer les noix et garder au chaud.

3 Fouetter les blancs d'œufs en neige ferme et les ajouter à la pâte. Faire chauffer l'huile à 180 °C dans une grande poêle à fond épais ou une friteuse (un dé de pain doit dorer en 15 secondes). Baisser le feu. Plonger les fruits dans la pâte en faisant tomber l'excédent. Faire cuire en plusieurs fois, puis égoutter sur du papier absorbant. Servir aussitôt, arrosé de sauce et accompagné de glace ou de crème fraîche.

NOTE : Prendre les précautions nécessaires pour la friture. Prévoir à proximité un couvercle suffisamment grand pour étouffer éventuellement les flammes, et veiller à ce que l'huile ne chauffe pas trop.

PANCAKES AUX DATTES ET À LA SAUCE CARAMEL

Préparation : 40 minutes + temps de repos
Cuisson : 30 minutes
Pour 10 à 12 crêpes

185 g de dattes dénoyautées, en petits
  morceaux

1 cuil. à café de bicarbonate de soude

250 g de farine avec levure incorporée, tamisée

100 g de cassonade

250 g de crème fraîche

3 œufs, jaunes et blancs séparés

Glace, en accompagnement

Sauce caramel

185 g de cassonade

250 ml de crème liquide

200 g de beurre

1 Mettre les dattes dans une petite casserole avec 250 ml d'eau et porter à ébullition. Retirer du feu,

incorporer le bicarbonate de soude, puis laisser tiédir 5 minutes. Réduire en une purée veloutée, de préférence au robot. Laisser refroidir.

2 Mélanger la farine et la cassonade dans une grande jatte. Incorporer la purée de dattes et creuser un puits au milieu.

3 Battre au fouet la crème fraîche et les jaunes d'œufs. Verser dans le puits et mélanger pour obtenir une pâte lisse. Laisser reposer 15 minutes. Battre les blancs d'œufs en neige ferme dans une jatte propre et sèche. Ajouter une cuil. à soupe de blanc d'œuf dans la pâte pour l'alléger, puis incorporer le reste sans trop mélanger.

4 Faire chauffer une poêle et graisser légèrement d'huile ou de beurre fondu. Verser 60 ml de pâte dans la poêle. Faire cuire 2 à 3 minutes, jusqu'à la formation de bulles à la surface. Retourner et laisser dorer l'autre côté. Poser sur une assiette et couvrir avec un torchon pendant la cuisson des autres crêpes, en graissant la poêle si nécessaire. Empiler les pancakes entre des feuilles de papier sulfurisé pour éviter qu'ils ne collent les uns aux autres.

5 Pour préparer la sauce, mélanger tous les ingrédients dans une casserole sur feu moyen jusqu'à dissolution du sucre, sans laisser bouillir, puis laisser frémir doucement 3 à 4 minutes. Napper les crêpes et servir avec de la glace.

LES DATTES

Pendant des millénaires, les dattes ont constitué une part importante du régime alimentaire en Arabie, au Moyen-Orient et en Afrique du Nord. Elles se consomment toujours de nos jours pendant le jeûne du ramadan.

Les dattes fraîches sont souvent congelées lorsqu'elles sont importées. Leur teneur élevée en sucre facilite la congélation et la décongélation. Elles se consomment de préférence à température ambiante et n'ont pas besoin d'être conservées au réfrigérateur.

Les dattes sèches présentent une peau foncée. Plus sucrées, elles sont tout indiquées pour préparer des gâteaux, des entremets ou des salades de fruits. Il en existe différentes variétés, parmi lesquelles on choisira celles qui sont bien rondes et qui ont la peau lisse.

EN HAUT :
Pancakes aux dattes
et à la sauce caramel

CRÊPES PRALINÉES À LA SAUCE AU CHOCOLAT

Préparation : 1 heure + temps de repos
Cuisson : 45 minutes
Pour une dizaine de crêpes

★★

100 g de noisettes

90 g de sucre en poudre + 2 cuil. à soupe

90 g de beurre, à température ambiante

125 g de farine

1 œuf + 1 jaune

315 ml de lait

Sauce au chocolat

125 g de chocolat noir supérieur, en morceaux

50 g de beurre

2 cuil. à soupe de sucre glace tamisé

125 g de crème fraîche

2 cuil. à soupe de Kahlua ou de Tia Maria

Glace, en accompagnement (facultatif)

EN HAUT :
Crêpes pralinées
à la sauce au chocolat

1 Faire griller les noisettes sous le gril à chaleur modérée, en veillant à ce qu'elles ne brûlent pas, puis détacher la peau en frottant avec un torchon. Hacher grossièrement un tiers des noisettes, réserver ; poser le reste de noisettes sur une plaque à pâtisserie graissée. Pour préparer le pralin, mettre 90 g de sucre et 2 cuil. à soupe d'eau dans une casserole à fond épais. Remuer à feu doux, sans laisser bouillir, pour faire fondre le sucre. Ne pas laisser bouillir avant que le sucre soit dissous, pour éviter qu'il ne cristallise. Porter à ébullition et remuer jusqu'à ce que le mélange devienne brun. Si le caramel est plus foncé par endroits, pencher la casserole pour obtenir une couleur uniforme. Plonger un pinceau à pâtisserie dans l'eau froide et badigeonner les parois de la casserole si des cristaux commencent à se former. Procéder avec précaution car le caramel risque de brûler. Verser rapidement le caramel sur les noisettes et laisser durcir. (Attention, la chaleur du caramel réchauffe la plaque.) Broyer le pralin au robot, au rouleau à pâtisserie ou encore au mortier.

2 Mélanger le beurre et le reste de sucre au fouet ou au batteur électrique, jusqu'à obtention d'un mélange crémeux. Incorporer deux tiers du pralin, couvrir et garder au frais.

3 Tamiser la farine dans une grande jatte et creuser un puits au milieu. Mélanger l'œuf, le jaune et le lait, puis incorporer petit à petit avec un fouet jusqu'à obtention d'une pâte lisse. Verser dans une cruche, couvrir et laisser reposer 30 minutes. Faire chauffer une poêle à crêpes moyenne, et graisser de beurre fondu. Verser 60 ml de pâte dans la poêle, en la penchant pour bien couvrir le fond ; reverser l'excédent dans la cruche. Faire cuire 30 secondes, jusqu'à ce que le bord commence à se décoller, puis retourner et laisser dorer l'autre côté. Poser sur une assiette et couvrir avec un torchon. Procéder de même avec le reste de pâte, en graissant la poêle si nécessaire. Empiler les crêpes entre des feuilles de papier sulfurisé pour éviter qu'elles ne collent les unes aux autres.

4 Préchauffer le four à 160 °C (therm. 2-3). Étaler 1 cuil. à soupe de pralin sur chaque crêpe. Enrouler et poser en une seule couche sur une plaque à pâtisserie graissée. Enfourner 10 minutes, pour faire réchauffer les crêpes.

5 Pendant ce temps, faire fondre le chocolat et le beurre dans un bol résistant à la chaleur, posé sur une casserole d'eau frémissante. Ajouter le sucre glace, la crème fraîche et la liqueur. Remuer jusqu'à obtention d'un mélange lisse et brillant.

6 Saupoudrer les crêpes de noisettes hachées et du reste de pralin. Servir avec la sauce au chocolat chaude ou de la glace.

NOTE : Le pralin peut se préparer un jour à l'avance et se conserver au réfrigérateur dans un récipient hermétique. Sa texture devient collante, mais il conserve sa saveur.

CRÊPES À LA RICOTTA, AUX FRAISES ET À LA LIQUEUR D'ORANGE

Préparation : 40 minutes + temps de repos
Cuisson : 30 minutes
Pour une douzaine de crêpes

90 g de farine

1 œuf + 1 jaune

185 ml de lait

20 g de beurre, fondu

Fruits rouges frais, en accompagnement

Garniture à la ricotta

350 g de ricotta

60 ml de crème liquide

1 cuil. à soupe de sucre en poudre

1 cuil. à café d'essence de vanille

300 g de fraises, émincées

Sauce à la liqueur d'orange

185 ml de jus d'orange frais

1/2 cuil. à café de zeste d'orange râpé

2 cuil. à soupe de sucre en poudre

2 cuil. à soupe de Grand Marnier ou de Cointreau

1 cuil. à soupe de Maïzena

30 g de beurre

1 Tamiser la farine dans une grande jatte et creuser un puits au milieu. Mélanger l'œuf, le jaune d'œuf et le lait, puis incorporer petit à petit avec un fouet jusqu'à obtention d'une pâte lisse et sans grumeaux. Ajouter le beurre fondu. Verser dans une cruche, couvrir et laisser reposer 30 minutes.

2 Pour préparer la garniture, battre la ricotta, la crème, le sucre et l'essence de vanille jusqu'à obtention d'une consistance homogène. Incorporer les fraises, couvrir et réserver au réfrigérateur.

3 Pour préparer la sauce à la liqueur d'orange, mettre dans une petite casserole le jus et le zeste d'orange, le sucre et la liqueur. À part, dissoudre la Maïzena dans 3 cuil. à soupe d'eau. Verser dans la casserole et remuer sur feu doux pendant 3 à 4 minutes, jusqu'à ébullition et épaississement. Incorporer le beurre et mélanger pendant 1 minute. Couvrir et réserver.

4 Faire chauffer une petite poêle à crêpes ou à revêtement antiadhésif, et graisser légèrement de beurre fondu. Verser un peu de pâte dans la poêle, en la penchant pour bien couvrir le fond : reverser l'excédent dans la cruche. Si la pâte est trop épaisse, ajouter un peu de lait. Faire cuire 30 secondes, jusqu'à ce que le bord commence à se décoller, puis retourner et laisser dorer l'autre côté. Poser sur une assiette et couvrir avec un torchon. Procéder de même avec le reste de pâte, en graissant la poêle si nécessaire. Empiler les crêpes entre des feuilles de papier sulfurisé pour éviter qu'elles ne collent les unes aux autres.

5 Poser une crêpe sur une assiette de service et la recouvrir de garniture. Plier la crêpe en deux, puis encore en deux. Napper de sauce et parsemer de fruits rouges. Procéder de même avec le reste de crêpes.

NOTE : Ces crêpes peuvent se préparer à l'avance et se congeler. Les envelopper de papier d'aluminium et les réchauffer à 180 °C (therm. 4) avant emploi.

CI-DESSOUS : Crêpes à la ricotta, aux fraises et à la liqueur d'orange

LE SUCRE
Il existe plusieurs variétés de sucre, symbole

de douceur et de gourmandise. Morceaux de sucre d'un blanc éclatant, sucre roux

au léger goût de canne, gros cristaux dorés et brillants du sucre candi…

Produit dans le monde entier, le sucre provient de divers végétaux : canne à sucre, betterave, mais aussi palmier-dattier, érable et sorgho. Le sucre est en fait du saccharose, hydrate de carbone pur qui édulcore les préparations culinaires et se présente sous forme raffinée ou non. Ce conservateur naturel caramélise sous l'effet de la chaleur et sert à stabiliser les blancs d'œufs dans la fabrication de la meringue. On récolte et on broie la betterave ou la canne à sucre pour en extraire le jus. Ce jus est épuré et concentré par évaporation pour donner un sirop. Celui-ci est ensuite soumis à une cristallisation qui sépare les cristaux de sucre de la mélasse. À ce stade, les cristaux offrent une couleur brune et contiennent un peu de mélasse ainsi que des impuretés. Le sucre non raffiné, partiellement purifié, contient de la mélasse. Le sucre raffiné est débarrassé de toutes les impuretés et de la mélasse.

SUCRE BLANC Il est débarrassé de ses impuretés lors du processus de raffinage. En dehors de son pouvoir sucrant, ce sucre raffiné n'a ni couleur ni saveur et se présente sous des formées variées.

SUCRE CRISTALLISÉ Le moins cher, il est issu directement de la cristallisation du sirop. Il entre dans la préparation des confitures et de certaines friandises.

SUCRE EN MORCEAUX Il est obtenu par

moulage du sucre cristallisé. Typiquement français, il a été inventé en 1854 par un épicier parisien, Eugène François.

SUCRE EN POUDRE (ou sucre semoule) Il provient du broyage du sucre cristallisé. Il se dissout facilement et, en dehors de son pouvoir sucrant, n'a ni couleur ni saveur. Il sert notamment à fabriquer les desserts.

SUCRE GLACE C'est du sucre blanc broyé sous forme de poudre très fine. Pur, il ne contient pas d'additifs et se dissout facilement. Additionné d'amidon, il évite la prise en bloc.

SUCRE BRUT C'est un sucre de canne non raffiné, à la saveur caractéristique. Il s'utilise de la même manière que le sucre blanc.

SUCRE CANDI Il se compose de gros cristaux dorés et croustillants obtenus par cristallisation lente sur des fils de lin ou de coton.

CASSONADE C'est un sucre roux de canne sous forme cristallisée, au riche goût de caramel.

SUCRE À CONFITURE (ou gélifiant) C'est un sucre semoule additionné de pectine et d'acide citrique, qui facilite la prise des confitures.

VERGEOISE BLONDE Sucre à la saveur de caramel, elle se présente sous forme de minuscules cristaux.

VERGEOISE BRUNE Plus riche, plus humide, elle se distingue par sa saveur de mélasse.

SUCRE MUSCOVADO (« non raffiné » en portugais) Il se présente sous forme de petits cristaux clairs ou foncés, à la saveur riche. Le clair a un léger goût de caramel, le foncé est plus parfumé. La texture humide de ce sucre est due à la mélasse qui enrobe les cristaux.

SUCRE DE MÉLASSE Presque noir, il se caractérise par sa saveur prononcée.

SUCRE DE PALME Il provient de la sève bouillie du palmier-dattier. De texture fine, il se vend généralement en bocaux ou en blocs solides qu'il faut râper ou écraser avant

usage. Légèrement moins sucré que le sucre de canne, il a un goût de caramel.

SIROP DE CANNE À SUCRE C'est un liquide blond ou incolore contenant du saccharose, du glucose et du fructose, qui provient de l'évaporation du jus de canne à sucre.

MÉLASSE Elle s'obtient de la même manière que le sirop de canne à sucre, mais s'en distingue par sa couleur foncée caractéristique et sa saveur prononcée qui enrichit gâteaux et entremets.

DANS LE SENS DES AIGUILLES D'UNE MONTRE, EN PARTANT DU HAUT À GAUCHE : Sucre blanc ; Sucre en poudre ; Sucre glace ; Muscovado clair ; Muscovado foncé ; Sucre candi ; Sucre de mélasse ; Sirop de canne à sucre ; Mélasse ; Sucre de palme ; Cassonade ; Sucre brut ; Vergeoise brune ; Sucre blanc ; Sucre en morceaux.

BEIGNETS DE BANANE À LA SAUCE CARAMEL

Préparation : 10 minutes
Cuisson : 15 minutes
Pour 4 personnes

★★

Sauce caramel
230 g de cassonade
125 ml de crème liquide
100 g de beurre, en morceaux

125 g de farine avec levure incorporée
1 œuf, battu
185 ml d'eau gazeuse
Huile, pour friture
4 bananes, coupées en quatre
Glace, en accompagnement

CI-DESSOUS :
Beignets de banane
à la sauce caramel

1 Pour préparer la sauce caramel, mettre tous les ingrédients dans une petite casserole et remuer pour faire fondre le sucre et le beurre. Porter à ébullition, réduire le feu et laisser frémir 2 minutes.
2 Tamiser la farine dans une jatte. Creuser un puits au milieu, puis ajouter en même temps l'œuf et l'eau gazeuse. Mélanger jusqu'à ce que le liquide soit absorbé, en veillant à ne pas faire de grumeaux.
3 Faire chauffer l'huile à 180 °C (un dé de pain doit dorer en 15 secondes). Plonger plusieurs morceaux de banane dans la pâte, puis laisser tomber l'excédent de pâte. Poser délicatement dans l'huile et faire cuire 2 minutes : les beignets doivent être dorés et croustillants. Retirer doucement de la friture avec une écumoire. Égoutter sur du papier absorbant et garder au chaud. Procéder de même avec le reste de bananes. Servir les beignets aussitôt avec la glace et la sauce caramel.

LANIÈRES DE CRÊPES À LA SAUCE AU CITRON

Préparation : 40 minutes + temps de repos
Cuisson : 30 à 40 minutes
Pour 4 à 6 personnes

★★

150 g de farine
1 pincée de sel
3 œufs, battus
500 ml de lait
20 g de beurre, fondu
Huile, pour friture
Sucre glace, pour la décoration

Sauce au citron
125 ml de jus de citron
1 cuil. à soupe de zeste de citron râpé
80 g de beurre
125 g de sucre en poudre

1 Tamiser la farine et le sel dans une grande jatte, creuser un puits au milieu. Mélanger les œufs et le lait, puis incorporer petit à petit jusqu'à obtention d'une pâte lisse et sans grumeaux. Ajouter le beurre. Verser la pâte dans une cruche, couvrir et laisser reposer 30 minutes.
2 Faire chauffer une petite poêle à crêpes ou à revêtement antiadhésif, et graisser légèrement de beurre fondu. Verser un peu de pâte dans la poêle, en la penchant pour bien couvrir le fond ; reverser l'excédent dans la cruche. Faire cuire 20 secondes, jusqu'à ce que le bord commence à se décoller, puis

retourner et laisser dorer l'autre côté. Poser sur une assiette et couvrir avec un torchon. Procéder de même avec le reste de pâte, en graissant la poêle si nécessaire.

3 Pour préparer la sauce au citron, mettre dans une petite casserole le jus et le zeste de citron, le beurre et le sucre. Porter à ébullition, réduire le feu et laisser frémir jusqu'à obtention d'un sirop. Garder au chaud jusqu'au moment de servir.

4 Détailler les crêpes froides en lanières de 2 cm de largeur. Chauffer l'huile dans une grande poêle, puis faire cuire les lanières de crêpes en plusieurs fois, jusqu'à ce qu'elles soient croustillantes. Égoutter sur du papier absorbant. Dresser les lanières sur des assiettes de service, napper de sauce et saupoudrer de sucre glace. Accompagner éventuellement de fruits et de crème liquide.

NOTE : Les crêpes et la sauce peuvent se préparer à l'avance. Faire cuire les lanières juste avant de servir.

CRÊPES À LA BANANE ET À LA NOIX DE COCO

Préparation : 20 minutes
Cuisson : 30 minutes
Pour 4 à 6 personnes

40 g de farine ordinaire

2 cuil. à soupe de farine de riz

60 g de sucre en poudre

25 g de noix de coco en poudre

250 ml de lait de coco

1 œuf, légèrement battu

4 grosses bananes

60 g de beurre

60 g de cassonade

80 ml de jus de citron vert

1 cuil. à soupe de lanières de noix de coco
    grillées, pour la décoration

Lanières de zeste de citron vert, pour la
    décoration

1 Tamiser les farines dans une jatte. Ajouter le sucre en poudre, la noix de coco, mélanger et creuser un puits au milieu. Mélanger le lait de coco et l'œuf, puis incorporer petit à petit avec un fouet jusqu'à obtention d'une pâte lisse.

2 Faire chauffer une petite poêle à crêpes ou à revêtement antiadhésif, et graisser légèrement de beurre fondu. Verser 3 cuil. à soupe de pâte dans la poêle, puis faire cuire à feu moyen jusqu'à ce que

le dessous soit doré. Retourner la crêpe et laisser dorer l'autre côté. Poser sur une assiette et couvrir avec un torchon pour garder au chaud. Procéder de même avec le reste de pâte, en graissant la poêle si nécessaire. Empiler les crêpes entre des feuilles de papier sulfurisé pour éviter qu'elles ne collent les unes aux autres. Garder les crêpes au chaud pendant la préparation des bananes.

3 Couper les bananes en rondelles épaisses. Faire chauffer le beurre dans la poêle, ajouter les bananes et remuer pour bien les enrober. Faire cuire à feu moyen jusqu'à ce qu'elles commencent à ramollir et à dorer. Saupoudrer de cassonade et secouer délicatement la poêle pour faire fondre le sucre. Verser le jus de citron. Répartir les bananes sur les crêpes ; replier les crêpes dessus. Saupoudrer de lanières de noix de coco et de citron.

NOTE : Pour retourner ces crêpes, qui sont fragiles, les faire glisser sur une assiette et les renverser dans la poêle.

EN HAUT :
Crêpes à la banane
et à la noix de coco

CRÊPES AU MASCARPONE AUX AMANDES ET AUX FRUITS D'ÉTÉ

Préparation : 40 minutes + repos
Cuisson : 35 minutes
Pour une douzaine de crêpes

Mascarpone aux amandes
60 g d'amandes effilées
125 g de sucre en poudre
500 g de mascarpone

250 g de fraises fraîches, émincées
1 cuil. à soupe de sucre en poudre
125 g de farine
2 œufs
125 ml de lait
30 g de beurre, fondu
4 kiwis, finement émincés
200 g de framboises
250 g de myrtilles

1 Pour préparer le mascarpone aux amandes, faire dorer doucement les amandes sous le gril, puis poser sur une plaque de cuisson graissée. Dissoudre le sucre dans 125 ml d'eau, dans une petite casserole à fond épais, sans laisser bouillir. Porter à ébullition, puis réduire et laisser frémir 15 minutes, sans remuer, jusqu'à ce que sirop brunisse. Verser sur les amandes et laisser durcir. Écraser finement dans un robot, transvaser dans une jatte, puis ajouter le mascarpone, couvrir et réserver au réfrigérateur.
2 Mettre les fraises dans une grande jatte et saupoudrer de sucre. Réfrigérer.
3 Mélanger la farine, les œufs et le lait pendant 10 secondes dans un robot. Ajouter 125 ml d'eau, le beurre, puis mixer jusqu'à obtention d'une consistance lisse. Verser dans une cruche et laisser reposer 30 minutes.
4 Faire chauffer une petite poêle à crêpes ou une poêle antiadhésive et graisser légèrement de beurre fondu. Verser 60 ml de pâte dans la poêle, en la penchant pour bien couvrir le fond. Faire cuire 30 secondes, jusqu'à ce que les bords commencent à se relever, retourner la crêpe et laisser dorer de l'autre côté. Poser sur une assiette et couvrir d'un torchon pendant la cuisson des autres crêpes.
5 Garnir les crêpes chaudes de mascarpone aux amandes, puis plier en quatre. Servir avec les fraises ainsi que les kiwis, les framboises et les myrtilles.

GARNITURES POUR CRÊPES

FRUITS ROUGES Laisser macérer plusieurs heures des fruits rouges dans du jus d'orange additionné de sucre glace et de zeste d'orange râpé. Retirer les fruits dès la formation d'un jus sirupeux.

POMMES Peler, évider des pommes, détailler en tranches, puis faire cuire dans du beurre fondu jusqu'à ce qu'elles soient tendres et dorées, sans s'écraser. Saupoudrer de sucre et poursuivre la cuisson jusqu'à ce qu'elles caramélisent. Arroser de jus de citron ou saupoudrer de cannelle.

CI-DESSUS : Crêpes au mascarpone aux amandes et aux fruits d'été

CRÊPES À LA NOIX DE COCO ET AUX FIGUES

Préparation : 30 minutes
Cuisson : 50 minutes
Pour 4 personnes

★ ★

Figues à la liqueur

375 g de figues sèches

1 cuil. à soupe de cassonade

250 ml de jus d'orange

60 ml de cognac

1 feuille de laurier

3 clous de girofle

1 bâton de cannelle

Crème au mascarpone

150 g de mascarpone

2 cuil. à soupe de cassonade

2 cuil. à soupe de crème fraîche épaisse

60 g de farine

2 œufs

2 cuil. à café d'huile

185 ml de lait

60 g de noix de coco râpée, grillée

1 Pour préparer les figues à la liqueur, mettre dans une casserole les figues, la cassonade, le jus d'orange, le cognac, la feuille de laurier, les clous de girofle et la cannelle. Laisser frémir 20 minutes, jusqu'à ce que les figues soient gonflées et que le liquide ait réduit des deux tiers.

2 Pour préparer la crème au mascarpone, mélanger délicatement le mascarpone, la cassonade et la crème entière.

3 Tamiser la farine et une pincée de sel dans une grande jatte, puis creuser un puits au milieu. Mélanger les œufs, l'huile et le lait, puis incorporer petit à petit avec un fouet, jusqu'à obtention d'une pâte lisse et sans grumeaux. Ajouter la noix de coco.

4 Faire chauffer une petite poêle à crêpes ou à revêtement antiadhésif, et graisser légèrement de beurre fondu. Verser 60 ml de pâte dans la poêle et étaler avec le dos d'une cuillère. Faire cuire 1 minute à feu moyen, jusqu'à ce que le dessous soit doré, puis retourner et laisser dorer l'autre côté. Poser sur une assiette et couvrir avec un torchon pendant la cuisson des autres crêpes. Empiler les crêpes entre des feuilles de papier sulfurisé pour éviter qu'elles ne collent les unes aux autres.

5 Déposer quelques figues égouttées au centre de chaque crêpe. Enrouler les crêpes autour des figues et maintenir avec de la ficelle. Saupoudrer de sucre glace avant de servir avec la crème au mascarpone.

LE LAURIER

Les feuilles de laurier ont une couleur vert foncé brillant lorsqu'elles sont fraîches, et une saveur évoquant celle de la noix muscade et de la vanille. Une fois séchées, elles ont un léger goût de poivre. Si elles font partie intégrante des bouquets garnis dans la préparation des mets salés, elles entrent également dans la confection des desserts : elles rehaussent souvent de leur parfum les crèmes cuites au four, une feuille faisant parfois office de décoration sur le dessus. La crème fraîche peut également s'enrichir de laurier et de sucre. Les feuilles fraîches se conservent quelques jours dans un sac en plastique au réfrigérateur (penser à les laver avant emploi). Les feuilles séchées se gardent dans un récipient hermétique, dans un endroit frais et sec, mais elles perdent leur arôme avec le temps. On trouve également le laurier sous forme de poudre.

EN HAUT : Crêpes à la noix de coco et aux figues

LES BISCUITS AMARETTI

Originaires d'Italie, les biscuits amaretti ressemblent à de petits macarons. Les *amaretti di Saronno*, les plus connus, sont parfumés à l'amande amère ; ils se présentent souvent sous la forme de deux biscuits enveloppés dans du papier de couleur aux extrémités entortillées, à la façon des bonbons. Ces biscuits se consomment accompagnés de vin doux ou de café. Broyés, ils entrent dans la préparation de nombreux desserts.

EN HAUT :
Délice de pommes
à la sauce caramel

DÉLICE DE POMMES À LA SAUCE CARAMEL

Préparation : 40 minutes + temps de repos
Cuisson : 1 heure
Pour 4 à 6 personnes

★★

125 g de farine

2 œufs

250 ml de lait

30 g de beurre, fondu

1 cuil. à soupe d'amaretto (facultatif)

125 g de biscuits amaretti (biscuits secs aux amandes)

5 pommes à cuire, pelées et évidées

185 g de beurre

185 g de cassonade

175 g de sirop de sucre de canne

125 ml de crème liquide

185 g de crème fraîche légère

 Tamiser la farine dans une grande jatte, creuser un puits au milieu. Mélanger les œufs et le lait, puis incorporer petit à petit avec un fouet, jusqu'à obtention d'une pâte lisse et sans grumeaux. Ajouter le beurre et l'amaretto. Verser dans une cruche, couvrir et laisser reposer 30 minutes.

2 Faire chauffer une petite poêle à crêpes ou à revêtement antiadhésif, et graisser légèrement de beurre fondu. Verser un peu de pâte dans la poêle, en la penchant pour bien couvrir le fond ; reverser l'excédent dans la cruche. Faire cuire 30 secondes, jusqu'à ce que le bord commence à se décoller, puis retourner et laisser dorer l'autre côté. Poser sur une assiette et couvrir avec un torchon. Procéder de même avec le reste de pâte de manière à confectionner une dizaine de crêpes, en graissant la poêle si nécessaire. Empiler les crêpes entre des feuilles de papier sulfurisé pour éviter qu'elles ne collent les unes aux autres.

3 Préchauffer le four à 180 °C (therm. 4). Écraser grossièrement les biscuits dans le bol d'un robot. Poser sur une plaque à pâtisserie et faire cuire 5 à 8 minutes au four, en remuant de temps en temps, jusqu'à ce qu'ils soient croustillants. Émincer finement les pommes, les mélanger dans une jatte avec 60 g de beurre fondu et la moitié de la cassonade. Étaler uniformément sur une plaque et laisser 5 minutes sous le gril, à chaleur moyenne. Retourner et laisser dorer (procéder éventuellement en plusieurs fois). Réserver.

4 Poser une crêpe sur une assiette résistant à la chaleur. Garnir le centre de pommes et saupoudrer de biscuits aux amandes. Poser une crêpe par-dessus, garnir. Empiler ainsi toutes les crêpes. Couvrir de papier d'aluminium, puis enfourner pendant 10 minutes.

5 Mettre dans une petite casserole le reste de cassonade, le sirop, la crème liquide et le reste de beurre. Remuer à feu doux, jusqu'à dissolution du sucre, puis laisser frémir 1 minute. Garnir la surface de crème fraîche, napper de sauce chaude et découper en portions.

CRÊPES AU CHOCOLAT

Préparation : 40 minutes + temps de repos
Cuisson : 10 à 15 minutes
Pour 8 à 10 crêpes

60 g de farine

1 cuil. à soupe de poudre de cacao

2 œufs

250 ml de lait

2 cuil. à soupe de sucre en poudre

3 oranges

160 g de chocolat noir supérieur, en morceaux

185 ml de crème liquide

125 g de crème fraîche

75 g de chocolat blanc, râpé

250 g de myrtilles, pour la décoration

1 Tamiser la farine et le cacao dans une grande terrine, creuser un puits au milieu. Mélanger les œufs, le lait et le sucre, puis incorporer petit à petit avec un fouet, jusqu'à obtention d'une pâte lisse et sans grumeaux. Verser dans une cruche, couvrir de film plastique et laisser reposer 30 minutes.

2 Peler les oranges à vif. Détacher les quartiers en passant un couteau entre les membranes, au-dessus d'un bol pour recueillir le jus. Mettre les quartiers dans un saladier avec le jus. Couvrir de film plastique et laisser au réfrigérateur.

3 Faire chauffer une poêle à crêpes ou à revêtement antiadhésif de 20 cm de diamètre sur feu moyen, et graisser légèrement de beurre fondu. Verser 2 à 3 cuil. à soupe de pâte dans la poêle, en la penchant pour bien couvrir le fond. Faire cuire 1 minute à feu moyen, jusqu'à ce que le dessous soit cuit. Retourner la crêpe et laisser dorer l'autre côté. Poser sur une assiette et couvrir d'un torchon. Procéder de même avec le reste de pâte, en graissant la poêle si nécessaire. Empiler les crêpes entre des feuilles de papier sulfurisé pour éviter qu'elles ne collent les unes aux autres.

4 Égoutter les oranges et réserver le jus. Mettre le jus, le chocolat et la crème liquide dans une casserole. Remuer sur feu doux jusqu'à ce que le chocolat fonde : le mélange doit être lisse.

5 Poser 1 cuil. à café de crème fraîche sur le quart de chaque crêpe. Saupoudrer de chocolat râpé. Plier en deux, puis de nouveau en deux. Dresser deux crêpes sur chaque assiette de service. Napper de sauce chaude, puis décorer de quartiers d'orange et de myrtilles. Les crêpes et la sauce peuvent se préparer plusieurs heures à l'avance. Réchauffer doucement, garnir et assembler juste avant de servir.

CI-DESSOUS :
Crêpes au chocolat

LES BLINIS

Les blinis sont une spécialité de la cuisine juive d'Europe de l'Est. Ils se servent traditionnellement au petit déjeuner ou au souper. Ces crêpes sont cuites d'un côté seulement, puis pliées sous forme de rectangle autour d'une garniture. La cuisson se poursuit ensuite au four.

BLINIS À LA RICOTTA

Préparation : 30 minutes + temps de repos
Cuisson : 30 à 40 minutes
Pour environ 14 blinis

125 g de farine

2 œufs

315 ml de lait

30 g de beurre, fondu

Garniture à la ricotta

60 g de raisins secs

1 cuil. à soupe de Grand Marnier ou de Cointreau (facultatif)

375 g de ricotta

90 g de sucre en poudre

1 cuil. à soupe de zeste de citron râpé

2 cuil. à soupe de jus de citron

20 g de beurre, fondu

Sucre glace, pour la décoration

CI-DESSOUS :
Blinis à la ricotta

1 Tamiser la farine dans une grande jatte et creuser un puits au milieu. Mélanger les œufs et le lait, puis incorporer petit à petit avec un fouet, jusqu'à obtention d'une pâte lisse et sans grumeaux. Ajouter le beurre. Verser dans une cruche, couvrir et laisser reposer 30 minutes.

2 Faire chauffer une poêle à crêpes ou à revêtement antiadhésif, et graisser légèrement de beurre fondu. Verser un peu de pâte dans la poêle, en la penchant pour bien couvrir le fond ; reverser l'excédent dans la cruche. Faire cuire 30 secondes, jusqu'à ce que le dessous soit doré et la surface prise. Retirer et couvrir d'un torchon pendant la cuisson des autres crêpes. Empiler les crêpes entre des feuilles de papier sulfurisé pour éviter qu'elles ne collent les unes aux autres.

3 Pour préparer la garniture à la ricotta, mettre les raisins dans un bol avec la liqueur, puis laisser macérer 30 minutes. Battre la ricotta, le sucre, le zeste et le jus de citron, jusqu'à obtention d'une préparation homogène. Ajouter les raisins et la liqueur.

4 Préchauffer le four à 160 °C (therm. 2-3). Déposer une cuil. à soupe pleine de garniture au centre de chaque crêpe, puis replier en forme de rectangle. Poser les crêpes garnies, pli au-dessous, dans un plat à four graissé, en une seule couche. Badigeonner de beurre fondu, couvrir de papier d'aluminium et faire chauffer 10 à 15 minutes au four. Saupoudrer de sucre glace avant de servir.

NOTE : Ces blinis à la ricotta peuvent être confectionnés plusieurs heures à l'avance et réchauffés.

PANCAKES AUX PÉPITES DE CHOCOLAT ET AU CARAMEL

Préparation : 35 minutes + temps de repos
Cuisson : 30 minutes
Pour 16 crêpes

250 g de farine avec levure incorporée

2 cuil. à soupe de poudre de cacao

1 cuil. à café de bicarbonate de soude

60 g de sucre en poudre

130 g de pépites de chocolat noir

250 ml de lait

250 ml de crème liquide

2 œufs, légèrement battus

30 g de beurre, fondu

3 blancs d'œufs

Crème fouettée ou glace, en accompagnement

Caramel

150 g de chocolat noir supérieur, en morceaux

30 g de beurre

2 cuil. à soupe de mélasse

100 g de cassonade

125 ml de crème liquide

1 Tamiser la farine, le cacao et le bicarbonate de soude dans une grande jatte. Ajouter le sucre et les pépites de chocolat, puis creuser un puits au milieu. Fouetter le lait, la crème, les œufs et le beurre dans une cruche, verser petit à petit dans le puits et amalgamer. Couvrir et laisser reposer 15 minutes.

2 Fouetter les blancs d'œufs en neige ferme dans une jatte propre et sèche. Incorporer 1 cuil. à soupe de blancs d'œufs à la pâte avec une cuillère en métal pour l'alléger, puis ajouter le reste en mélangeant à peine.

3 Faire chauffer une poêle, et graisser légèrement d'huile ou de beurre fondu. Verser 60 ml de pâte dans la poêle et faire cuire à feu moyen jusqu'à ce que le dessous soit doré. Retourner avec une spatule et laisser dorer l'autre côté. Poser sur une assiette et couvrir avec un torchon pendant la cuisson des autres pancakes. Empiler entre des feuilles de papier sulfurisé pour éviter que les pancakes ne collent les uns aux autres.

4 Pour préparer la sauce caramel, mettre tous les ingrédients dans une casserole et remuer à feu doux jusqu'à obtention d'une consistance homogène. Servir les galettes chaudes avec de la crème fouettée ou de la glace, nappées de sauce caramel.

LES PANCAKES – CRÊPES ANGLO-SAXONNES

Les pancakes sont plus épais et plus consistants que les crêpes. Certains contiennent de la levure, d'autres des agents levants tels que le bicarbone de soude. Comme la pâte à crêpes, la pâte à pancakes doit reposer pour s'alléger. On la cuit dans le même genre de poêle, en veillant à ce que la chaleur soit bien répartie pour éviter que les pancakes ne brûlent avant d'être cuits. Attendre la formation de bulles à la surface avant de les retourner. Si la pâte n'est pas assez cuite, le milieu, trop liquide, se répand et déforme la crêpe. Les pancakes doivent être moelleux à l'intérieur. Il faut les servir dès qu'ils sont prêts car, contrairement aux crêpes, ils ne se conservent pas.

EN HAUT : Pancakes aux pépites de chocolat et au caramel

LE CAFÉ

Originaire d'Éthiopie et du Soudan, le café s'obtient en broyant les graines des fruits du caféier, arbuste à feuilles persistantes. Considéré jadis comme un don de Dieu, il fut adopté par les soufis pour son effet tonifiant pendant la prière. Le premier café public ouvrit à La Mecque vers 1511. La consommation de café s'étendit ensuite à l'Europe via Constantinople. En France, c'est au XVIIe siècle que l'on prit l'habitude de servir du café à la fin des repas. À cette époque, en Angleterre, le café fut supplanté par le thé, moins cher. Aux États-Unis, la taxe imposée sur le thé donna la préférence au café. Les principales variétés de café sont l'arabica, à l'arôme fin, et le robusta, riche en caféine et plus puissant. Le caféier pousse en Afrique, en Amérique du Sud, en Arabie, en Inde, dans les Caraïbes, en Indonésie, en Australie, en Papouasie-Nouvelle-Guinée.

EN HAUT :
Gaufres au café

GAUFRES AU CAFÉ

Préparation : 30 minutes
Cuisson : 45 minutes
Pour 8 gaufres

Sirop au café

185 g de sucre en poudre
125 ml de café
60 ml de crème liquide

250 g de farine
2 cuil. à soupe de poudre de cacao
2 cuil. à café de levure chimique
1/2 cuil. à café de sel
315 ml de lait
2 cuil. à soupe d'essence de café ou de chicorée
125 g de sucre en poudre
3 œufs, blancs et jaunes séparés
60 g de beurre, fondu

1 Pour préparer le sirop au café, mettre dans une petite casserole le sucre, le café, la crème et 3 cuil. à soupe d'eau. Porter à ébullition, réduire le feu et laisser frémir 4 à 5 minutes. Laisser refroidir.

2 Préchauffer le gaufrier. Tamiser la farine, le cacao, la levure et le sel dans une grande jatte. Ajouter le lait, l'essence de café, le sucre, les jaunes d'œufs et le beurre, puis fouetter jusqu'à obtention d'une pâte lisse. Battre les blancs d'œufs en neige ferme dans un saladier propre et sec. Incorporer 1 cuil. à soupe de blancs d'œufs à la pâte avec une cuillère en métal pour l'alléger, puis ajouter délicatement le reste.

3 Badigeonner le gaufrier de beurre fondu. Verser 125 ml de pâte au centre (ajuster la quantité en fonction de la taille du moule) et l'étaler presque jusqu'au bord. Faire cuire 4 à 5 minutes : la gaufre doit être dorée et croustillante. Garder au chaud pendant la cuisson des autres gaufres. Napper les gaufres de sirop au café. Saupoudrer de cacao, servir avec de la crème fouettée et des copeaux de chocolat (voir p. 238).

LES GAUFRES

Les gaufres ont des origines très anciennes. Les Grecs préparaient une gourmandise comparable qu'ils faisaient cuire entre des plaques de métal chaudes. Le gaufrier est apparu au XIIIe siècle.

Comme les beignets et les crêpes, les gaufres ont figuré de tout temps dans l'alimentation paysanne traditionnelle. Elles se consommaient nature ou enrichies d'œufs, de miel, de sucre, parfois aussi de denrées salées. Les recettes, nombreuses, varient selon les régions.

GAUFRES AU CHOCOLAT

Préparation : 20 minutes + temps de repos
Cuisson : 20 à 25 minutes
Pour 8 gaufres

250 g de farine avec levure incorporée
1 cuil. à café de bicarbonate de soude
2 cuil. à café de sucre en poudre
2 œufs
90 g de beurre, fondu
440 ml de babeurre

Sauce au chocolat

50 g de beurre
200 g de chocolat noir supérieur de bonne qualité, en morceaux
125 ml de crème liquide
1 cuil. à soupe de mélasse

1 Tamiser la farine, le bicarbonate de soude, le sucre et une pincée de sel dans une grande jatte, creuser un puits au milieu. Mélanger les œufs, le beurre et le babeurre au fouet dans une cruche, puis verser petit à petit dans le puits en battant jusqu'à obtention d'une pâte lisse. Laisser reposer 10 minutes. Préchauffer le gaufrier.

2 Pour préparer la sauce au chocolat, mettre dans une casserole le beurre, le chocolat, la crème et le sirop, puis remuer sur feu doux pour que le mélange devienne homogène. Retirer du feu et garder au chaud.

3 Badigeonner le gaufrier de beurre fondu. Verser 125 ml de pâte au centre (ajuster la quantité en fonction de la taille du moule) er l'étaler presque jusqu'au bord. Faire cuire 2 minutes : la gaufre doit être dorée et croustillante. Garder au chaud pendant la cuisson des autres gaufres. Servir avec de la glace à la vanille et la sauce au chocolat bien chaude.

EN HAUT :
Gauffres au chocolat

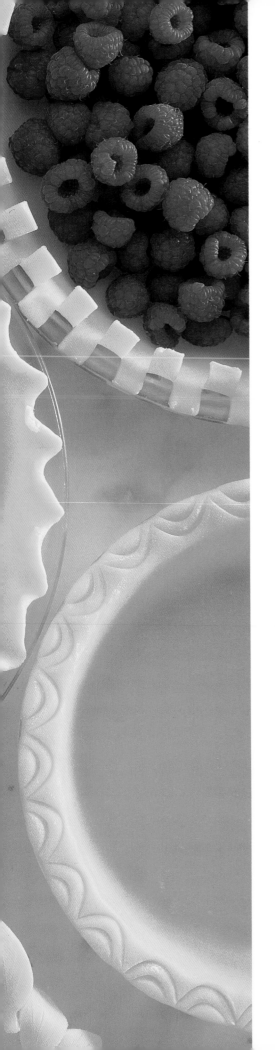

LES PÂTISSERIES

La pâte signe la compétence du cuisinier ou de la cuisinière. On la dit délicate, voire difficile à réussir. Mais, une fois que l'on maîtrise les règles de base, sa préparation n'a plus de secrets! Pâte brisée ou pâte feuilletée, pâte à choux ou pâte à strudel, dorée à point et laissant transparaître son léger goût de beurre, elle se prête à la création de sublimes desserts. On comprend pourquoi presque tous les pays du monde revendiquent leurs propres spécialités : tarte Tatin, apple pie anglais, strudel autrichien… Les recettes qui suivent invitent à poursuivre une exploration gourmande sur une note des plus savoureuses.

PÂTE FEUILLETÉE Cette pâte riche

en beurre est pliée plusieurs fois pour obtenir une succession de « feuilles » qui sont

abaissées au rouleau. À la cuisson, ce feuilletage gonfle et donne une pâte aérée…

Pour que la pâte soit parfaite et gonfle régulièrement, les bords doivent être coupés nettement avec un couteau bien affûté. Le glaçage à l'œuf ajoute une note brillante, mais il doit être appliqué avec soin car, s'il coule sur les côtés, il risque de coller les couches entre elles et de les empêcher de lever régulièrement. Avant le feuilletage, la pâte doit reposer 15 à 20 minutes au réfrigérateur.

La cuisson s'effectue toujours à température très élevée ; si la chaleur n'est pas uniforme dans le four, tourner la pâte lorsqu'elle commence à gonfler.

Quand la pâte est cuite, la surface et la base sont dorées, le cœur reste tendre et les différentes « feuilles » sont visibles. Il arrive que la pâte feuilletée se déforme ou ne gonfle pas autant que souhaité, mais ce n'est pas grave… bien cuite, elle sera délicieuse.

PRÉPARATION DE LA PÂTE FEUILLETÉE

Cette recette permet de préparer 500 g de pâte. Prévoir 200 à 250 g de beurre, 250 g de farine ordinaire, 1/2 cuil. à café de sel et 170 ml d'eau fraîche. Si l'on n'a jamais préparé de pâte feuilletée, il est préférable d'utiliser seulement 200 g de beurre.

I Faire fondre 30 g de beurre dans une casserole. Tamiser la farine et le sel sur un plan

de travail, puis creuser un puits au milieu. Ajouter le beurre et l'eau dans le puits, mélanger du bout des doigts en incorporant petit à petit la farine. Il faut obtenir la consistance d'une semoule. Si la pâte semble un peu sèche, mouiller avec quelques gouttes d'eau avant de continuer à la manier.

2 Travailler la pâte à l'aide d'une spatule en bois, en « creusant » vers le bas. Retourner la pâte et recommencer. Façonner le pâton en boule. Faire une croix sur le dessus (cela aère la pâte et évite qu'elle ne se rétracte), envelopper de film plastique et réserver 15 à 20 minutes au réfrigérateur.

3 Ramollir le reste de beurre en l'écrasant au rouleau entre deux feuilles de papier sulfurisé. L'étaler ensuite sous forme de carré de 10 cm de côté, toujours entre les feuilles de papier. Le beurre doit offrir la même consistance que le pâton, sinon les couches

ne seront pas régulières : si le beurre est trop mou, il risque de déborder. S'il est trop dur, il s'enfonce dans la pâte et déforme les couches.

4 Poser le pâton sur un plan de travail bien fariné. Étaler la pâte au rouleau en formant quatre « languettes » (comme une croix). Le centre doit rester plus épais. Poser le beurre au centre de la croix et replier les languettes par-dessus. Placer la pâte de façon que la charnière se trouve à gauche (comme si c'était un livre avec, à gauche, la reliure). Étaler en un rectangle de 15 x 45 cm. Veiller à ce que les angles soient bien droits (sinon, les bords sont de moins en moins nets chaque fois que l'on plie la pâte, et les couches ne sont pas régulières).

5 Plier cette première abaisse de pâte comme s'il s'agissait d'une lettre : rabattre la partie du haut (un tiers de la surface) vers le

centre, de même que la partie basse (également un tiers de la surface), en formant un carré. Au fur et à mesure, ôter l'excédent de farine. Faire pivoter la pâte de manière que le pli se trouve à gauche ; aplatir au rouleau pour sceller. Étaler de nouveau et plier comme précédemment. On a ainsi effectué deux « tours ». Envelopper la pâte de film plastique et réserver au frais 10 minutes.

6 Fariner le pâton, puis l'abaisser au rouleau ; procéder à deux autres pliages en suivant la technique indiquée ci-dessus. Réserver au frais 10 minutes. On peut faire jusqu'à six tours. Par temps très chaud, il est indispensable de laisser reposer la pâte au réfrigérateur entre chaque tour. La pâte feuilletée prête à être utilisée a une couleur jaune régulière. Si elle offre un aspect strié, étaler et plier une fois de plus. Laisser la pâte au frais jusqu'au moment de l'employer.

LE PITHIVIERS

Ce dessert doit son nom à la ville de Pithiviers, aux confins de la Beauce et du Gâtinais, où il est tradition-nellement servi à l'occasion de l'Épiphanie, faisant office de galette des Rois. Il consiste en deux cercles de pâte feuilletée enfermant une garniture à la frangipane (crème aux amandes). Le dessus est décoré d'un motif en forme de rosace et généralement festonné. La fève cachée dans la galette est supposée porter chance à celui qui la trouve.

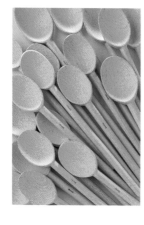

EN HAUT : Tarte brûlée au citron

TARTE BRÛLÉE AU CITRON

Préparation : 40 minutes + réfrigération
Cuisson : 35 minutes
Pour 4 personnes

★★

315 ml de crème liquide

2 cuil. à café de zeste de citron râpé

4 jaunes d'œufs

2 cuil. à soupe de sucre en poudre

2 cuil. à café de Maïzena

2 cuil. à soupe de jus de citron

400 g de pâte feuilletée, ou 2 fonds de tarte
    prêts à étaler

90 g de sucre en poudre

1 Dans une casserole, faire chauffer la crème avec le zeste de citron jusqu'à ce qu'elle frémisse, puis laisser tiédir. Dans une jatte, fouetter les jaunes d'œufs, le sucre, la Maïzena et le jus de citron pour obtenir un mélange clair et épais.

2 Incorporer petit à petit la crème, sans cesser de battre. Filtrer dans une casserole propre et remuer sur feu doux jusqu'à épaississement ; la préparation doit napper le dos d'une cuillère en bois. Verser dans une jatte résistant à la chaleur, couvrir de film plastique et laisser au réfrigérateur plusieurs heures ou toute une nuit.

3 Préchauffer le four à 210 °C (therm. 6-7). Graisser légèrement quatre moules à tarte à fond amovible de 12 cm de diamètre. Étaler le pâton en un rectangle de 48 x 25 cm, puis découper quatre cercles, de manière à foncer chaque moule. Dans le cas d'une pâte prête à étaler, découper deux cercles dans chaque feuille. Foncer les moules, égaliser les bords et piquer le fond à la fourchette. Couvrir de papier sulfurisé et parsemer de pois secs. Faire cuire 15 minutes au four, ôter le papier et les pois secs, puis prolonger la cuisson 5 minutes, jusqu'à ce que la pâte soit dorée. Laisser refroidir.

4 Garnir les fonds de pâte de crème au citron, en lissant la surface et en laissant un peu d'espace pour la couche de sucre. Couvrir le bord de la pâte de papier d'aluminium et saupoudrer généreusement la surface de sucre. Laisser sous le gril préchauffé jus-qu'à ce que le sucre commence à dorer. Poser les tartes près du gril pour qu'elles caramélisent rapide-ment, en veillant à ce qu'elles ne brûlent pas. Servir aussitôt.

PITHIVIERS INDIVIDUELS

Préparation : 40 minutes
Cuisson : 25 minutes
Pour 8 personnes

60 g de beurre

60 g de sucre en poudre

1 œuf

100 g d'amandes en poudre

1 cuil. à soupe de farine

2 cuil. à café de zeste d'orange râpé

1 cuil. à soupe de Cointreau

375 g de pâte feuilletée, ou 4 feuilles de pâte
  prête à étaler

1 œuf, légèrement battu, pour dorer

Crème fraîche, en accompagnement

1 Préchauffer le four à 210 °C (therm. 6–7).
Graisser deux plaques à pâtisserie et couvrir de
papier sulfurisé. Travailler le beurre et le sucre au
batteur électrique pour obtenir une consistance
légère et crémeuse. Ajouter l'œuf et bien mélanger.
Incorporer les amandes en poudre, la farine, le zeste
d'orange et le Cointreau. Couvrir et réserver au
réfrigérateur.

2 Partager le pâton en deux. En étaler une moitié
en forme de rectangle suffisamment grand pour y
découper huit cercles de 10 cm de diamètre. Poser
délicatement sur les plaques à pâtisserie. Avec un
emporte-pièce plus petit, délimiter un cercle de
7 cm sur chacun. Répartir la préparation à base
d'amandes sur les disques de pâte, en l'étalant régulièrement à l'intérieur du petit cercle. Badigeonner
le bord d'œuf battu.

3 Étaler le reste de pâte. Découper des disques de
10 cm avec un grand emporte-pièce, puis poser sur
la garniture en appuyant sur les bords pour les souder. Badigeonner la surface d'œuf battu en évitant de
déborder sur les côtés, afin que la pâte lève bien.
Avec la pointe d'un couteau, dessiner un motif en
forme de rosace sur le dessus de chaque pithiviers.
Enfourner 20 à 25 minutes, jusqu'à ce que la pâte
soit gonflée et dorée. Servir avec de la crème fraîche.

PITHIVIERS

Dessiner un motif en forme de
rosace à la surface de chaque
pithiviers avec la pointe d'un couteau.

CI-DESSOUS :
Pithiviers individuels

JALOUSIE

Préparation : 40 minutes
Cuisson : 45 minutes
Pour 4 à 6 personnes

★★

30 g de beurre

45 g de cassonade

500 g de pommes, pelées, évidées et
    coupées en cubes

1 cuil. à café de zeste de citron râpé

1 cuil. à soupe de jus de citron

1 pincée de noix muscade

1 pincée de cannelle en poudre

30 g de raisins de Smyrne

375 g de pâte feuilletée

1 œuf, légèrement battu, pour dorer

1 Préchauffer le four à 220 °C (therm. 7). Graisser légèrement une plaque à pâtisserie et couvrir de papier sulfurisé. Faire fondre le beurre et la cassonade dans une poêle. Ajouter les pommes, le zeste et le jus de citron. Faire chauffer 10 minutes à feu moyen, en remuant de temps en temps, jusqu'à ce que les pommes soient cuites : le mélange doit être épais et sirupeux. Incorporer la noix muscade, la cannelle et les raisins secs. Laisser refroidir complètement.

2 Partager le pâton en deux. En étaler une moitié en forme de rectangle de 24 x 18 cm. Couvrir de préparation, en laissant une bordure de 2,5 cm. Badigeonner le bord d'œuf battu.

3 Étaler la deuxième portion de pâte sur un plan fariné, en formant un rectangle de 25 x 18 cm. Entailler la surface dans la largeur avec un couteau pointu, en laissant une bordure de 2 cm tout autour. Les fentes doivent évoquer les lamelles d'une jalousie (store vénitien). Poser sur les fruits, puis souder et rogner les bords. Relever les bords de la pâte avec un couteau pour qu'elle monte bien pendant la cuisson. Badigeonner la surface d'œuf battu. Faire cuire 25 à 30 minutes au four, jusqu'à ce que la pâte soit gonflée et dorée.

LA PÂTE FEUILLETÉE

La pâte feuilletée est commercialisée sous différentes formes. Les pâtons sont disponibles surgelés ou frais ; la pâte prête à étaler, surgelée ou fraîche. Cette dernière est très pratique, car les bords sont réguliers. Les matières grasses contenues dans la pâte feuilletée sont parfois d'origine végétale. Pour l'enrichir d'une saveur de beurre, la badigeonner de beurre fondu et laisser au frais avant de l'humecter d'œuf.

CI-CONTRE : Jalousie

MILLE-FEUILLE

Préparation : 30 minutes
Cuisson : 1 h 30
Pour 6 à 8 personnes

600 g de pâte feuilletée, ou 3 feuilles de pâte
    prête à étaler
600 ml de crème fraîche épaisse
500 g de petites fraises, coupées en deux
70 g de myrtilles (facultatif)
Sucre glace, pour la décoration

1 Préchauffer le four à 220 °C (therm. 7). Couvrir une plaque à pâtisserie de papier sulfurisé. Si l'on utilise un pâton, le partager en trois portions. Étaler la pâte en trois feuilles de 25 cm de côté. Poser une feuille sur la plaque et la piquer à la fourchette. Couvrir de papier sulfurisé, placer une autre plaque par-dessus et enfourner 15 minutes. Retourner les plaques et faire cuire 10 à 15 minutes de l'autre côté ; la pâte doit être dorée. Laisser refroidir et procéder de même avec les deux autres feuilles de pâte.
2 Égaliser le bord des carrés de pâte feuilletée, et les partager chacun en deux. Verser la crème dans une grande jatte, puis fouetter jusqu'à obtention d'une consistance ferme. Placer deux carrés de pâte sur un plat de service et étaler dessus un peu de crème. Garnir de fraises et éventuellement de myrtilles, en appuyant dessus. Poser deux carrés de pâte dessus et garnir de nouveau avec des fruits. Mettre les deux derniers carrés de pâte et saupoudrer de sucre glace.

GALETTE AUX POMMES

Préparation : 45 minutes + réfrigération
Cuisson : 30 minutes
Pour 8 personnes

250 g de farine
375 g de beurre, en morceaux
8 pommes
185 g de sucre en poudre

1 Mettre la farine et 250 g de beurre dans une jatte, mélanger avec une spatule pour obtenir une texture friable. Ajouter petit à petit 125 ml d'eau fraîche, en remuant jusqu'à ce que la préparation soit homogène. Poser sur un plan fariné et étaler en un rectangle. Attention, la pâte est fragile… La replier sur trois épaisseurs égales, puis la faire pivoter pour que la pliure se trouve à gauche. Étaler de nouveau en un grand rectangle, et faire pivoter le pâton de la même façon. Envelopper de film plastique et réserver 30 minutes au réfrigérateur.
2 Continuer à feuilleter la pâte : la plier deux autres fois en la faisant pivoter comme indiqué ci-dessus, puis laisser de nouveau 30 minutes au réfrigérateur. Recommencer six fois en tout. Envelopper de film plastique et réserver au frais jusqu'à l'emploi. La pâte se conserve 2 jours au réfrigérateur ou 3 mois au congélateur.
3 Préchauffer le four à 190 °C (therm. 5). Étaler la pâte sur 3 mm d'épaisseur sur un plan légèrement fariné. Découper huit disques de 10 cm de diamètre. Peler et évider les pommes, les émincer finement. Disposer les pommes en forme de rosace sur la pâte. Saupoudrer de sucre et parsemer du reste de beurre. Faire cuire 20 à 30 minutes sur des plaques à pâtisserie graissées, jusqu'à ce que la pâte soit croustillante et dorée. Servir chaud.

EN HAUT :
Galette aux pommes

PÂTE DEMI-FEUILLETÉE

Pétrir la pâte jusqu'à obtention d'une consistance lisse.

Étaler le pâton en un rectangle et parsemer les deux tiers supérieurs de cubes de beurre froid.

Replier le tiers inférieur de la pâte sur le milieu, puis le tiers supérieur par-dessus.

Tourner la pâte de façon que le pli se trouve à droite. Souder les bords en appuyant dessus, puis étaler et plier comme précédemment.

PAGE CI-CONTRE :
Tarte à la banane
(en haut); Feuilleté
aux cerises (en bas).

TARTE À LA BANANE

Préparation : 40 minutes + réfrigération
Cuisson : 35 minutes
Pour 6 personnes

★ ★

Pâte demi-feuilletée
215 g de farine
160 g de beurre (en réfrigérer 100 g)

Le zeste et le jus de 2 oranges
4 cuil. à soupe de cassonade
1/2 cuil. à café de graines de cardamome
1 cuil. à soupe de rhum
3 ou 4 bananes mûres

1 Pour confectionner la pâte, tamiser la farine dans une jatte avec une pincée de sel et mélanger le beurre non réfrigéré du bout des doigts. Ajouter environ 155 ml d'eau, en mélangeant avec un couteau pour obtenir la consistance d'une pâte. Poser sur un plan fariné et pétrir jusqu'à ce que la pâte devienne lisse. Étaler en un rectangle de 10 x 30 cm. Détailler un tiers du beurre froid en cubes et parsemer sur les deux tiers supérieurs de la pâte, en laissant une bordure tout autour. Replier le tiers inférieur sur le milieu, le tiers supérieur par-dessus, et souder les bords en appuyant dessus. Tourner la pâte vers la gauche, de façon que le pli se trouve à droite. Étaler et plier comme précédemment. Laisser 20 minutes au réfrigérateur, puis, en plaçant le pli à droite, étaler, couvrir les deux tiers supérieurs avec un tiers de beurre, étaler et plier. Procéder de même avec le reste de beurre, puis étaler et plier encore une fois sans ajouter de beurre.
2 Étaler le pâton en un rectangle de 25 x 30 cm. Découper une bande de 2 cm de largeur le long de chaque côté et la coller sur le bord correspondant en humectant la pâte. Égaliser, poser la pâte sur une plaque recouverte de papier sulfurisé, protéger de film plastique et réserver au réfrigérateur jusqu'à l'emploi.
3 Mettre dans une petite casserole le jus et le zeste d'orange, la cassonade et les graines de cardamome, porter à ébullition, laisser frémir 5 minutes, puis retirer du feu et ajouter le rhum. Laisser refroidir. Préchauffer le four à 220 °C (therm. 7).
4 Couper les bananes en deux dans la longueur, les disposer sur la pâte en couche régulière, le côté coupé sur le dessus, et badigeonner de sirop. Faire cuire 20 à 30 minutes sur la grille supérieure, en veillant à ce que la pâte ne brûle pas. Arroser de sirop avant de servir.

FEUILLETÉ AUX CERISES

Préparation : 15 minutes + réfrigération
Cuisson : 25 minutes
Pour 4 personnes

★ ★

375 g de pâte feuilletée
1 œuf, légèrement battu
20 g de beurre
20 g de sucre en poudre
500 g de cerises, dénoyautées
300 ml de crème fraîche épaisse
125 ml de cognac ou de kirsch
Sucre glace, pour la décoration

1 Étaler la pâte sur un plan fariné et découper quatre rectangles de 10 x 12 cm chacun. Les placer sur une plaque à pâtisserie garnie de papier sulfurisé et les badigeonner d'œuf battu, en veillant à ce qu'il ne coule pas sur les côtés de la pâte. Réserver 30 minutes au réfrigérateur. Préchauffer le four à 220 °C (therm. 7).
2 Faire fondre le beurre et le sucre dans une casserole, ajouter les cerises. Faire cuire 1 minute à feu vif, puis réduire et laisser frémir 3 minutes. Baisser le feu au minimum pour garder les cerises au chaud.
3 Faire cuire la pâte 15 minutes sur la grille supérieure du four, jusqu'à ce qu'elle soit gonflée et dorée, puis partager chaque rectangle en deux à l'horizontale, en retirant les grumeaux s'il y en a au milieu. Éteindre le four, remettre les feuilletés à l'intérieur et laisser sécher quelques minutes.
4 Avant de servir, fouetter la crème jusqu'à obtention d'une consistance ferme. Poser un morceau de pâte chaud sur chaque assiette de service. Faire chauffer le cognac ou le kirsch dans une petite casserole et faire flamber. Verser sur les cerises (prévoir un couvercle de casserole à proximité pour étouffer éventuellement les flammes). Garnir les morceaux de pâte de cette préparation et ajouter un peu de crème. Couvrir avec un autre morceau de pâte et saupoudrer de sucre glace avant de servir.

PETITE ASTUCE POUR UNE PÂTE BIEN CUITE

Pendant que le four chauffe, placer une plaque à pâtisserie sur la grille du four, et poser sur cette plaque celle sur laquelle la pâte est étalée : ainsi, la base de la pâte sera parfaitement cuite.

PÂTE BRISÉE

Pour réussir la pâte, il faut travailler rapidement, avec des ingrédients frais et dans une

pièce bien tempérée. Une plaque de marbre est le plan de travail idéal.

Si l'on n'a pas de plaque de marbre, poser un plateau mouillé d'eau glacée sur le plan de travail quelque temps avant de commencer. Utiliser du beurre doux, et non de la margarine ou une pâte à tartiner.

Une pâte non sucrée se marie bien avec les garnitures sucrées, car elle apporte un agréable contraste de saveurs. Pour préparer une pâte sucrée, il suffit d'ajouter 2 cuil. à soupe de sucre en poudre dans la farine. Certaines recettes contiennent des jaunes d'œufs, qui donnent une belle couleur à la pâte.

PRÉPARATION DE LA PÂTE BRISÉE

Pour un moule de 24 cm de diamètre, prévoir 185 g de farine, 100 g de beurre doux, très froid, en morceaux, et 2 à 4 cuil. à soupe d'eau fraîche.

1 Tamiser la farine dans une grande jatte et ajouter le beurre. Mélanger du bout des doigts jusqu'à obtention d'une texture friable. 2 Creuser un puits au milieu, ajouter 2 à 4 cuil. à soupe d'eau et mélanger à l'aide

d'un couteau ou d'une spatule. Il vaut mieux « couper » la préparation plutôt que de la mélanger, en tournant la jatte de l'autre main ; ainsi, les ingrédients s'amalgament progressivement. Pour voir s'il y a suffisamment d'eau, pincer un petit morceau de pâte entre les doigts : s'il s'effrite, mouiller légèrement. Si la pâte est trop sèche, elle se cassera lorsqu'elle sera étalée. En revanche, si elle est trop humide, elle collera et se rétractera à la cuisson.

3 Rassembler délicatement la pâte et la poser sur du papier sulfurisé ou sur un plan fariné. Former une boule avec, sans la pétrir. Procéder rapidement mais délicatement.

4 Aplatir la pâte en forme de cercle, envelopper de film plastique et laisser 20 minutes au réfrigérateur. L'étaler ensuite entre deux feuilles de papier sulfurisé ou de film plastique, ou sur un plan fariné. Procéder toujours du centre vers l'extérieur, en faisant tourner la pâte, plutôt que d'avant en arrière.

5 Si la pâte a été étalée sur du papier, retirer la feuille du dessus, retourner soigneusement la pâte sur le moule (veiller à bien la centrer, car on ne peut plus la déplacer ensuite), puis ôter la deuxième feuille. Si elle a été étalée sur un plan fariné, enrouler la pâte autour du rouleau à pâtisserie puis foncer le moule.

6 Une fois la pâte dans le moule, soulever aussitôt le pourtour de pâte en le laissant dépasser (veiller à ce qu'il ne se déchire pas sur le bord du moule, parfois tranchant, notamment dans le cas de plats en métal). Appliquer la pâte contre le fond du moule en pressant délicatement. Si nécessaire, utiliser les chutes préalablement roulées en boule. Glisser un rouleau à pâtisserie sur les bords pour les égaliser. Si le moule est en verre ou en porcelaine à feu, utiliser un couteau d'office pour ôter l'excédent de pâte.

7 La pâte brisée se rétracte un peu durant la cuisson : il est donc important que les bords soient un peu plus grands que ceux du moule. Si les bords ont été égalisés au rouleau à pâtisserie, la pâte peut se décoller des côtés. Les presser doucement avec les pouces. Laisser reposer la pâte 15 minutes au réfrigérateur pour qu'elle s'assouplisse (elle se rétractera moins). Préchauffer le four.

LA CUISSON À BLANC

Lorsque la pâte est destinée à recevoir une garniture humide, il est conseillé de la cuire en partie à blanc pour éviter qu'elle ne se détrempe. Si elle ne passe pas au four une fois garnie, elle doit être entièrement cuite à blanc. Avec cette technique, la pâte cuit sans la garniture, mais il faut la parsemer de pois secs (ou autres) pour éviter qu'elle ne se soulève.

Couvrir la pâte de papier sulfurisé et la parsemer de noyaux de cuisson. Faire cuire pendant le temps indiqué, puis ôter le papier et les pois secs. Enfourner de nouveau la pâte. Une fois cuite, elle doit avoir un aspect sec, sans taches grasses. Dans le cas de tartelettes, piquer simplement la pâte à la fourchette pour éviter qu'elle ne se soulève, mais seulement lorsque la recette l'indique car la garniture risque de boucher les trous.

Laisser refroidir la pâte complètement avant d'ajouter la garniture. Les garnitures cuites doivent être versées froides, pour éviter de détremper la pâte.

Faire chauffer la confiture jusqu'à ce qu'elle se liquéfie, puis passer au chinois pour éliminer les grumeaux. Étaler délicatement sur les fruits avec un pinceau.

CI-DESSOUS :
Tarte aux fruits

TARTE AUX FRUITS

Préparation : 40 minutes + réfrigération
Cuisson : 40 minutes
Pour 6 personnes

Pâte brisée
155 g de farine
2 cuil. à soupe de sucre en poudre
90 g de beurre, froid, en morceaux
1 jaune d'œuf
1 cuil. à soupe d'eau fraîche

Garniture
250 ml de lait
3 jaunes d'œufs
60 g de sucre en poudre
2 cuil. à soupe de farine
1 cuil. à café d'essence de vanille
Fraises, kiwis et myrtilles
Confiture d'abricots, pour le glaçage

1 Tamiser la farine dans une jatte. Ajouter le sucre et le beurre. Mélanger du bout des doigts pour avoir une consistance de semoule. Creuser un puits au milieu, y mettre le jaune d'œuf et l'eau. Mélanger à l'aide d'un couteau ou d'une spatule. Poser sur un plan fariné et former une boule. Pétrir légèrement jusqu'à obtention d'une consistance lisse, puis étaler de manière à garnir un moule à flan cannelé de 35 x 10 cm, à fond amovible. Foncer le moule et égaliser les bords. Réserver 20 minutes au réfrigérateur. Préchauffer le four à 190 °C (therm. 5).

2 Couvrir la pâte de papier sulfurisé et la parsemer de pois secs. Faire cuire 15 minutes au four, ôter le papier et les pois secs, puis prolonger la cuisson 20 minutes : le dessous doit être cuit à point et le bord doré. Laisser refroidir complètement hors du four.

3 Pour préparer la garniture, porter le lait à ébullition dans une petite casserole. Retirer du feu. Dans une jatte, travailler rapidement les jaunes d'œufs et le sucre au fouet jusqu'à obtention d'un mélange léger et crémeux. Ajouter la farine, puis verser doucement le lait chaud en remuant avec le fouet.

Laver la casserole, y remettre la préparation et porter à ébullition sur feu moyen en continuant à fouetter. Laisser bouillir 2 minutes, en tournant de temps en temps. Transvaser dans une jatte et ajouter l'essence de vanille. Laisser tiédir à température ambiante, en remuant souvent pour éviter la formation d'une pellicule en surface. Couvrir de film plastique et laisser refroidir au réfrigérateur.

4 Couper les fraises en deux, peler les kiwis et les émincer. Verser la crème froide sur la pâte et disposer tous les fruits dessus, en appuyant légèrement. Faire chauffer la confiture dans le four à micro-ondes ou dans une petite casserole jusqu'à ce qu'elle se liquéfie, la passer au chinois pour éliminer les grumeaux, puis en badigeonner les fruits avec un pinceau à pâtisserie. Servir la tarte le jour même, à température ambiante. Réserver au réfrigérateur par temps chaud.

NOTE : Le moule à flan, qui est rectangulaire, peut être remplacé par un moule à tarte cannelé de 24 cm de diamètre. Les fruits peuvent varier en fonction de la saison et des goûts de chacun.

TARTE AU CITRON ET AUX AMANDES

Préparation : 40 minutes + réfrigération
Cuisson : 1 heure
Pour 6 à 8 personnes

★ ★

Pâte au citron

250 g de farine, tamisée

60 g de sucre en poudre

125 g de beurre, ramolli

1 cuil. à café de zeste de citron finement râpé

2 jaunes d'œufs

Garniture

350 g de ricotta, égouttée

90 g de sucre en poudre

3 œufs, bien battus

1 cuil. à soupe de zeste de citron finement râpé

80 g d'amandes mondées, finement broyées

3 cuil. à soupe d'amandes effilées

Sucre glace, pour la décoration

1 Mettre dans une grande jatte la farine, le sucre et une pincée de sel. Creuser un puits au milieu, ajouter le beurre, le zeste et les jaunes d'œufs. Ramener la farine vers le centre et manier jusqu'à obtention d'une pâte lisse (ajouter un peu de farine si nécessaire). Envelopper de film plastique, aplatir légèrement, puis réserver 20 minutes au réfrigérateur.

2 Pour préparer la garniture, fouetter la ricotta et le sucre, de préférence au batteur électrique. Ajouter les œufs un par un sans cesser de battre. Incorporer le zeste en mélangeant grossièrement, puis les amandes broyées.

3 Préchauffer le four à 180 °C (therm. 4). Graisser de beurre fondu un moule à tarte de 20 cm de diamètre. Étaler la pâte sur un plan fariné et foncer le moule en égalisant les bords. Verser la garniture et lisser la surface. Saupoudrer d'amandes effilées, puis enfourner 55 minutes à 1 heure, jusqu'à ce que la pâte soit dorée et la garniture prise.

4 Laisser tiédir à température ambiante, puis démouler délicatement. Saupoudrer de sucre glace avant de servir, froid ou à température ambiante.

EN HAUT : Tarte au citron et aux amandes

CONSEILS

Pour préserver la texture croustillante de la pâte avec une garniture un peu liquide, la saupoudrer d'une cuil. à soupe de chapelure ou de semoule avant d'ajouter la garniture. On peut aussi humecter la pâte avec du blanc d'œuf et la remettre quelques minutes au four, ou encore l'enduire d'un glaçage (confiture d'abricots).

Si le fond de pâte se craquelle pendant la cuisson, boucher les fentes avec de la pâte crue et laisser 5 minutes au four, puis humecter de blanc d'œuf et enfourner de nouveau pour quelques minutes.

Lorsqu'un fond de pâte n'est pas destiné à recevoir une garniture liquide, on peut le piquer à la fourchette pour qu'il cuise uniformément et pour chasser les bulles d'air.

Dans le cas de petits fonds de pâte, délicats à manipuler, on peut remplacer le papier et les noyaux de cuisson par un moule plus petit. Il suffit de laisser sécher la pâte une ou deux minutes après avoir retiré ce moule.

Avant de faire cuire une tourte contenant une garniture liquide, il est important de creuser des cheminées dans le dessus de la pâte pour laisser s'échapper la vapeur.

TARTE MERINGUÉE AU CARAMEL

Préparation : 30 minutes + réfrigération
Cuisson : 1 heure
Pour 1 tarte

★★

Pâte brisée
250 g de farine
125 g de beurre, très froid, en morceaux
2 cuil. à soupe de sucre en poudre
1 jaune d'œuf
1 cuil. à soupe d'eau fraîche

Garniture
185 g de cassonade
40 g de farine
250 ml de lait
45 g de beurre
1 cuil. à café d'essence de vanille
1 jaune d'œuf

Meringue
2 blancs d'œufs
2 cuil. à soupe de sucre en poudre

1 Préchauffer le four à 180 °C (therm. 4). Graisser un moule à tarte de 24 cm assez profond. Tamiser la farine dans une grande jatte, incorporer le beurre et manier jusqu'à obtention d'une texture friable. Ajouter le sucre, le jaune d'œuf et l'eau. Malaxer pour rendre la pâte homogène, puis former une boule. Envelopper de film plastique et réserver 20 minutes au réfrigérateur.

2 Étaler la pâte entre deux feuilles de papier sulfurisé, et foncer le moule, bords compris. Égaliser le pourtour, piquer avec une fourchette. Réserver 20 minutes au réfrigérateur. Recouvrir la pâte de papier sulfurisé, parsemer de pois secs et enfourner 35 minutes. Retirer le papier et les pois secs.

3 Pour la garniture, mettre la cassonade et la farine dans une petite casserole. Incorporer peu à peu le lait au fouet pour former une pâte lisse. Ajouter le beurre, puis remuer au fouet à feu doux pendant 8 minutes, jusqu'à ce que le mélange commence à bouillir et épaississe. Retirer du feu, ajouter la vanille et le jaune d'œuf. Battre pour rendre la préparation homogène. Verser sur le fond de pâte en lissant la surface.

4 Fouetter les blancs d'œufs en neige ferme. Ajouter le sucre petit à petit, sans cesser de battre : le mélange doit être épais et brillant. En couvrir la garniture et dessiner des motifs avec une fourchette ou un couteau. Laisser dorer 5 à 10 minutes au four. Servir chaud ou froid.

CI-CONTRE : Tarte meringuée au caramel

TARTE AUX DATTES ET AU MASCARPONE

Préparation : 50 minutes + réfrigération
Cuisson : 40 à 45 minutes
Pour 6 à 8 personnes

Pâte à la noix de coco

90 g de farine de riz

60 g de farine ordinaire

100 g de beurre, très froid, en morceaux

2 cuil. à soupe de sucre glace

25 g de noix de coco en poudre

100 g de pâte d'amandes, râpée

Garniture

8 dattes fraîches (environ 200 g), dénoyautées

2 œufs

2 cuil. à café de préparation pour
   crème anglaise

125 g de mascarpone

2 cuil. à soupe de sucre en poudre

80 ml de crème liquide

2 cuil. à soupe d'amandes effilées

1 Préchauffer le four à 180 °C (therm. 4). Graisser un moule à flan à fond amovible de 10 x 35 cm. Tamiser les farines dans une grande jatte. Incorporer le beurre et manier jusqu'à obtention d'une texture friable. Pétrir délicatement en rassemblant le pâton. Ajouter le sucre glace, la noix de coco et la pâte d'amandes, pétrir, puis poser sur un plan fariné et former une boule. Aplatir légèrement, couvrir de film plastique et réserver 15 minutes au réfrigérateur.

2 Étaler la pâte entre deux feuilles de papier sulfurisé aux dimensions du moule. Foncer le moule et égaliser les bords. Réserver 5 à 10 minutes au réfrigérateur. Couvrir la pâte de papier sulfurisé et parsemer de noyaux de cuisson. Enfourner 10 minutes, puis retirer le papier et les noyaux. Prolonger la cuisson 5 minutes, jusqu'à ce que la pâte soit dorée. Laisser refroidir.

3 Couper les dattes en quatre dans la longueur et disposer sur la pâte. Travailler au fouet les œufs, la crème anglaise en poudre, le mascarpone, le sucre et la crème liquide pour obtenir un mélange lisse. Verser la préparation sur les dattes, parsemer d'amandes effilées. Faire cuire 25 à 30 minutes au four, jusqu'à ce que la garniture soit prise et dorée. Décorer éventuellement la tarte et servir chaud.

EN HAUT : Tarte aux dattes et au mascarpone

texture friable. Verser 2 ou 3 cuil. à soupe d'eau fraîche, puis remuer avec un couteau pour former une pâte ferme. Ajouter de l'eau si nécessaire. Poser sur un plan fariné et former une boule. Envelopper de film plastique et réserver 15 minutes au réfrigérateur. Étaler et foncer un moule à tarte de 24 cm de diamètre, puis laisser 20 minutes au réfrigérateur.

2 Préchauffer le four à 180 °C (therm. 4). Couvrir la pâte de papier sulfurisé et parsemer de pois secs. Faire cuire 15 minutes au four, puis retirer le papier et les pois secs. Prolonger la cuisson 10 minutes, jusqu'à ce que la pâte soit légèrement dorée. Laisser refroidir complètement hors du four.

3 Pour préparer la garniture, mettre le lait, le beurre et la mélasse dans une petite casserole. Remuer sur feu moyen pendant 5 minutes, jusqu'à ce que le mélange commence à bouillir et à épaissir, en prenant une coloration dorée. Laisser tiédir, puis disposer la moitié des bananes sur la pâte et verser le caramel dessus. Lisser la surface et laisser 30 minutes au frais.

4 Déposer des cuillerées de crème fraîche sur le caramel et décorer avec le reste de bananes. Arroser de chocolat fondu.

MINCEPIE

Préparation : 40 minutes
Cuisson : 1 heure + réfrigération
Pour 6 personnes

60 g de farine avec levure incorporée
185 g de farine ordinaire
125 g de beurre, très froid, en morceaux
2 cuil. à soupe de sucre en poudre
1 œuf, légèrement battu, pour dorer
Sucre glace, pour la décoration

Garniture au mincemeat
35 g de raisins de Corinthe
40 g de raisins de Smyrne
2 cuil. à soupe d'un assortiment d'écorces confites
30 g d'amandes effilées
45 g de cassonade
1 pincée de noix muscade râpée
1 pincée de cannelle en poudre
1 pomme, râpée
1 cuil. à café de zeste d'orange râpé
1 cuil. à café de zeste de citron râpé
100 g de cerises fraîches, dénoyautées
100 g de raisins blancs, coupés en deux
1 cuil. à soupe de whisky

TARTE À LA BANANE ET AU CARAMEL

À l'origine, pour préparer la garniture de cette tarte, on faisait bouillir le lait dans sa boîte de conserve non ouverte, afin qu'il se transforme en caramel. La méthode ci-contre est plus facile et plus rapide à réaliser! En Amérique du Sud, il existe une denrée équivalente appelée *dulce de leche* (en espagnol, *dulce* signifie sucré).

EN HAUT : Tarte à la banane et au caramel

TARTE À LA BANANE ET AU CARAMEL

Préparation : 35 minutes + réfrigération
Cuisson : 30 minutes
Pour 8 personnes

Pâte aux noix
150 g de farine
2 cuil. à soupe de sucre glace
85 g de noix, moulues
80 g de beurre, très froid, en morceaux

Garniture
400 g de lait concentré en boîte
30 g de beurre
1 cuil. à soupe de mélasse
4 bananes, émincées
375 ml de crème fraîche
50 g de chocolat noir supérieur, fondu

1 Pour préparer la pâte aux noix, tamiser la farine et le sucre dans une grande jatte. Ajouter les noix, le beurre, et mélanger du bout des doigts jusqu'à obtention d'une

1 Préchauffer le four à 200 °C (therm. 6). Graisser d'huile ou de beurre fondu six moules à tartelette cannelés, à fond amovible, de 8 cm de diamètre et 3 cm de profondeur.

2 Pour confectionner la pâte, tamiser les farines dans une jatte, puis incorporer le beurre et manier jusqu'à obtention d'une texture friable. Ajouter le sucre et 2 à 3 cuil. à soupe d'eau glacée, en remuant avec un couteau ou une spatule. Poser sur un plan fariné et former une boule. Envelopper de film plastique, puis laisser 15 minutes au réfrigérateur.

3 Réserver un quart de la pâte, diviser le reste en six portions. Étaler les pâtons et en foncer les moules. Laisser 10 minutes au frais. Couvrir la pâte de papier sulfurisé et parsemer de pois secs. Faire cuire 10 minutes au four, puis retirer le papier et les pois. Prolonger la cuisson 10 minutes et laisser refroidir. Baisser le four à 180 °C (therm. 4).

4 Mélanger tous les ingrédients de la garniture au mincemeat et en garnir les fonds de pâte cuits.

5 Étaler le reste de pâte sur 3 mm d'épaisseur, sur un plan fariné. Entailler la surface de bandelettes en croisillons à l'aide d'une roulette. Y former six disques avec un emporte-pièce de 10 cm de diamètre. Humecter d'œuf battu les bords des fonds de tartes garnis, superposer les disques de pâte en croisillons et souder les bords en appuyant dessus. Badigeonner d'œuf battu, puis faire cuire 45 minutes au four, jusqu'à ce que la pâte soit dorée. Laisser 5 minutes dans les moules, démouler soigneusement et laisser refroidir sur une grille. Saupoudrer de sucre glace avant de servir.

TARTE À LA CRÈME ANGLAISE

Préparation : 20 minutes + réfrigération
Cuisson : 1 heure
Pour 8 personnes

★ ★

185 g de farine

30 g de préparation pour crème anglaise

125 g de beurre, très froid, en morceaux

1 cuil. à soupe 1/2 de sucre en poudre

1 jaune d'œuf

Crème anglaise

4 œufs, légèrement battus

2 cuil. à café d'essence de vanille

125 g de sucre en poudre

375 ml de lait

1 pincée de noix muscade râpée

1 Tamiser la farine et la crème anglaise en poudre dans une jatte. Incorporer le beurre et manier jusqu'à obtention d'une texture friable. Ajouter le sucre, le jaune d'œuf et 1 ou 2 cuil. à soupe d'eau, en remuant avec un couteau pour former une pâte homogène. Envelopper de film plastique et laisser 30 minutes au réfrigérateur.

2 Préchauffer le four à 190 °C (therm. 5). Graisser un moule à tarte de 20 cm de diamètre. Étaler la pâte entre deux feuilles de papier sulfurisé et foncer le moule. Égaliser le bord, en dessinant éventuellement un feston. Couvrir de papier sulfurisé et parsemer de pois secs. Faire cuire 10 minutes au four, puis retirer le papier et les pois. Prolonger la cuisson 5 minutes, jusqu'à ce que la pâte soit sèche (couvrir le bord de papier d'aluminium s'il brûle). Laisser refroidir. Réduire la chaleur du four à 180 °C (therm. 4).

3 Pour préparer la garniture à la crème, mélanger les œufs, la vanille et le sucre. Porter le lait à ébullition, puis verser petit à petit dans la préparation précédente. Poser le moule sur une plaque à pâtisserie, tamiser la garniture au-dessus du fond de pâte et saupoudrer de noix muscade. Faire cuire 40 minutes au four : la garniture doit être prise au centre. Laisser refroidir et découper avant de servir.

CI-DESSOUS :
Tarte à la crème anglaise

TARTE AU POTIRON

Préparation : 30 minutes + réfrigération
Cuisson : 55 minutes
Pour 8 personnes

Pâte brisée

150 g de farine

100 g de beurre, très froid, en morceaux

2 cuil. à café de sucre en poudre

4 cuil. à soupe d'eau fraîche

1 jaune d'œuf, légèrement battu

1 cuil. à soupe de lait

Garniture

2 œufs, légèrement battus

185 g de cassonade

500 g de potiron, cuit, écrasé et refroidi

80 ml de crème liquide

1 cuil. à café de cannelle en poudre

1/2 cuil. à café de noix muscade râpée

1/2 cuil. à café de gingembre en poudre

1 Préchauffer le four à 180 °C (therm. 4). Tamiser la farine dans une grande jatte. Incorporer le beurre et manier jusqu'à obtention d'une texture friable. Ajouter le sucre, puis presque tout le liquide. Malaxer jusqu'à obtention d'une pâte ferme, en ajoutant du liquide si nécessaire. Poser sur un plan fariné et former une boule. Aplatir légèrement, couvrir de film plastique et réserver au moins 30 minutes au réfrigérateur.

2 Étaler la pâte entre deux feuilles de papier sulfurisé, de manière à couvrir le fond et les parois d'un moule à tarte de 24 cm de diamètre. Étendre les chutes sur 2 mm d'épaisseur et découper en forme de feuilles. Dessiner les veines des feuilles. Battre le jaune d'œuf avec le lait pour en humecter le bord de la pâte. Disposer les feuilles tout autour, en appuyant légèrement dessus, et badigeonner d'œuf battu.

3 Couvrir la pâte de papier sulfurisé et de pois secs. Faire cuire 10 minutes au four, puis retirer le papier et les pois secs. Prolonger la cuisson 5 minutes, jusqu'à ce que la pâte soit légèrement dorée. Laisser refroidir hors du four.

4 Pour préparer la garniture, travailler les œufs et la cassonade au fouet dans une grande jatte. Ajouter le potiron, la crème et les épices ; bien mélanger. Verser sur la pâte et faire cuire 40 minutes au four, jusqu'à ce que la garniture soit prise. Si la pâte commence à brûler pendant la cuisson, recouvrir de papier d'aluminium. Servir à température ambiante.

TARTE AU FONDANT DE POMMES

Préparation : 25 minutes + réfrigération
Cuisson : 50 minutes
Pour 6 personnes

Pâte brisée

125 g de farine

75 g de beurre, très froid, en morceaux

1 jaune d'œuf, légèrement battu

1 cuil. à soupe d'eau fraîche

Garniture

125 g de flocons d'avoine

60 g de sucre en poudre

60 g de farine

100 g de beurre

2 cuil. à soupe de mélasse

400 g de compote de pommes

1 Préchauffer le four à 180 °C (therm. 4). Tamiser la farine dans une grande jatte et ajouter le beurre. Manier jusqu'à obtention d'une texture friable. Incorporer le jaune d'œuf et presque toute l'eau, malaxer sous forme de pâte ferme, en mouillant avec de l'eau si nécessaire. Poser sur un plan fariné et former une boule. Aplatir légèrement, couvrir de film plastique et réserver au moins 30 minutes au réfrigérateur.

2 Étaler la pâte entre deux feuilles de papier sulfurisé, de manière à couvrir le fond et les parois d'un moule à tarte de 20 cm de diamètre. Couvrir la pâte de papier sulfurisé et de pois secs. Faire cuire 10 minutes au four, puis retirer le papier et les pois secs. Prolonger la cuisson à blanc 5 minutes, pour faire dorer la pâte. Laisser refroidir hors du four.

3 Pour préparer la garniture, mettre l'avoine, le sucre et la farine tamisée dans une grande jatte et creuser un puits au milieu. Mélanger le beurre et la mélasse dans une casserole, sur feu doux, jusqu'à ce que le beurre fonde. Incorporer ensuite aux ingrédients secs et bien mélanger.

4 Étaler la compote de pommes sur la pâte. Couvrir avec la préparation à base d'avoine et lisser la surface avec le dos d'une cuillère. Faire cuire 30 minutes au four, jusqu'à ce que la garniture soit dorée. Laisser reposer 15 minutes dans le moule avant de découper pour servir.

LA TARTE AU POTIRON
La citrouille est probablement originaire d'Europe. Les recettes à base de citrouille remontent à la Renaissance. La cuisine de l'Italie du Nord utilise cet ingrédient en association avec des amandes et de l'orange dans la *crosta di zucca*. En Angleterre, les recettes de tarte à la citrouille apparurent aux XVIIe et XVIIIe siècles, mais elles semblent être tombées ensuite en désuétude. Pour consommer la citrouille, la couper en deux ou en quatre et la faire cuire au four. Débarrassée de son eau, la chair est plus ferme.

PAGE CI-CONTRE :
Tarte au potiron (en haut); Tarte au fondant de pommes (en bas).

LE CITRON

Si les historiens ne sont pas d'accord sur le lieu d'origine du citron, son existence a été attestée par les Grecs et les Romains, en Chine et dans la vallée de l'Indus. Les vertus les plus diverses lui ont été attribuées – les Romains le considéraient comme un antidote au poison et, sous Louis XIV, les femmes le suçaient pour rehausser la couleur de leurs lèvres. Le citron resta longtemps une denrée onéreuse, mais son prix chuta en 1795, lorsque la Marine anglaise commença à donner aux marins du jus de citron à titre préventif contre le scorbut – la relation entre le scorbut et la carence en vitamine C ayant été établie à la fin du XVIᵉ siècle.

Le citron entre dans la préparation d'une multitude de mets salés et sucrés. Il s'utilise généralement sous forme de jus ou de zeste pour parfumer les tartes, puddings, glaces et sorbets.

EN HAUT :
Tarte meringuée au citron

TARTE MERINGUÉE AU CITRON

Préparation : 1 heure + réfrigération
Cuisson : 45 minutes
Pour 6 personnes

185 g de farine

2 cuil. à soupe de sucre glace

125 g de beurre, très froid, en morceaux

3 cuil. à soupe d'eau glacée

Garniture

30 g de Maïzena

30 g de farine

250 g de sucre en poudre

185 ml de jus de citron

3 cuil. à café de zeste de citron râpé

40 g de beurre, en morceaux

6 jaunes d'œufs

Nappage meringué

6 blancs d'œufs

375 g de sucre en poudre

1/2 cuil. à café de Maïzena

1 Tamiser la farine et le sucre glace dans une grande jatte. Incorporer le beurre et manier jusqu'à obtention d'une texture friable. Ajouter presque toute l'eau et malaxer jusqu'à obtention d'une pâte ferme, en mouillant avec de l'eau si nécessaire. Poser sur un plan fariné et former une boule. Étaler entre deux feuilles de papier sulfurisé, de manière à garnir un plat à tarte de 24 cm de diamètre. Foncer le plat, égaliser le bord et réserver 20 minutes au frais. Préchauffer le four à 180 °C (therm. 4).

2 Couvrir la pâte de papier sulfurisé et parsemer de pois secs. Faire cuire 10 minutes au four, puis retirer le papier et les pois secs. Prolonger la cuisson 10 minutes, jusqu'à ce que la pâte soit dorée. Laisser refroidir.

3 Pour préparer la garniture, mettre les farines et le sucre dans une casserole moyenne. Incorporer le jus et le zeste de citron avec 375 ml d'eau. Fouetter sans arrêt sur feu moyen, jusqu'à ce que le mélange commence à épaissir. Réduire le feu et prolonger la cuisson 1 minute, puis ajouter le beurre et les jaunes d'œufs un par un, en battant. Transvaser dans une jatte, couvrir la surface de film plastique et laisser refroidir complètement.

4 Pour préparer le nappage meringué, préchauffer le four à 220 °C (therm. 7). Battre les blancs d'œufs en neige ferme (de préférence au batteur électrique) dans une petite jatte bien sèche. Ajouter petit à petit le sucre, sans cesser de battre, pour obtenir une préparation épaisse et brillante. Incorporer la Maïzena. Verser la garniture refroidie sur le fond de pâte. Garnir de meringue, en formant des crêtes. Faire cuire 5 à 10 minutes, jusqu'à ce que la meringue soit légèrement dorée. Servir chaud ou froid.

TARTE AU CITRON VERT

Préparation : 30 minutes + réfrigération
Cuisson : 1 heure
Pour 12 personnes

 ★ ★

Pâte aux amandes

150 g de farine

90 g d'amandes en poudre

90 g de beurre, très froid, en morceaux

1 ou 2 cuil. à soupe d'eau fraîche

Garniture

6 jaunes d'œufs

125 g de sucre en poudre

100 g de beurre, fondu

80 ml de jus de citron vert

2 cuil. à café de zeste de citron vert
   finement râpé

2 cuil. à café de gélatine (en feuilles, voir p. 11)

125 ml de crème fraîche

125 g de sucre en poudre

Le zeste de 4 citrons verts, en lanières fines

1 Tamiser la farine dans une grande jatte, puis ajouter les amandes et le beurre. Manier jusqu'à obtention d'une texture friable. Verser presque toute l'eau et malaxer, en mouillant avec de l'eau si nécessaire : la pâte doit être ferme. Poser sur un plan fariné et former une boule. Étaler la pâte de manière à couvrir un moule à tarte de 24 cm de diamètre. Foncer le moule, égaliser le bord et réserver 20 minutes au réfrigérateur.

2 Préchauffer le four à 180 °C (therm. 4). Couvrir la pâte de papier sulfurisé et parsemer de pois secs. Faire cuire 20 minutes au four, puis retirer le papier et les pois secs. Poursuivre la cuisson 20 minutes, jusqu'à ce que la pâte soit légèrement dorée. Laisser refroidir complètement.

3 Pour préparer la garniture, mettre les jaunes d'œufs, le sucre, le beurre, le jus et le zeste de citron dans une jatte résistant à la chaleur. Bien mélanger au fouet jusqu'à dissolution du sucre. Poser la jatte sur une casserole d'eau frémissante et remuer sans arrêt pendant 15 minutes, jusqu'à épaississement. Laisser tiédir hors du feu. Mettre 1 cuil. à soupe d'eau dans un bol résistant à la chaleur, saupoudrer uniformément la surface avec la gélatine et laisser gonfler. Porter à ébullition une casserole contenant 4 cm d'eau, la retirer du feu et poser délicatement le bol dedans. Remuer jusqu'à dissolution complète de la gélatine. Laisser tiédir, ajouter à la crème au citron et mélanger. Laisser refroidir à température ambiante, en tournant de temps en temps.

4 Incorporer la crème fraîche dans la crème au citron et verser sur la pâte. Laisser prendre 2 à 3 heures au réfrigérateur. Réserver 15 minutes à température ambiante avant de servir.

5 Pour préparer le zeste de citron, mélanger le sucre et 1 cuil. à soupe d'eau dans une petite casserole. Remuer sur feu doux jusqu'à dissolution du sucre. Porter à ébullition, ajouter le zeste et laisser frémir 3 minutes. Égoutter le zeste sur une grille à pâtisserie, puis décorer le dessert avant de servir.

EN HAUT :
Tarte au citron vert

TARTE TATIN

Faire dorer le beurre et le sucre. Remuer jusqu'à formation d'un caramel.

Disposer les quartiers de pommes dans la poêle en cercles concentriques, à la verticale, en les serrant bien.

Poser la pâte sur les pommes et rabattre les bords à l'intérieur de la poêle.

TARTE TATIN

Préparation : 35 minutes + réfrigération
Cuisson : 1 h 15
Pour 6 personnes

★★★

85 g de beurre, ramolli

1 jaune d'œuf

165 g de farine

100 g de beurre, en morceaux

185 g de sucre en poudre

10 pommes

1 Dans une jatte, travailler le beurre, le jaune d'œuf et 1 pincée de sel avec 30 ml d'eau froide. Tamiser la farine au-dessus et mélanger avec un couteau. Si la pâte paraît trop sèche, mouiller avec de l'eau, cuillerée par cuillerée, jusqu'à formation d'une boule. Envelopper de film plastique, aplatir légèrement, puis laisser 30 minutes au frais.
2 Faire fondre le beurre en morceaux dans une poêle de 25 cm de diamètre munie d'une poignée résistant à la chaleur. Ajouter le sucre et laisser chauffer jusqu'à ce qu'il commence à caraméliser. Continuer à faire cuire en remuant, jusqu'à ce que

le caramel devienne brun. Laisser refroidir. (Il se peut que le beurre se sépare du sucre.)
3 Peler les pommes, les couper en deux et les évider, puis les disposer dans la poêle en cercles concentriques, à la verticale, en les serrant bien car elles ont tendance à diminuer à la cuisson. Remettre la poêle à feu doux et faire cuire les pommes 15 minutes, jusqu'à ce qu'elles commencent à dorer. Retourner délicatement pour fairer dorer de l'autre côté. Mettre le feu plus fort pour faire réduire le jus. Le caramel doit être sirupeux, mais non liquide. Laisser refroidir. Préchauffer le four à 220 °C (therm. 7).
4 Étaler la pâte sur un plan fariné en forme de disque légèrement plus grand que la circonférence de la poêle. La glisser sur les pommes, dans la poêle. Rabattre les bords de pâte à l'intérieur de la poêle. Enfourner 20 à 25 minutes environ, jusqu'à ce que la pâte soit dorée. Renverser délicatement la tarte sur un plat de service (si des pommes adhèrent au fond de la poêle, les remettre sur la pâte), et servir.
NOTE : Le temps de cuisson peut varier en fonction du taux d'humidité des pommes. Choisir des pommes qui tiennent bien à la cuisson (granny-smith ou reine des reinettes). Garder la tarte au chaud avant de la retourner si elle n'est pas servie aussitôt, pour que le caramel reste sirupeux.

CI-CONTRE : Tarte tatin

TARTELETTES À L'ORANGE ET AUX NOIX DE MACADAM

Préparation : 40 minutes + réfrigération
Cuisson : 45 minutes
Pour 6 personnes

✿ ✿

Pâte brisée

185 g de farine

100 g de beurre, très froid, en morceaux

3 ou 4 cuil. à soupe d'eau fraîche

Garniture

240 g de noix de macadam

45 g de cassonade

2 cuil. à soupe de mélasse

20 g de beurre, fondu

1 œuf, légèrement battu

2 cuil. à café de zeste d'orange finement râpé

Sucre glace, pour la décoration

1 Préchauffer le four à 180 °C (therm. 4). Tamiser la farine dans une jatte. Incorporer le beurre et manier jusqu'à obtention d'une texture friable. Verser presque toute l'eau et malaxer avec un couteau pour rendre le mélange homogène, en mouillant avec de l'eau si nécessaire. Poser sur un plan fariné et former une boule. Diviser en six portions égales, étaler, puis foncer six moules à tartelette de 8 cm de diamètre. Réserver 15 minutes au réfrigérateur.

2 Découper des morceaux de papier sulfurisé aux dimensions des moules, les mettre dedans et les parsemer de pois secs. Mettre les moules sur une plaque à pâtisserie et faire cuire 15 minutes au four. Retirer le papier et les pois secs. Prolonger la cuisson 10 minutes, jusqu'à ce que la pâte soit dorée. Laisser refroidir complètement.

3 Étaler les noix en une seule couche sur une plaque à pâtisserie. Faire dorer 8 minutes, puis laisser refroidir hors du four.

4 Répartir les noix dans les moules. Travailler au fouet la cassonade, la mélasse, le beurre, l'œuf, le zeste d'orange et une pincée de sel. Verser sur les noix et faire cuire 20 minutes au four : la préparation doit être prise et légèrement dorée. Saupoudrer de sucre glace.

EN HAUT : Tartelettes à l'orange et aux noix de macadam

TARTE AUX PRUNEAUX ET AUX AMANDES

Préparation : I heure + trempage + réfrigération
Cuisson : 50 minutes
Pour 6 à 8 personnes

✷✷

375 g de pruneaux dénoyautés
170 ml de cognac
105 g de gelée de groseilles

Pâte aux amandes
185 g de farine
125 g de beurre, très froid, en morceaux
60 g d'amandes en poudre
60 g de sucre en poudre
1 jaune d'œuf
2 à 3 cuil. à soupe d'eau fraîche
50 g de pâte d'amandes, râpée

Crème anglaise
30 g de préparation pour crème anglaise
400 ml de lait
1 cuil. à soupe de sucre en poudre
125 g de crème fraîche
2 cuil. à café d'essence de vanille

EN HAUT : Tarte aux pruneaux et aux amandes

1 Faire macérer les pruneaux dans une casserole avec le cognac pendant 1 heure, puis laisser frémir 10 minutes à feu très doux, jusqu'à ce qu'ils soient tendres sans être défaits. Retirer avec une écumoire et laisser refroidir. Verser la gelée de groseilles dans la casserole et remuer sur feu doux jusqu'à dissolution. Couvrir et réserver.

2 Pour préparer la pâte aux amandes, tamiser la farine dans une grande jatte. Incorporer le beurre et manier jusqu'à obtention d'une texture friable. Ajouter les amandes et le sucre en remuant avec un couteau. Ajouter le jaune d'œuf, l'eau, et mélanger pour rendre la pâte homogène. Poser sur un plan fariné et former une boule. Aplatir légèrement, couvrir de film plastique, puis réserver 15 minutes au réfrigérateur. Préchauffer le four à 180 °C (therm. 4) et faire chauffer une plaque à pâtisserie.

3 Étaler la pâte entre deux feuilles de papier sulfurisé aux dimensions d'un moule à tarte de 24 cm de diamètre à fond amovible. Graisser le moule, puis le foncer et égaliser le tour. Réserver 15 minutes au réfrigérateur.

4 Couvrir la pâte de papier sulfurisé et parsemer de pois secs. Faire cuire 15 minutes sur la plaque chauffée, puis retirer le papier et les pois secs. Prolonger la cuisson pendant 5 minutes. Réduire la température du four à 160 °C (therm. 2-3). Saupoudrer la pâte d'amandes sur la pâte, puis faire cuire 5 à 10 minutes, jusqu'à ce qu'elle soit dorée. Laisser refroidir dans le moule.

5 Pour préparer la crème anglaise, dissoudre la poudre dans un peu de lait. Verser dans une casserole, puis ajouter le reste de lait et le sucre. Remuer sur feu moyen pendant 5 minutes, jusqu'à ce que le mélange commence à bouillir et à épaissir. Incorporer la crème fraîche et la vanille, retirer du feu et couvrir de film plastique pour éviter la formation d'une peau. Laisser tiédir.

6 Étaler la crème anglaise encore chaude sur la pâte. Couper les pruneaux en deux dans la longueur et les disposer sur la crème. Faire chauffer la gelée de groseilles et en napper la tarte. Laisser prendre au moins 2 heures au réfrigérateur avant de servir.

TARTE À LA FRAMBOISE

Préparation : 30 minutes + réfrigération
Cuisson : 20 minutes
Pour 6 à 8 personnes

★ ★

125 g de farine

40 g de sucre glace

90 g de beurre, très froid, en morceaux

1 jaune d'œuf

1/2 cuil. à café d'essence de vanille

Crème fraîche, en accompagnement

Garniture
750 g de framboises fraîches

30 g de sucre glace

100 g de gelée de groseilles

1 Tamiser la farine et le sucre glace dans une grande jatte. Incorporer le beurre et manier jusqu'à obtention d'une texture friable. Ajouter le jaune d'œuf, la vanille, 1/2 à 1 cuil. à soupe d'eau, puis malaxer à l'aide d'une spatule pour rendre la pâte homogène. Poser sur un plan fariné et former une boule. Aplatir légèrement, envelopper dans du film plastique et réserver 30 minutes au réfrigérateur.

2 Préchauffer le four à 180 °C (therm. 4). Étaler la pâte aux dimensions d'un moule à tarte rectangulaire de 35 x 10 cm, à fond amovible. Foncer le moule préalablement graissé, égaliser le tour, piquer le fond avec une fourchette, puis réserver 20 minutes au réfrigérateur. Couvrir la pâte de papier sulfurisé et parsemer de pois secs. Faire cuire 15 à 20 minutes au four, jusqu'à ce que la pâte soit dorée. Retirer le papier et les pois secs, puis prolonger la cuisson 15 minutes. Laisser refroidir sur une grille à pâtisserie.

3 Pour préparer la garniture, réserver 500 g des plus belles framboises et réduire le reste en purée avec le sucre glace. Étaler les framboises sur la pâte juste avant de servir.

4 Garnir avec les framboises entières. Faire fondre la gelée de groseilles dans une petite casserole jusqu'à obtention d'une consistance lisse. Badigeonner les framboises de gelée chaude avec un pinceau à pâtisserie. Découper et servir avec de la crème fraîche.

NOTE : Bien évidemment, vous pouvez utiliser des framboises surgelées : les laisser décongeler au réfrigérateur, le goût sera ainsi préservé.

EN HAUT :
Tarte à la framboise

TARTELETTES AU CITRON VERT ET AUX MYRTILLES

Préparation : 1 heure + temps de repos
Cuisson : 35 à 40 minutes
Pour 8 personnes

★★

Pâte aux amandes

45 g de farine de riz

60 g de farine ordinaire

100 g de beurre , très froid, en morceaux

45 g d'amandes en poudre

2 cuil. à soupe de sucre glace

Garniture au citron vert

1 cuil. à soupe de préparation pour crème anglaise

1 cuil. à soupe de sucre en poudre

60 ml de jus de citron vert

185 ml de crème liquide

90 g de crème fraîche, additionnée de quelques gouttes de citron

Purée de myrtilles

250 g de sucre en poudre

2 cuil. à soupe de jus de citron

125 g de myrtilles

1 bâton de cannelle

CI-DESSOUS :
Tartelettes au citron vert et aux myrtilles

1 Préchauffer le four à 180 °C (therm. 4). Graisser huit moules à tartelette de 60 ml.

2 Tamiser les farines dans une grande jatte. Incorporer le beurre et manier jusqu'à obtention d'une texture friable. Ajouter les amandes et le sucre, mouiller avec 1 cuil. à café d'eau et bien mélanger à l'aide d'une spatule. Former une boule et réserver 20 minutes au réfrigérateur.

3 Diviser la pâte en huit portions, étaler entre deux feuilles de papier sulfurisé et foncer les moules. Égaliser les bords. Couvrir la pâte de papier sulfurisé et parsemer de pois secs. Faire cuire 15 minutes au four, puis retirer le papier et les pois secs. Prolonger la cuisson 3 minutes, jusqu'à ce que la pâte soit dorée. Laisser reposer 5 minutes avant de faire refroidir sur une grille.

4 Mettre la crème anglaise en poudre, le sucre, le jus de citron et la crème liquide dans une casserole à fond épais. Remuer sans arrêt sur feu doux, jusqu'à ce que la préparation épaississe. Laisser tiédir. Incorporer la crème épaisse. Répartir dans les moules et laisser prendre au réfrigérateur.

5 Pour préparer la purée de myrtilles, mélanger le sucre et le jus de citron avec 170 ml d'eau dans une casserole à fond épais. Remuer sur feu doux, sans laisser bouillir, jusqu'à dissolution du sucre. Ajouter les myrtilles et la cannelle. Porter à ébullition, réduire et laisser frémir 5 minutes, en remuant de temps en temps. Laisser refroidir et ôter le bâton de cannelle avant de garnir les tartelettes.

TOURTE AUX POMMES

Préparation : 1 heure + réfrigération
Cuisson : 1 heure
Pour 6 à 8 personnes

★★

Pâte brisée

125 g de farine avec levure incorporée

125 g de farine ordinaire

125 g de beurre, très froid, en morceaux

2 cuil. à soupe de sucre en poudre

2 œufs

1 ou 2 cuil. à soupe de lait

8 grosses pommes, pelées, évidées et coupées

2 lanières épaisses de zeste de citron

6 clous de girofle

1 bâton de cannelle

125 g de sucre en poudre

 Graisser un moule à manqué profond, de 20 cm de diamètre. Chemiser le fond de papier sulfurisé, graisser le papier et saupoudrer légèrement de farine.

2 Tamiser les farines dans une jatte. Incorporer le beurre et manier jusqu'à obtention d'une texture friable. Ajouter le sucre, 1 œuf et presque tout le lait. Bien mélanger à l'aide d'une spatule, en ajoutant du lait si nécessaire, pour rendre la pâte homogène. Poser sur un plan fariné et rassembler en boule. Étaler deux tiers de la pâte entre deux feuilles de papier sulfurisé aux dimensions du moule, rebords compris. Foncer le moule. Étaler le reste de pâte aux dimensions de la surface du moule. Réserver 20 minutes au réfrigérateur.

3 Mettre dans une grande casserole les pommes, le zeste de citron, la girofle, la cannelle, le sucre et 500 ml d'eau. Couvrir et laisser frémir 10 minutes. Retirer du feu, égoutter et laisser refroidir. Ôter le zeste, la girofle et la cannelle.

4 Préchauffer le four à 180 °C (therm. 4). Verser la garniture aux pommes sur le fond de pâte. Garnir avec l'autre feuille de pâte préparée. Battre légèrement le dernier œuf et en humecter les bords de pâte pour les souder. Piquer la surface avec une fourchette. Égaliser le tour et presser pour bien le souder. Badigeonner d'œuf battu, puis faire cuire 50 minutes au four. Attendez 10 minutes avant de démouler.

EN HAUT :
Tourte aux pommes

DÉCORATION

Traditionnellement, seules les tartes salées et les tourtes étaient décorées : on les distinguait ainsi des tartes sucrées. À une époque où l'on n'éprouve plus le besoin de confectionner plusieurs tartes par jour, le risque de confusion est moindre.

Les tourtes ont une surface garnie de pâte, mais sont parfois préparées sans fond de pâte. En revanche, la plupart du temps, les tartes sont faites sur un fond de pâte lui-même garni de fruits, de crème… Tourtes et tartes préparées dans des moules à rebord peuvent être décorées sur tout le pourtour.

Outre un aspect esthétique, la décoration offre un côté pratique : elle permet de sceller les bords, d'utiliser les chutes de pâte et d'identifier le parfum de la garniture choisie.

BORDS DÉCORÉS

1 Strié : presser une fourchette légèrement farinée sur tout le bord de la pâte.
2 Cannelé : presser le bord de la pâte entre le pouce et l'index, légèrement de biais, pour créer un effet ondulé.
3 Pincé : presser la pâte entre le pouce et l'index, tout en formant un creux avec l'autre index.
4 Festonné : dessiner ou couper des demi-cercles à l'aide d'une cuillère.

5 Damier : découper le bord de la pâte et retourner un carré sur deux vers l'intérieur.
6 Feuilles : découper des formes de feuille à l'aide d'un couteau ou d'un emporte-pièce et les placer sur le bord de la pâte en les fixant avec de l'eau ou de l'œuf.
7 Tressé : couper trois longues bandes de pâte et former une tresse de la circonférence de la tarte. Badigeonner le bord d'un peu d'eau et fixer délicatement la tresse.
8 Cordelière : tordre ensemble deux longues

bandelettes de pâte et les fixer sur le bord avec un peu d'eau.

9 En épi : soulever le bord de la pâte de façon qu'il tienne droit, et l'inciser en diagonale sur tout le pourtour. Intercaler une pointe vers l'intérieur et une pointe vers l'extérieur.

DÉCORS EN PÂTE

Les décorations faites dans des restes de pâte ne doivent pas être trop épaisses, car elles ne cuiraient pas bien. Étaler le reste de pâte de façon régulière et découper les formes avec de petits emporte-pièces (si besoin, les remplacer par des gabarits dessinés sur du carton puis découpés). La forme choisie peut renseigner sur le type de garniture (cerises ou pommes, par exemple) comme être purement ornementale (cœurs ou étoiles, par exemple). Fixer les décorations au blanc d'œuf ou, pour une couleur dorée, avec de l'œuf légèrement battu, puis les badigeonner également.

Disposer les décorations sur la surface de la tarte ou sur le bord. Si la garniture est liquide, cuire les décorations séparément et les disposer sur la tarte une fois que celle-ci est cuite.

Selon le temps de cuisson, vérifier que le bord ne brûle pas et, si nécessaire, couvrir la tarte de papier d'aluminium.

CROISILLONS

Les croisillons forment une jolie décoration, et sont très simples à réaliser. Sur une feuille de papier sulfurisé, étaler la pâte en un carré ou un rectangle un peu plus grand que le diamètre de la tarte. Avec une roulette de pâtissier ou un petit couteau affûté, découper des bandes de pâte d'environ 1,5 cm de large (s'aider d'une règle pour former des lignes bien droites). Étendre la moitié des bandes sur une autre feuille de papier sulfurisé, toutes dans la même direction, à 1 cm d'écart. Replier vers l'arrière une bande sur

deux (les rabattre entièrement pour commencer). Étendre une bande de pâte horizontalement sur les bandes non repliées avant de les rabattre. Ensuite, replier en arrière les bandes de dessous, et étendre une autre bande de pâte sur les bandes non repliées. Répéter avec le reste de bandes, en alternant les bandes verticales. Si la pâte devient trop molle, la passer au réfrigérateur jusqu'à ce qu'elle se raffermisse. Déposer la « résille » ainsi formée sur la tarte et supprimer l'excédent. La solution de facilité consiste à acheter un emporte-pièce spécifique : étaler la pâte et appliquer l'emporte-pièce. Détacher les carrés de pâte puis étendre la résille sur la tarte et couper l'excédent.

DANS LE SENS DES AIGUILLES D'UNE MONTRE, EN PARTANT DU HAUT À GAUCHE : bord pincé; damier; bord festonné; cordelière; croisillons; bord strié; bord tressé; feuilles; bord cannelé.

TARTE AU CITRON

Préparation : 1 heure + réfrigération
Cuisson : 1 h 40
Pour 6 à 8 personnes

Pâte à tarte
125 g de farine
75 g de beurre, ramolli
1 jaune d'œuf
2 cuil. à soupe de sucre glace, tamisé

3 œufs
2 jaunes d'œufs
185 g de sucre en poudre
125 ml de crème liquide
185 ml de jus de citron
1 cuil. à soupe 1/2 de zeste de citron
	finement râpé
2 petits citrons
160 g de sucre en poudre

1 Pour faire la pâte, tamiser la farine et une pincée de sel dans une grande terrine. Y creuser un puits, et ajouter le beurre, le jaune d'œuf et le sucre glace. Travailler le beurre, le jaune d'œuf et le sucre avec les doigts, puis incorporer peu à peu la farine. Former une boule (il faudra peut-être ajouter quelques gouttes d'eau froide). Aplatir légèrement la boule, la couvrir de film plastique et réfrigérer 20 minutes.
2 Préchauffer le four à 200 °C (therm. 6). Beurrer légèrement un moule à tarte à fond amovible de 2 cm de profondeur et de 20 cm de diamètre.
3 Étaler la pâte sur 3 mm d'épaisseur entre deux feuilles de papier sulfurisé, et en foncer le moule. Couper l'excédent et réfrigérer 10 minutes. Protéger la pâte avec du papier sulfurisé (à l'aide d'une des feuilles déjà utilisées), couvrir de noyaux de cuisson et enfourner 10 minutes. Retirer les noyaux et le papier, et prolonger la cuisson de 6 à 8 minutes, jusqu'à ce que la pâte soit bien sèche. Laisser refroidir et baisser le four à 150 °C (therm. 2).
4 Battre les œufs, les jaunes d'œufs et le sucre ; ajouter la crème et le jus de citron et bien mélanger. Passer à l'étamine et ajouter le zeste. Poser le moule sur une plaque placée à mi-hauteur du four et verser délicatement la préparation jusqu'au bord. Enfourner 40 minutes, jusqu'à ce que la garniture soit presque ferme (le centre doit frémir quand on secoue le moule). Laisser refroidir avant de démouler.
5 Laver les citrons en les frottant bien. Les émincer en très fines rondelles (environ 2 mm d'épaisseur). Préparer un sirop en mélangeant le sucre et 200 ml d'eau dans une petite poêle. Remuer à feu doux jus-

qu'à ce que le sucre soit dissous. Ajouter les rondelles de citron et laisser mijoter 40 minutes à feu doux (l'écorce doit devenir très tendre et la peau transparente). Sortir les rondelles du sirop et les égoutter sur du papier sulfurisé. En garnir la tarte et servir immédiatement. Sinon, réserver les rondelles à couvert et décorer la tarte juste avant de servir. Déguster tiède ou glacé, accompagné d'un peu de crème liquide.

TARTE AUX POMMES

Préparation : 30 minutes + réfrigération
Cuisson : 1 h 15
Pour 6 à 8 personnes

Pâte à tarte
185 g de farine
100 g de beurre très froid, coupé
	en morceaux
2 ou 3 cuil. à soupe d'eau glacée

2 pommes à cuire
3 cuil. à soupe de sucre en poudre
1 œuf
80 ml de crème liquide
1 cuil. à soupe de calvados ou de kirsch

1 Tamiser la farine dans un saladier et, du bout des doigts, travailler le beurre dans la farine jusqu'à formation d'une pâte friable. Creuser un puits au centre et ajouter presque toute l'eau. Avec un couteau, mélanger pour obtenir une pâte homogène, en rajoutant un peu d'eau si nécessaire. Former une boule et la poser sur une feuille de papier sulfurisé. La pétrir légèrement jusqu'à ce qu'elle soit souple, puis réfrigérer 15 minutes. Étaler la pâte et en foncer un moule cannelé à fond amovible de 24 cm. Ôter l'excédent et réfrigérer 20 minutes. Préchauffer le four à 190 °C (therm. 5).
2 Protéger la pâte avec du papier sulfurisé et couvrir de noyaux de cuisson. Enfourner 10 minutes, retirer le papier et les noyaux, et prolonger la cuisson de 15 minutes : la pâte doit être bien dorée sur les bords. Laisser refroidir.
3 Peler et épépiner les pommes, les couper en tranches fines. Disposer les tranches sur la pâte en les faisant se chevaucher ; saupoudrer de 2 cuil. à soupe de sucre et enfourner 15 minutes. Pendant ce temps, battre l'œuf, le reste de sucre et la crème liquide. Y incorporer la liqueur, puis verser délicatement sur les pommes. Passer 35 minutes au four, jusqu'à ce que la garniture soit gonflée et dorée (elle retombera en refroidissant). Servir chaud ou à température ambiante.

LES POMMES
Les pommes sont peut-être les premiers fruits cultivés par l'homme… Et le fruit défendu fut vraisemblablement une pomme sauvage. De fait, étant associées à l'acquisition du savoir, les pommes occupent depuis toujours une place importante dans la mythologie. De nombreuses métaphores entourent les pommes, qui figurent également dans maintes expressions populaires ou argotiques. Il existe des centaines de variétés de pommes, mais celles que l'on connaît sont généralement les plus aptes au transport et à la conservation. Les pommes doivent être lourdes et fermes au toucher, sans rides ni meurtrissures. Elles se conservent au réfrigérateur, dans un sac en plastique pour que leur chair garde son croquant.

PAGE CI-CONTRE :
Tarte au citron (en haut) ;
Tarte aux pommes
(en bas)

LES NOIX DE PECAN

Originaires d'Amérique du Nord, les noix de pecan, ou pacanes, se cultivent sur tout le continent américain, ainsi qu'en Australie et en Afrique du Sud. Elles présentent une coque oblongue, lisse et très dure, d'une couleur brun-rouge. Les pacaniers peuvent atteindre 50 m de haut et les fruits se récoltent en secouant les arbres, à la main ou mécaniquement. Les noix sont en général vendues décortiquées, une opération particulièrement délicate à réaliser. La tarte aux noix de pecan est un dessert populaire dans le monde entier, mais toujours associé à l'Amérique.

TARTE AUX NOIX DE PECAN

Préparation : 30 minutes + réfrigération
Cuisson : 1 h 15
Pour 6 personnes

⋆⋆ ⋆⋆

Pâte brisée

185 g de farine

125 g de beurre très froid, coupé
   en morceaux

2 ou 3 cuil. à soupe d'eau glacée

Garniture

200 g de cerneaux de noix de pecan, en sachet

3 œufs, légèrement battus

50 g de beurre, fondu et refroidi

140 g de cassonade

170 ml de sirop de sucre de canne

1 cuil. à café d'essence de vanille

1 Préchauffer le four à 180 °C (therm. 4). Tamiser la farine dans un grand saladier, puis incorporer le beurre et le travailler avec les doigts jusqu'à obtention d'une pâte friable. Ajouter presque toute l'eau et mélanger jusqu'à formation d'une pâte homogène, en ajoutant de l'eau si nécessaire. Poser sur un plan de travail fariné et former une boule.

2 Étaler la pâte en un cercle de 35 cm de diamètre et en foncer un moule de 24 cm. Ôter l'excédent et réfrigérer 20 minutes. Rassembler les chutes de pâte et étaler sur du papier sulfurisé en un rectangle d'environ 2 mm d'épaisseur. Réfrigérer.

3 Garnir la pâte du moule d'une feuille de papier sulfurisé et couvrir de noyaux de cuisson. Enfourner 15 minutes, retirer les haricots et le papier, puis prolonger la cuisson de 15 minutes, jusqu'à ce que la pâte soit dorée. Laisser refroidir complètement.

4 Pour la garniture, étaler les noix de pecan sur la pâte. Dans un récipient à bec verseur, battre les œufs, le beurre, la cassonade, le sirop, l'essence de vanille et une pincée de sel. Verser le mélange sur les noix.

5 Avec une roulette de pâtissier ou un petit couteau affûté, découper de fines bandelettes dans la moitié du rectangle de pâte. Découper des petites étoiles avec un emporte-pièce dans l'autre moitié. En décorer la surface de la tarte et enfourner 45 minutes. Laisser refroidir complètement et servir à température ambiante.

TOURTE AUX CERISES

Préparation : 25 minutes + réfrigération
Cuisson : 40 minutes
Pour 6 à 8 personnes

 ✷ ✷

Pâte aux amandes

150 g de farine

30 g de sucre glace

100 g de beurre très froid, coupé
   en morceaux

60 g d'amandes en poudre

3 cuil. à soupe d'eau glacée

2 bocaux de 700 g de griottes dénoyautées,
   égouttées

1 œuf, légèrement battu

Sucre en poudre, pour la décoration

Crème liquide ou glace en accompagnement

1 Tamiser la farine et le sucre glace dans une terrine. Ajouter le beurre et le travailler avec les doigts jusqu'à obtention d'une pâte fine et friable. Incorporer les amandes en poudre, puis presque toute l'eau, et mélanger avec une spatule jusqu'à obtention d'une pâte, en rajoutant de l'eau si nécessaire.

2 Poser la pâte sur un plan de travail fariné et former une boule. Étaler sur une feuille de papier sulfurisé en un cercle d'environ 26 cm de diamètre. Aplatir légèrement, couvrir de film plastique et réfrigérer 20 minutes. Étaler les cerises dans un moule à tarte de 24 cm.

3 Préchauffer le four à 200 °C (therm. 6). Garnir le moule de pâte et ôter l'excédent. Étaler le reste de pâte et découper des décorations avec un couteau affûté. Badigeonner le couvercle de pâte d'œuf battu et le garnir des décorations façonnées. Les badigeonner également d'œuf battu, puis saupoudrer légèrement de sucre en poudre. Poser le moule sur une plaque à pâtisserie (le jus de cerise peut couler) et faire cuire 35 à 40 minutes, jusqu'à ce que la surface soit dorée. Servir tiède ou à température ambiante, avec de la crème liquide ou de la glace.

LES AMANDES

Les amandes sont les graines d'un arbre de la famille de l'abricotier et du pêcher. Elles sont originaires du Moyen-Orient et présentent une coque dure et ovale, marron clair, au bout effilé. En Europe, les amandes sont récoltées quand la coque est encore couverte d'une enveloppe verte veloutée. L'amande intérieure est recouverte d'une peau marron foncé, que l'on peut ôter ; on obtient alors des amandes mondées. Les amandes se vendent entières, décortiquées avec la peau, mondées, effilées, hachées et en poudre. Les amandes en poudre entrent dans la composition de nombreux biscuits et gâteaux, ainsi que de toutes sortes de desserts.

EN HAUT :
Tourte aux cerises

LA RHUBARBE

Originaire d'Asie du Nord, la rhubarbe apparaît dans des documents chinois datant d'environ 2700 avant J.-C. Elle fut employée en tant que plante médicinale pendant plusieurs siècles, notamment comme purgatif. Cultivée par les moines et les herboristes, elle ne devint plante potagère que vers les années 1800. La rhubarbe, facile à cultiver, fut vite appréciée en pâtisserie. On l'utilise dans les tartes, les crumbles et certains entremets. Seules les tiges sont comestibles, l'acide oxalique contenu dans les feuilles pouvant se révéler dangereux à haute dose. La rhubarbe cultivée en serre, hors saison, présente une tige plus rouge et plus tendre que la rhubarbe de saison, qu'il faut parfois peler. Achetez des tiges bien croquantes et non flétries. Les tiges les plus rouges sont les plus sucrées.

EN HAUT :
Tarte à la rhubarbe

TARTE À LA RHUBARBE

Préparation : 40 minutes + réfrigération
Cuisson : 50 minutes
Pour 6 personnes

Pâte brisée

185 g de farine, tamisée

2 cuil. à soupe de sucre glace

125 g de beurre très froid, coupé
   en morceaux

1 jaune d'œuf

250 g de sucre en poudre + 2 cuil. à café

750 g de rhubarbe, coupée en dés

2 grosses pommes, pelées, épépinées et
   coupées en dés

2 cuil. à café de zeste de citron râpé

3 morceaux de gingembre confit, émincés

1 pincée de cannelle moulue

1 Tamiser la farine dans une terrine; ajouter le sucre glace puis incorporer le beurre avec les doigts pour obtenir une pâte friable. Ajouter le jaune d'œuf et 1 cuil. à soupe d'eau; mélanger avec un couteau jusqu'à formation d'une pâte homogène. Poser sur un plan de travail fariné, former une boule, aplatir légèrement et réfrigérer 15 minutes dans un film plastique. Préchauffer le four à 190 °C (therm. 5). Étaler la pâte en un cercle d'environ 35 cm de diamètre et en foncer une tourtière beurrée de 20 cm, en laissant l'excédent retomber par-dessus les bords. Réfrigérer pendant la préparation de la garniture.

2 Dans une casserole, chauffer 4 à 5 minutes le sucre et 125 ml d'eau, jusqu'à obtention d'un sirop. Ajouter la rhubarbe, les pommes, le zeste de citron et le gingembre, puis couvrir et laisser mijoter 5 minutes, jusqu'à ce que la rhubarbe soit cuite mais pas réduite en purée.

3 Éliminer le liquide et laisser refroidir les fruits. Verser sur la pâte et saupoudrer de sucre et de cannelle. Replier l'excédent de pâte sur la garniture et enfourner 40 minutes. Saupoudrer de sucre glace. Accompagner de glace ou de crème anglaise.

TARTE AU CITRON À L'ANCIENNE

Préparation : 30 minutes + temps de repos
Cuisson : 50 à 55 minutes
Pour 8 à 10 personnes

Garniture

4 citrons à peau fine, non traités

500 g de sucre en poudre

4 œufs

Pâte brisée

220 g de farine

150 g de beurre froid, coupé en morceaux

2 cuil. à soupe de sucre en poudre

Lait, pour dorer

1 Laver les citrons. Émincer 2 citrons non pelés en très fines rondelles et retirer les pépins. Peler les autres citrons, en ôtant la peau blanche, et émincer la pulpe en retirant les pépins. Mettre tous les citrons dans un saladier, ajouter le sucre et bien mélanger. Couvrir et laisser reposer toute la nuit.

2 Préchauffer le four à 180 °C (therm. 4). Tamiser la farine et 1 pincée de sel dans un saladier. Avec les doigts, incorporer le beurre jusqu'à obtention d'une pâte friable. Ajouter le sucre puis verser peu à peu 1 ou 2 cuil. à soupe d'eau, en mélangeant avec un couteau. Former une boule, la diviser en deux et étaler chaque moitié en un cercle de 25 cm. Beurrer légèrement un moule à tarte de 24 cm et le garnir de pâte. Couvrir l'autre rond de pâte et le mettre au réfrigérateur.

3 Battre les œufs et les ajouter aux citrons, en mélangeant délicatement. Verser sur la pâte et couvrir de l'autre rond de pâte. Pincer les bords pour les sceller. Décorer le dessus avec le reste de pâte, badigeonner de lait et enfourner 50 à 55 minutes, jusqu'à ce que la tarte soit bien dorée.

NOTE : On peut réaliser une tarte aux pommes avec cette pâte. Peler, épépiner et émincer 5 pommes en fines tranches ; les mélanger avec 3 cuil. à soupe de sucre et 1 grosse pincée de cannelle. Étaler sur la pâte. Couvrir de l'autre rond de pâte et pincer les bords pour les sceller. Couper l'excédent et faire deux ou trois fentes sur le dessus de la tarte. Saupoudrer d'une cuil. à soupe de sucre et faire cuire 50 minutes au four préchauffé à 180 °C (therm. 4).

CI-DESSOUS : Tarte au citron à l'ancienne

TOURTE AUX FRUITS ROUGES

Préparation : 30 minutes + réfrigération
Cuisson : 40 minutes
Pour 4 à 6 personnes

★★

125 g de farine avec levure incorporée

125 g de farine ordinaire

125 g de beurre très froid, coupé
   en morceaux

2 cuil. à soupe de sucre en poudre

1 œuf, légèrement battu

3 ou 4 cuil. à soupe de lait

1 jaune d'œuf mélangé à 1 cuil. à café d'eau,
   pour dorer

Sucre glace, pour la décoration

Garniture

2 cuil. à soupe de Maïzena

2 à 4 cuil. à soupe de sucre en poudre

1 cuil. à café de zeste d'orange râpé

1 cuil. à soupe de jus d'orange

600 g de fruits rouges frais (mûres, framboises,
   myrtilles...)

CI-DESSOUS :
Tourte aux fruits rouges

1 Tamiser la farine dans une terrine. Incorporer le beurre et le travailler avec les doigts jusqu'à formation d'une pâte friable. Incorporer le sucre, puis ajouter l'œuf et presque tout le lait. Mélanger avec une spatule pour obtenir une pâte homogène, en rajoutant du lait si nécessaire. Poser sur un plan de travail fariné et former une boule. La diviser en deux et étaler chaque moitié sur une feuille de papier sulfurisé. Foncer un moule à soufflé (contenance : environ 750 ml) avec l'un des ronds de pâte. Couvrir de film plastique et réfrigérer 30 minutes. Étaler l'autre cercle de pâte en prévoyant un diamètre supérieur à celui du moule (rebords compris).

2 Pour la garniture, mélanger la Maïzena, le sucre, le zeste et le jus d'orange dans une casserole. Ajouter la moitié des fruits rouges et remuer 5 minutes à feu doux, jusqu'à ébullition et épaississement. Retirer du feu et laisser refroidir. Ajouter le reste des fruits rouges, verser dans le moule garni de pâte, et lisser la surface avec le dos d'une cuillère.

3 Préchauffer le four à 180 °C (therm. 4). Recouvrir le fond de tarte garni de fruits avec l'autre cercle de pâte ; ôter l'excédent. Veiller à ne pas étirer la pâte, car elle risquerait de rétrécir en cours de cuisson. À l'aide d'emporte-pièces en forme de cœur de diverses tailles, découper suffisamment de cœurs dans l'excédent de pâte pour décorer la surface de la tourte. Les disposer en les fixant avec un peu d'eau.

4 Badigeonner toute la surface avec de l'œuf. Enfourner 35 à 40 minutes, jusqu'à ce que la pâte soit bien dorée. Saupoudrer de sucre glace juste avant de servir. Servir tiède ou froid.

NOTE : On peut utiliser une seule variété de fruits rouges, ou un mélange de plusieurs. Si ce n'est pas la saison, utiliser des fruits surgelés. Les décongeler entièrement en réservant le jus. Ajouter les fruits rouges et le jus en omettant le jus d'orange. On peut également utiliser des fruits rouges en conserve, à condition de bien les égoutter.

TARTE À LA MÉLASSE

Préparation : 30 minutes + réfrigération
Cuisson : 30 minutes
Pour 4 à 6 personnes

★★

Pâte brisée

150 g de farine

90 g de beurre très froid, coupé
    en morceaux

2 ou 3 cuil. à soupe d'eau glacée

1 œuf battu, pour dorer

Garniture

350 g de mélasse

25 g de beurre

1/2 cuil. à café de gingembre moulu

140 g de mie de pain émiettée

 Tamiser la farine dans une terrine. Incorporer le beurre et le travailler avec les doigts jusqu'à obtention d'une pâte friable. Ajouter presque toute l'eau et former une pâte ferme, en rajoutant de l'eau si nécessaire. Poser sur un plan de travail fariné et former une boule. Couvrir de film plastique et réfrigérer 20 minutes.

2 Graisser un moule à tarte de 20 cm. Étaler la pâte et en foncer le moule (en laissant 4 cm dépasser tout autour). Ôter l'excédent à l'aide d'une roulette de pâtissier. Étaler le reste de pâte en un rectangle de 20 x 10 cm. Avec un couteau affûté ou une roulette de pâtissier, couper des bandelettes larges de 1 cm. Protéger le fond de tarte et les bandelettes avec du film plastique, et réfrigérer 20 minutes.

3 Préchauffer le four à 180 °C (therm. 4). Dans une petite casserole, mettre la mélasse, le beurre et le gingembre et remuer à feu doux jusqu'à ce que le beurre fonde. Incorporer la mie de pain et bien mélanger. Verser la préparation sur le fond de pâte. Disposer les bandes de pâte en croisillons par-dessus, en commençant par le centre et en travaillant vers l'extérieur (voir page 151). Dorer les croisillons à l'œuf battu. Enfourner 30 minutes, jusqu'à ce que la pâte soit légèrement dorée. Servir tiède ou à température ambiante. On peut saupoudrer la tarte de sucre glace et la servir avec de la glace ou de la crème liquide.

EN HAUT :
Tarte à la mélasse

PÂTE À CHOUX

Retirer le beurre fondu du feu et incorporer d'un coup la farine.

Remettre sur le feu et mélanger jusqu'à ce que la pâte forme une boule et se détache des parois de la casserole.

Ajouter peu à peu les œufs battus (3 cuil. à café à la fois), sans cesser de tourner, jusqu'à ce que la pâte soit épaisse et luisante.

La pâte est prête quand une cuillère en bois tient debout dedans.

PROFITEROLES

Préparation : 20 minutes
Cuisson : 50 minutes
Pour 32 profiteroles

★★

Pâte à choux
50 g de beurre

90 g de farine, tamisée deux fois

3 œufs, légèrement battus

Garniture
375 ml de lait

4 jaunes d'œufs

90 g de sucre en poudre

3 cuil. à soupe de farine

I cuil. à café d'essence de vanille

10 g de chocolat noir supérieur

2 cuil. à café d'huile végétale

I Préchauffer le four à 210 °C (therm. 6-7). Mettre le beurre dans une grande casserole à fond épais avec 185 ml d'eau, et remuer sur feu moyen jusqu'au point d'ébullition. Retirer du feu et incorporer d'un coup la farine. Remettre sur le feu et mélanger vigoureusement, jusqu'à ce que la pâte forme une boule et se détache des parois de la casserole. Laisser refroidir un peu.

2 Transférer dans une terrine et remuer pour refroidir la pâte. Ajouter peu à peu les œufs battus, à raison de 3 cuil. à café à la fois, en continuant à tourner jusqu'à ce que tous les œufs soient incorporés : la préparation doit être luisante et une cuillère en bois doit tenir debout dedans. Si la pâte est trop fluide, c'est que les œufs ont été ajoutés trop rapidement. Travailler pendant quelques minutes, jusqu'à épaississement. Déposer des cuillerées de préparation sur deux plaques à pâtisserie, en les espaçant suffisamment pour qu'elles gonflent (une petite cuillère pleine suffit pour un petit chou). Arroser les plaques d'eau : cela créera de la vapeur et fera gonfler les choux. Enfourner 20 à 30 minutes, jusqu'à ce que les choux soient dorés et « sonnent creux ». Les retirer et former un petit trou à la base de chacun. Remettre au four 5 minutes afin de les assécher. Laisser refroidir sur une grille.

3 Pour la garniture, porter le lait à ébullition dans une petite casserole. Réserver et, pendant ce temps, battre vigoureusement les jaunes d'œufs et le sucre dans une jatte, jusqu'à ce que le mélange blanchisse. Incorporer la farine. Verser délicatement le lait chaud sur la préparation, sans cesser de battre. Laver la casserole, y reverser la préparation et porter à ébullition en battant au fouet métallique. Faire bouillir 2 minutes en remuant souvent. Transférer dans un saladier, incorporer la vanille, couvrir la surface de la crème de film plastique afin d'empêcher la formation d'une pellicule en surface. Réfrigérer.

4 Introduire la crème dans les choux à l'aide d'une poche à douille munie d'un embout. Faire fondre le chocolat et l'huile à feu doux, remuer et tremper le dessus des profiteroles dans le chocolat.

EN HAUT : Profiteroles

COURONNE DE CHOUX

Préparation : 50 minutes
Cuisson : 1 h 15
Pour 6 à 8 personnes

Pâte à choux

50 g de beurre

90 g de farine, tamisée

3 œufs, légèrement battus

Garniture

3 jaunes d'œufs

60 g de sucre en poudre

2 cuil. à soupe de farine

250 ml de lait

1 cuil. à café d'essence de vanille

250 ml de crème liquide, fouettée

200 g de framboises ou 250 g de fraises
  (ou un mélange des deux)

Nappage

125 g de chocolat noir, concassé

30 g de beurre

1 cuil. à soupe de crème liquide

1 Préchauffer le four à 210 °C (therm. 6-7). Graisser une grande plaque à pâtisserie. Garnir la plaque de papier sulfurisé et dessiner dessus un cercle de 23 cm de diamètre.

2 Dans une casserole, mélanger le beurre avec 185 ml d'eau, à feu doux, jusqu'à ébullition. Retirer du feu, ajouter la farine d'un seul coup et, avec une cuillère en bois, battre pour obtenir un mélange homogène. Remettre sur le feu et battre jusqu'à épaississement (la préparation doit se détacher des parois de la casserole). Retirer du feu et laisser légèrement refroidir.

3 Transférer dans un saladier. Avec un batteur, incorporer les œufs un par un, jusqu'à ce que la préparation soit ferme et luisante. Déposer de grosses cuillerées de préparation, les unes contre les autres, tout autour du cercle sur le papier. Enfourner 25 à 30 minutes (la couronne doit rendre un son creux quand on la tape du doigt). Éteindre le four et laisser la couronne sécher dans le four.

4 Pour la garniture, battre les jaunes d'œufs, le sucre et la farine dans une terrine, jusqu'à ce que le mélange blanchisse. Chauffer le lait dans une casserole jusqu'à ce qu'il soit prêt à bouillir. Le verser peu à peu sur la préparation, sans cesser de remuer. Remettre le tout dans la casserole et remuer constamment à feu moyen jusqu'à ébullition et épaississement. Prolonger la cuisson de 2 minutes sans cesser de remuer. Retirer du feu et incorporer l'essence de vanille. Transférer dans un saladier, couvrir la surface de film plastique pour éviter qu'une peau ne se forme et laisser refroidir.

5 Pour le nappage, mettre dans un saladier résistant à la chaleur le chocolat, le beurre et la crème liquide. Faire cuire au bain-marie en remuant, jusqu'à ce que le chocolat soit fondu et le mélange homogène. Laisser légèrement refroidir.

6 Couper la couronne de pâte en deux horizontalement à l'aide d'un couteau-scie. Retirer l'excédent de pâte au centre de la couronne. Incorporer la crème fouettée dans la crème à la vanille et en garnir la base de la couronne. Étaler une couche de framboises ou de fraises coupées en deux, puis mettre le haut de la couronne par-dessus. Avec une spatule, étaler la préparation au chocolat sur la couronne. Laisser refroidir.

NOTE : La couronne de pâte peut être préparée 4 heures à l'avance ; la conserver dans un récipient hermétique. La crème peut aussi se confectionner 4 heures à l'avance ; la tenir au frais jusqu'au moment voulu. Assembler le gâteau un peu avant de servir.

EN HAUT :
Couronne de choux

LE CROQUEMBOUCHE

Appartenant à la catégorie des pièces montées, le croquembouche est un dessert traditionnel fait de petits choux fourrés de chantilly ou de crème pâtissière, disposés en pyramide conique et décorés de caramel filé. Le cône se monte autour d'un moule en acier inoxydable, et les choux sont fixés les uns aux autres avec du caramel. Une fois la pièce terminée, on la dégage du moule en la soulevant. Certaines variantes incorporent une base en nougatine et toutes sortes de décorations. Le croquembouche est généralement servi lors de grandes occasions, comme les mariages ou les communions.

EN HAUT :
Croquembouche

CROQUEMBOUCHE

Préparation : 1 h 30
Cuisson : 1 h 30
Pour 10 à 12 personnes

★★★

Pâte à choux

100 g de beurre

185 g de farine, tamisée

6 œufs, battus

Garniture

375 ml de lait

1 gousse de vanille

3 jaunes d'œufs

60 g de sucre en poudre

2 cuil. à soupe de farine

60 ml de Grand Marnier

375 ml de crème liquide

1 kg de sucre

1 Préchauffer le four à 210 °C. Mettre le beurre dans une grande casserole à fond épais avec 375 ml d'eau, et remuer à feu moyen jusqu'au point d'ébullition. Retirer du feu et incorporer d'un coup la farine. Remettre sur le feu et mélanger vigoureusement, jusqu'à ce que la pâte forme une boule et se détache des parois de la casserole. Laisser refroidir un peu.

2 Transférer dans une terrine et remuer pour refroidir la pâte. Ajouter peu à peu les œufs battus, à raison de 3 cuil. à café à la fois, en continuant à tourner jusqu'à ce que tous les œufs soient incorporés : la préparation doit être luisante et une cuillère en bois doit tenir debout dedans. Si la pâte est trop fluide, c'est que les œufs ont été ajoutés trop rapidement. Travailler pendant quelques minutes, jusqu'à épaississement. Arroser trois plaques à pâtisserie d'eau : cela créera de la vapeur et aidera les choux à gonfler. Déposer des cuillerées de préparation sur les plaques, en les espaçant suffisamment pour qu'elles gonflent. Il vous faudra environ huit gros choux (chacun fait avec 1 cuil. à soupe de préparation), puis des choux de taille de plus en plus petite. Un petit chou correspond à 1 cuil. à café de préparation. Enfourner 20

à 30 minutes, jusqu'à ce que les choux soient dorés et « sonnent creux ». Éteindre le four et laisser les choux sécher à l'intérieur (peut-être devrez-vous les préparer et les cuire en deux fois).

3 Pour la garniture, mettre le lait et la vanille dans une casserole. Chauffer doucement. Quand le lait commence à bouillir, retirer du feu et laisser refroidir légèrement. Battre les jaunes d'œufs, le sucre et la farine jusqu'à ce que le mélange blanchisse et épaississe. Incorporer peu à peu le lait chaud. Remuer à feu moyen jusqu'à ébullition et épaississement. Retirer du feu et incorporer le Grand Marnier. Éliminer la gousse de vanille. Couvrir la surface de la crème de film plastique pour éviter la formation d'une pellicule en surface. Laisser refroidir complètement.

4 Fouetter la crème liquide bien ferme et l'incorporer à la crème. Verser dans une poche à douille munie d'un embout de moins de 1 cm. Former un petit trou à la base de chaque chou et le remplir de crème.

5 Mettre 500 g de sucre dans une casserole avec 250 ml d'eau. Remuer à feu doux, sans faire bouillir, pour faire fondre le sucre. Porter à ébullition et laisser cuire jusqu'à ce qu'il soit légèrement doré. Retirer du feu et plonger le fond de la casserole dans de l'eau froide.

6 Pour l'assemblage, commencer par les gros choux. Tremper la base dans le caramel et les disposer en cercle. Former une pyramide conique en utilisant des choux de plus en plus petits.

7 Confectionner un autre caramel avec le reste de sucre puis, avec deux fourchettes, décorer le croquembouche de caramel filé (voir p. 248).

STRUDEL AU FROMAGE FRAIS ET AUX CERISES

Préparation : 25 minutes
Cuisson : 35 à 40 minutes
Pour 8 à 10 personnes

★★

500 g de ricotta

2 cuil. à café de zeste de citron ou d'orange

60 g de sucre en poudre

40 g de mie de pain émiettée

2 cuil. à soupe d'amandes en poudre

2 œufs

425 g de cerises noires dénoyautées en boîte

2 cuil. à café de Maïzena

8 feuilles de pâte phyllo

60 g de beurre, fondu

2 cuil. à soupe de chapelure

Sucre glace, pour la décoration

1 Préchauffer le four à 180 °C (therm. 4). Beurrer légèrement une plaque à pâtisserie. Dans un saladier, mettre la ricotta, le zeste, le sucre, la mie de pain et les amandes. Ajouter les œufs et bien mélanger. Égoutter les cerises et réserver la moitié du jus. Dans une petite casserole, délayer la Maïzena dans le jus de cerise réservé. Faire cuire jusqu'à ébullition et épaississement, puis laisser refroidir.

2 Disposer la pâte phyllo en couches, en badigeonnant chaque feuille de beurre fondu et en la saupoudrant d'un peu de chapelure. Former un grand carré en faisant chevaucher la deuxième feuille sur la moitié de la première. Alterner les couches en les badigeonnant de beurre et en les saupoudrant de chapelure.

3 Déposer la préparation à la ricotta sur un des bords longs de la pâte, en lui donnant une forme de bûche. Garnir de cerises et de sirop refroidi. Rouler la pâte autour de la garniture en repliant les bords vers l'intérieur au fur et à mesure. À la fin, replier la pâte vers l'intérieur. Poser sur la plaque et enfourner 35 à 40 minutes, jusqu'à ce que la pâte soit dorée. Découper en tranches et servir tiède ou froid, saupoudré de sucre glace.

NOTE : Pour préparer un strudel aux pommes, garnir la pâte d'un mélange de pommes cuites et de raisins secs, rouler et passer au four.

LE STRUDEL

La pâte traditionnelle du strudel se prépare avec une farine riche en gluten, ce qui l'empêche de se déchirer. On l'étale aussi finement que possible avant de la saupoudrer de chapelure et de l'enrouler autour de la garniture. La pâte phyllo est une variante plus simple, qui offre les mêmes résultats. Le strudel est une spécialité autrichienne, dont le nom signifie littéralement « tourbillon ».

CI-DESSOUS : Strudel au fromage frais et aux cerises

2 Étaler la pâte sur 5 mm d'épaisseur entre deux feuilles de papier sulfurisé. À l'aide d'un emporte-pièce rond et cannelé de 7 cm, découper dix-huit ronds dans la pâte. Les disposer sur les plaques et enfourner 8 minutes. Laisser refroidir sur une grille.
3 Placer un sablé sur une assiette de service, le garnir d'un peu de crème et de fraises. Au-dessus, poser un deuxième biscuit, le garnir de crème et de fraises, puis poser un troisième biscuit. Répéter l'opération dans cinq autres assiettes. Saupoudrer d'un peu de cacao et de sucre glace. Pour le coulis, passer les fraises et le sucre au mixeur jusqu'à obtention d'une purée veloutée, et incorporer 1 ou 2 cuil. à soupe d'eau. Servir avec les sablés.

ROULÉS À LA CRÈME

Préparation : 35 minutes
Cuisson : 20 minutes
Pour 18 roulés

★★

375 ml de lait
125 g de sucre en poudre
60 g de semoule
1 cuil. à café de zeste de citron râpé
1 œuf, légèrement battu
12 feuilles de pâte phyllo
125 g de beurre fondu
2 cuil. à soupe de sucre glace
1/2 cuil. à café de cannelle moulue

1 Pour la crème, mettre le lait, le sucre , la semoule et le zeste de citron dans une casserole ; remuer jusqu'à ébullition. Puis laisser mijoter 3 minutes.
2 Retirer du feu et incorporer l'œuf, en battant bien. Verser la crème dans un saladier, couvrir de film plastique et laisser refroidir. Préchauffer le four à 180 °C (therm. 4). Beurrer deux plaques à pâtisserie.
3 Travailler avec 2 feuilles de pâte phyllo à la fois. Couvrir le reste d'un torchon. Badigeonner une feuille de beurre et déposer l'autre dessus. Détailler en trois bandes dans la longueur. Badigeonner les bords de beurre fondu.
4 Déposer une cuillerée à soupe de crème à 5 cm du petit côté de chaque bande de pâte. Pour former les rouleaux fourrés, rouler chaque bande de pâte pour envelopper la crème. Au fur et à mesure, replier soigneusement le bord de pâte vers l'intérieur. Disposer les rouleaux sur les plaques, à 2 cm d'écart. Les badigeonner avec le reste de beurre. Enfourner 12 à 15 minutes, jusqu'à ce qu'ils soient bien dorés. Laisser refroidir sur une grille. Saupoudrer d'un mélange de sucre glace et de cannelle.

SABLÉS CHOCOLATÉS AUX FRAISES

Préparation : 25 minutes
Cuisson : 10 minutes
Pour 6 personnes

★★

185 g de farine
40 g de cacao en poudre
90 g de sucre glace
225 g de beurre froid, coupé en morceaux
2 jaunes d'œufs
1 cuil. à café d'essence de vanille
250 ml de crème liquide, fouettée
250 g de fraises, coupées en quartiers

Coulis de fraises
250 g de fraises fraîches ou décongelées
1 cuil. à soupe de sucre en poudre

1 Préchauffer le four à 210 °C (therm. 6-7). Garnir deux plaques à pâtisserie de papier sulfurisé. Dans une terrine, tamiser la farine, le cacao et le sucre glace, en réservant un peu de cacao et de sucre. Incorporer le beurre et manier jusqu'à formation d'une pâte friable. Ajouter les jaunes d'œufs et la vanille, puis mélanger pour obtenir une pâte homogène. Poser sur un plan de travail fariné et former une boule.

EN HAUT : Sablés chocolatés aux fraises

SABLÉS AUX FRUITS ROUGES

Préparation : 50 minutes + réfrigération
Cuisson : 50 minutes
Pour 6 personnes

185 g de farine

40 g de sucre glace

125 g de beurre froid, coupé en morceaux

1 jaune d'œuf

1 cuil. à soupe de jus de citron

375 ml de crème liquide

1 cuil. à café d'essence de vanille

1 cuil. à soupe de sucre glace

400 g de fruits rouges

Sucre glace, pour la décoration

1 Préchauffer le four à 160 °C (therm. 2-3). Beurrer deux plaques à pâtisserie et les garnir de papier sulfurisé. Dans une terrine, tamiser la farine et les 40 g de sucre glace. Incorporer le beurre et le manier jusqu'à obtention d'une pâte friable. Creuser un puits, ajouter le jaune d'œuf et le jus, et bien mélanger avec un couteau. Former une boule, couvrir et réfrigérer 15 minutes.

2 Diviser la pâte en deux, étaler une moitié entre deux feuilles de papier sulfurisé farinées (attention, cette pâte est très fragile) sur 3 mm d'épaisseur. La poser sur une plaque (en la faisant glisser si nécessaire) et la placer au réfrigérateur. Étaler l'autre moitié et, à l'aide d'un emporte-pièce rond ou en forme de cœur, fariné au préalable, y découper neuf formes. Les disposer sur les plaques à pâtisserie, les piquer avec une fourchette et réfrigérer 10 minutes. Les enfourner ensuite 20 à 25 minutes. Laisser refroidir avant de les transférer sur une grille. Travailler de même avec la pâte conservée au réfrigérateur.

3 Battre la crème, l'essence de vanille et la cuil. à soupe de sucre glace jusqu'à obtention d'une préparation ferme. En déposer (à la cuillère ou à l'aide d'une poche à douille) au centre de six sablés. Disposer des fruits rouges autour de la crème et garnir d'un autre sablé. Faire de même avec les six sablés restants. Saupoudrer de sucre glace.

CI-DESSOUS :
Sablés aux fruits rouges

I Pour faire le sirop, mettre le sucre, le jus de citron et 170 ml d'eau dans une casserole. Remuer constamment jusqu'à ce que le sucre soit dissous. Porter à ébullition, baisser le feu et laisser mijoter 10 minutes sans remuer. Laisser refroidir.

2 Préchauffer le four à 180 °C (therm. 4). Graisser un plat à four de 18 x 28 cm environ. Dans un grand bol, mélanger les noix, les amandes, les épices et le sucre ; répartir en trois portions. Placer une feuille de pâte phyllo sur le plan de travail. Badigeonner la moitié de la surface avec le mélange de beurre et d'huile, puis replier en deux dans le sens de la largeur. Couper les bords pour que la pâte rentre dans le plat. Répéter l'opération avec trois autres feuilles de pâte en les superposant dans le plat.

3 Saupoudrer la pâte d'une portion de mélange aux noix. Couvrir de quatre feuilles de pâte beurrées, puis d'une autre portion de mélange aux noix. Continuer avec quatre feuilles de pâte, le reste des noix, et terminer par quatre feuilles de pâte. Couper délicatement les bords.

4 Badigeonner la surface du restant de beurre et d'huile. Trancher en quatre bandes dans le sens de la longueur (sans couper la pâte du fond). Enfourner 30 minutes. Verser le sirop refroidi sur le baklava chaud. Une fois le gâteau complètement froid, le couper en carrés ou en losanges.

CANNOLI SICILIENS

Préparation : 30 minutes
Cuisson : 10 minutes
Pour 18 cannoli

★★

250 g de farine
2 cuil. à café de café instantané
2 cuil. à café de cacao en poudre
2 cuil. à soupe de sucre en poudre
60 g de beurre très froid, coupé
    en morceaux
Huile, pour la friture

Garniture
250 g de ricotta
185 g de sucre glace
4 cuil. à café d'eau de fleur d'oranger
30 g de chocolat noir, râpé
60 g d'écorces de fruits confits
Sucre glace, pour la décoration

I Mélanger la farine, le café, le cacao, le sucre et une pincée de sel. Incorporer le beurre et le travailler avec les doigts jusqu'à obtention d'une pâte

BAKLAVA

Préparation : 25 minutes
Cuisson : 45 minutes
Pour 4 à 6 personnes

★★

Sirop
250 g de sucre en poudre
3 cuil. à café de jus de citron

400 g de noix finement hachées, mais
    non moulues
150 g d'amandes finement hachées
1/2 cuil. à café de cannelle moulue
1/2 cuil. à café d'un mélange de gingembre,
    clous de girofle et muscade en poudre
1 cuil. à soupe de sucre en poudre
60 g de beurre, fondu
1 cuil. à soupe d'huile d'olive
16 feuilles de pâte phyllo

EN HAUT : Baklava

friable, puis ajouter jusqu'à 125 ml d'eau pour former une pâte souple. La pétrir légèrement et la diviser en deux. Étaler chaque moitié entre deux feuilles de papier sulfurisé, sur 3 mm d'épaisseur. Découper en dix-huit carrés (de 7,5 cm). Placer des moules à cannoli ou des tubes à cannelloni sur chaque carré, en diagonale, et replier les coins afin qu'ils se chevauchent au centre. Humecter les parties qui se chevauchent, puis presser fermement pour les sceller (si vous utilisez des tubes à cannelloni, retirez-les après utilisation).

2 Faire frire les tubes par petites quantités dans de l'huile chaude (elle doit les recouvrir). Quand ils sont dorés et croustillants, les retirer avec une écumoire et les laisser refroidir dans leur moule.

3 Pour la garniture, battre la ricotta, le sucre glace et l'eau de fleur d'oranger jusqu'à obtention d'un mélange homogène. Incorporer le chocolat et les écorces confites. Laisser prendre au réfrigérateur.

4 Retirer les tubes des moules. Avec une poche à douille ou une cuillère, fourrer les tubes de garniture, en en laissant dépasser à chaque extrémité. Saupoudrer de sucre glace avant de servir. Les cannoli ne se gardent pas plus de 2 heures une fois fourrés.

POIRES EN CHAUSSON

Préparation : 40 minutes + refroidissement
Cuisson : 40 minutes
Pour 4 personnes

250 g de sucre en poudre

2 bâtons de cannelle

2 clous de girofle

4 poires

250 g de farine

150 g de beurre très froid, coupé
  en morceaux

85 g de sucre glace

80 ml de jus de citron

1 œuf, légèrement battu

1 Dans une grande casserole, faire fondre le sucre dans 1,5 litre d'eau, à feu doux. Ajouter les bâtons de cannelle, les clous de girofle et porter à ébullition.

2 Peler les poires en laissant la queue intacte. Les mettre dans la casserole, couvrir et laisser mijoter 10 minutes environ, jusqu'à ce qu'elles soient tendres (vérifier avec la pointe d'un couteau). Retirer les poires, les égoutter et les laisser refroidir complètement. Ôter le cœur avec un vide-pomme, sans équeuter le fruit.

3 Tamiser la farine dans une terrine, incorporer le beurre et manier jusqu'à obtention d'une pâte friable. Incorporer le sucre glace puis presque tout le jus de citron, et mélanger à l'aide d'une spatule jusqu'à formation d'une pâte homogène (ajoutant un peu de jus si nécessaire). Poser sur un plan de travail fariné et former une boule. Réfrigérer 20 minutes.

4 Préchauffer le four à 180 °C (therm. 4). Garnir une plaque à pâtisserie de papier sulfurisé. Diviser la pâte en quatre portions égales. Étaler une première portion en un cercle de 23 cm. Placer une poire au centre, couper la pâte en une large croix et réserver les chutes de pâte. Rabattre délicatement les bandes de pâte (une à la fois) sur les côtés de la poire, en faisant coïncider les bords et en les scellant. Faire de même avec les autres poires.

5 Découper des formes de feuilles dans le restant de pâte. Badigeonner les poires d'œuf battu, fixer les feuilles, puis badigeonner celles-ci d'œuf. Placer les poires sur la plaque et enfourner 30 minutes, jusqu'à ce qu'elles soient bien dorées. Servir chaud avec de la crème anglaise ou de la crème liquide.

POIRES EN CHAUSSON

Rabattre une bande de pâte à la fois sur le côté de la poire.

Badigeonner la poire d'œuf battu et fixer les feuilles de pâte.

EN HAUT :
Poires en chausson

À PEINE SORTIS DU FOUR...

Les recettes qui suivent sont étroitement liées à nos souvenirs d'enfance... à des images d'après-midi d'hiver et à des parfums d'épices emplissant la maison. Ce chapitre propose de savoureux desserts à servir tièdes ou chauds, comme les crumbles, les clafoutis et les puddings. Ils offrent souvent un mélange irrésistible de fruits d'automne et de pâtes pur beurre. Mais que ce chapitre ne soit pas réservé à l'hiver : les vrais amateurs d'entremets peuvent les savourer toute l'année !

LES CRUMBLES ET COBBLERS

Ce sont des desserts anglais à base de fruits, garnis d'une couche de pâte et servis bien chauds, parfois accompagnés de glace, de crème liquide ou anglaise. Les fruits doivent être juteux afin d'imprégner la pâte. Les crumbles sont recouverts d'une pâte friable composée de farine, de beurre et de sucre. L'ajout de noix, de noisettes ou de flocons d'avoine permet d'en varier la saveur et la texture. Certains sont garnis de biscuits émiettés, de muesli ou de chapelure.
Les cobblers, quant à eux, sont recouverts d'une pâte plus épaisse, comparable à celle des scones.

EN HAUT :
Cobbler aux pommes

COBBLER AUX POMMES

Préparation : 30 minutes
Cuisson : 1 h 15
Pour 6 personnes

 ★★

1 kg de pommes reinettes, pelées et épépinées
60 g de sucre en poudre
25 g de beurre, fondu
1 cuil. à café de zeste d'orange râpé
2 cuil. à soupe de jus d'orange frais

Garniture
85 g de farine avec levure incorporée
40 g de farine ordinaire
50 g de beurre, coupé en morceaux
2 cuil. à soupe de sucre en poudre
1 œuf, légèrement battu
2 ou 3 cuil. à soupe de lait
1 cuil. à café de cassonade

1 Préchauffer le four à 180 °C (therm. 4). Couper les pommes en huit à douze quartiers et les mélanger avec le sucre, le beurre, le jus et le zeste d'orange. Bien mélanger afin d'enduire les morceaux de pomme. Transférer dans un plat à gratin de 1,5 litre et de 5 cm de profondeur, couvrir de papier d'aluminium et enfourner 40 minutes, jusqu'à ce que les pommes soient tendres, en remuant une fois en cours de cuisson.

2 Au bout de 30 minutes de cuisson, commencer à préparer la garniture. Tamiser les farines dans une terrine, incorporer le beurre et manier jusqu'à obtention d'une pâte friable. Incorporer le sucre et creuser un puits au centre. Avec une spatule, incorporer l'œuf et suffisamment de lait pour obtenir une pâte épaisse et lisse.

3 Retirer le papier d'aluminium du plat et verser des cuillerées de préparation sur les pommes, en veillant à couvrir toute la surface. Saupoudrer de cassonade et remettre au four. Faire cuire 35 minutes (vérifier la cuisson avec la lame d'un couteau : elle doit ressortir sèche). Servir chaud, éventuellement avec de la crème liquide ou de la crème anglaise.

COBBLER AUX CERISES

Préparation : 30 minutes
Cuisson : 30 minutes
Pour 6 personnes

500 g de cerises fraîches ou en boîte,
    dénoyautées

Sucre en poudre, à votre goût

185 g de farine avec levure incorporée

1 cuil. à café de levure chimique

50 g de beurre très froid, coupé
    en morceaux

50 g de sucre roux

150 ml de crème liquide

1 Dans une grande casserole, cuire les cerises 5 minutes à feu moyen dans 60 ml d'eau, jusqu'à ce qu'elles commencent à ramollir. Ajouter le sucre et transférer dans un plat à gratin de 1 litre. Laisser refroidir. Préchauffer le four à 200 °C (therm. 6).
2 Dans une terrine, tamiser la farine, la levure et un peu de sel. Ajouter le beurre et le sucre roux et travailler avec les doigts jusqu'à formation d'une pâte friable. Incorporer la crème liquide et bien mélanger pour obtenir une pâte lisse.
3 Déposer des cuillerées de préparation sur les cerises, en laissant un peu d'espace entre chaque. Enfourner 25 minutes : la pâte doit être gonflée et dorée. Ce cobbler peut être servi accompagné de crème liquide ou fouettée.

COBBLER AUX PRUNES

Préparation : 15 minutes
Cuisson : 45 minutes
Pour 6 à 8 personnes

750 g de prunes rouges (ou autres)

60 g de sucre en poudre

Garniture

125 g de farine avec levure incorporée

60 g de farine ordinaire

60 g de sucre en poudre

125 g de beurre, coupé en morceaux

1 œuf

125 ml de lait

Sucre glace, pour la décoration

1 Préchauffer le four à 180 °C (therm. 4). Beurrer un plat à gratin de 2 litres. Couper les prunes en quartiers ; éliminer les noyaux.
2 Mettre les prunes dans une casserole avec le sucre et 1 cuil. à soupe d'eau. Remuer 5 minutes à feu doux, jusqu'à ce que le sucre soit dissous et les fruits légèrement ramollis. Étaler les prunes dans le plat à gratin.
3 Dans une terrine, tamiser les farines, ajouter le sucre et remuer. Incorporer le beurre et le travailler avec les doigts jusqu'à formation d'une pâte friable. Battre ensemble l'œuf et le lait pour obtenir un mélange homogène. Incorporer ce mélange dans la préparation.
4 Déposer de grosses cuillerées de préparation sur les prunes. Enfourner 30 à 40 minutes : le dessus doit être bien doré. Saupoudrer de sucre glace avant de servir.

CI-DESSOUS :
Cobbler aux prunes

tamiser la farine et 2 cuil. à soupe de cacao. Incorporer 125 g de sucre et creuser un puits au centre.

2 Ajouter le lait, l'œuf, le beurre et la vanille. Remuer jusqu'à obtention d'une préparation homogène, sans trop battre. Verser dans le plat. Délayer le reste de cacao et de sucre dans 600 ml d'eau bouillante. Faire couler délicatement le long du dos d'une cuillère sur la préparation.

3 Enfourner le pudding 40 minutes (vérifier la cuisson avec la lame d'un couteau : elle doit ressortir sèche).

4 Pour la crème à l'orange, travailler la crème liquide, le zeste d'orange, le sucre glace et le Grand Marnier au batteur électrique, pour obtenir un mélange lisse et épais.

5 Saupoudrer le pudding de sucre glace et servir immédiatement avec la crème à l'orange.

PUDDING AUX POMMES

Préparation : 25 minutes
Cuisson : 55 minutes
Pour 4 à 6 personnes

500 g de pommes reinettes

150 g de sucre en poudre

125 g de beurre

2 œufs

1 cuil. à café d'essence de vanille

125 ml de lait

185 g de farine avec levure incorporée

1 Préchauffer le four à 180 °C (therm. 4). Beurrer un plat à gratin profond de 1,5 litre et garnir le fond de papier sulfurisé.

2 Peler, épépiner et trancher grossièrement les pommes. Dans une casserole, mettre les pommes, 2 cuil. à soupe de sucre et 1 cuil. à soupe d'eau. Couvrir et faire cuire 12 minutes à feu moyen (les pommes doivent être tendres mais non réduites en bouillie). Avec une écumoire, disposer les pommes au fond du plat à gratin. Laisser refroidir.

3 Travailler le beurre et le reste de sucre au batteur jusqu'à obtention d'un mélange crémeux. Ajouter les œufs un par un, en battant bien après chaque ajout. Délayer la vanille dans le lait et, avec une grande cuillère en métal, incorporer au mélange en alternance avec la farine tamisée.

4 Verser la préparation sur les pommes et égaliser la surface. Enfourner 40 à 45 minutes (vérifier la cuisson avec la lame d'un couteau : elle doit ressortir sèche).

PUDDING AU CHOCOLAT ET CRÈME À L'ORANGE

Préparation : 25 minutes
Cuisson : 40 minutes
Pour 4 à 6 personnes

125 g de farine avec levure incorporée

40 g de cacao en poudre

310 g de sucre en poudre

125 ml de lait

1 œuf

60 g de beurre, fondu

1 cuil. à café d'essence de vanille

Sucre glace, pour la décoration

Crème à l'orange

315 ml de crème liquide

1 cuil. à café de zeste d'orange râpé

1 cuil. à soupe de sucre glace

1 cuil. à soupe de Grand Marnier

EN HAUT :
Pudding au chocolat
et crème à l'orange

1 Préchauffer le four à 180 °C (therm. 4) et beurrer un plat à gratin de 2 litres. Dans une terrine,

DÉLICE AU CITRON

Préparation : 20 minutes
Cuisson : 40 minutes
Pour 4 personnes

 ★ ★

60 g de beurre

185 g de sucre en poudre

3 œufs, blancs et jaunes séparés

1 cuil. à café de zeste de citron râpé

40 g de farine avec levure incorporée, tamisée

60 ml de jus de citron

185 ml de lait

Sucre glace, pour la décoration

1 Préchauffer le four à 180 °C (therm. 4). Huiler un plat à four de 1 litre. Travailler le beurre, le sucre, les jaunes d'œufs et le zeste de citron au batteur électrique, jusqu'à obtention d'un mélange léger et crémeux. Transférer dans une jatte.

2 Ajouter la farine et remuer brièvement avec une cuillère en bois. Ajouter le jus de citron et le lait ; bien mélanger.

3 Monter les blancs d'œufs en neige ferme. Les incorporer délicatement dans la préparation à l'aide d'une cuillère en métal.

4 Verser la préparation dans le plat et placer celui-ci dans un plat à four profond. Verser de l'eau bouillante jusqu'au tiers de la hauteur du premier plat. Enfourner 40 minutes. Saupoudrer de sucre glace à la sortie du four.

LES CITRONS

Quand vous achetez des citrons, choisissez des fruits bien lourds et fermes. Les citrons à peau fine sont plus juteux que les citrons à peau épaisse. Certaines variétés sont plus acidulées et parfumées que d'autres. Le jus d'un citron représente l'équivalent de trois cuillerées à soupe environ. Les citrons gardés à température ambiante, ou réchauffés quelques secondes au micro-ondes, donnent plus facilement de jus que les citrons froids. Les huiles essentielles du zeste de citron donnent plus de parfum que de goût. Le goût provient essentiellement du jus.

Rejetez tout citron présentant des meurtrissures. Les citrons s'abîment plus vite s'ils sont entreposés avec d'autres fruits : conservez-les séparément.

EN HAUT :
Délice au citron

GRATIN DE POMMES

Préparation : 15 minutes
Cuisson : 50 minutes
Pour 4 à 6 personnes

5 pommes reinettes, pelées, épépinées
    et hachées
100 g de beurre
95 g de cassonade + 1 cuil. à soupe
Le zeste de 1 citron, râpé
1 pincée de cannelle moulue
1 pincée de muscade
240 g de mie de pain émiettée

1 Cuire les pommes avec 1 cuil. à soupe de beurre, 1 cuil. à soupe de cassonade, le zeste de citron, la cannelle et la muscade pendant 10 à 15 minutes, jusqu'à ce que les pommes soient réduites.
2 Préchauffer le four à 180 °C (therm. 4). Faire fondre le reste de beurre à feu doux dans une poêle et ajouter la mie de pain et le reste de cassonade. Mélanger le tout afin de bien enduire la mie de pain, et continuer à remuer jusqu'à ce qu'elle soit bien dorée.
3 Étaler un tiers de la mie de pain dans un plat à gratin de 1 litre et ajouter la moitié de la compote de pommes en une couche régulière. Répéter avec un autre tiers de mie de pain et l'autre moitié de pommes et terminer par une couche de mie de pain. Enfourner 20 minutes, jusqu'à ce que le dessus soit bien doré.

CRUMBLE AUX POMMES

Préparation : 20 minutes
Cuisson : 45 minutes
Pour 4 à 6 personnes

8 pommes (1,5 kg environ)
2 cuil. à soupe de sucre en poudre
125 g de farine
95 g de cassonade
3/4 de cuil. à café de cannelle moulue
100 g de beurre, coupé en morceaux

1 Préchauffer le four à 180 °C (therm. 4). Peler et épépiner les pommes et les couper en huit tranches. Les placer dans une casserole avec 60 ml d'eau ; porter à ébullition, puis baisser le feu et couvrir. Faire

cuire 15 minutes environ, jusqu'à ce que les pommes soient juste tendres. Retirer du feu, égoutter et incorporer le sucre en mélangeant doucement. Verser la préparation dans un plat à gratin.
2 Verser la farine dans une jatte, incorporer la cassonade et la cannelle. Ajouter le beurre et le manier jusqu'à obtention d'une pâte friable. Émietter cette pâte sur les pommes afin de les recouvrir complètement. Enfourner 25 à 30 minutes. Servir immédiatement avec de la crème fraîche bien froide ou de la glace.

CRUMBLE À LA RHUBARBE

Préparation : 15 minutes
Cuisson : 25 minutes
Pour 4 à 6 personnes

1 kg de rhubarbe
160 g de sucre en poudre
100 g de beurre
90 g de farine
75 g de sucre roux
10 biscuits secs aux amandes, émiettés
    (Amaretti)

Crème au sirop d'érable
200 ml de crème fraîche épaisse
2 cuil. à soupe de sirop d'érable
3 biscuits secs aux amandes, émiettés
    (Amaretti)

1 Préchauffer le four à 200 °C (therm. 6). Préparer la rhubarbe, la couper en petits tronçons et la mettre dans une casserole avec le sucre. Remuer à feu doux jusqu'à ce que le sucre soit dissous, puis couvrir et laisser mijoter 8 à 10 minutes : la rhubarbe doit être tendre mais rester en morceaux. Verser dans un plat à gratin de 1,5 litre.
2 Travailler le beurre et la farine jusqu'à obtention d'une pâte friable, puis incorporer le sucre roux et les biscuits.
3 Émietter la pâte sur la rhubarbe et enfourner 15 minutes, jusqu'à ce que le dessus soit bien doré.
4 Servir avec la crème au sirop d'érable : mettre la crème dans un saladier, incorporer délicatement le sirop d'érable, puis ajouter les biscuits. Mélanger très brièvement (on doit voir les rubans de sirop dans la crème).
NOTE : Goûter la rhubarbe et, si nécessaire, ajouter un peu de sucre.

PAGE CI-CONTRE :
Crumble à la rhubarbe
(en haut) ; Gratin
de pommes (en bas)

PUDDING CRÉMEUX À LA COMPOTE DE POMMES

Préparation : 25 minutes
Cuisson : 1 h 05
Pour 6 personnes

★★

Crème

1 cuil. à soupe 1/2 de crème anglaise en poudre

125 ml de lait

1 cuil. à soupe de sucre en poudre

90 ml de crème fraîche épaisse

180 g de beurre

150 g de sucre en poudre

2 œufs

150 g de farine avec levure incorporée

30 g de crème anglaise en poudre

45 g d'amandes en poudre

250 ml de crème liquide

4 pommes

Sucre glace, pour la décoration

CI-DESSOUS :
Pudding crémeux
à la compote de pommes

1 Pour faire la crème, mettre dans un saladier la crème anglaise en poudre et un peu de lait ; bien mélanger. Ajouter le reste du lait et remuer. Verser dans une casserole, ajouter le sucre et la crème fraîche et remuer à feu moyen jusqu'à ébullition et épaississement. Retirer du feu et couvrir la surface de film plastique afin d'éviter qu'une peau ne se forme.

2 Préchauffer le four à 180 °C (therm. 4). Battre le beurre et 125 g de sucre jusqu'à obtention d'un mélange crémeux. Ajouter les œufs un par un, en continuant à battre. Incorporer la farine tamisée, la crème anglaise en poudre et les amandes, en alternance avec la crème liquide.

3 Déposer la moitié de cette préparation dans un plat à gratin de 2 litres et verser la crème dessus. Couvrir du reste de préparation, et l'égaliser délicatement avec le dos d'une cuillère. Enfourner 45 à 50 minutes, jusqu'à ce que le pudding soit ferme au toucher. Saupoudrer de sucre glace.

4 Pendant ce temps, peler, épépiner et trancher finement les pommes et les mettre dans une casserole avec le reste de sucre et 2 cuil. à soupe d'eau. Porter à ébullition, baisser le feu et laisser mijoter 10 minutes à couvert, jusqu'à ce que les pommes soient tendres. Saupoudrez de sucre glace. Servir le pudding directement du plat, accompagné de compote chaude.

GÂTEAU DE RIZ

Préparation : 10 minutes
Cuisson : 3 heures
Pour 4 personnes

★

50 g de riz rond

400 ml de lait

1 cuil. à soupe 1/2 de sucre en poudre

185 ml de crème liquide

Quelques gouttes d'essence de vanille

1 pincée de muscade fraîchement râpée

1 feuille de laurier

1 Préchauffer le four à 150 °C (therm. 2). Beurrer un plat à gratin de 1 litre. Mélanger le riz, le lait, le sucre, la crème liquide et l'essence de vanille et verser dans le plat. Saupoudrer la surface de muscade et déposer la feuille de laurier dessus.

2 Faire cuire 3 heures au four. Le riz doit avoir absorbé presque tout le lait et présenter une surface dorée.

LE GÂTEAU DE RIZ

Traditionnellement, on utilise du riz rond pour confectionner les gâteaux de riz, car l'amidon des grains se décompose et donne une préparation épaisse et crémeuse. Le riz rond est également plus absorbant. On peut utiliser du riz à grain long, mais, n'ayant pas la même teneur en amidon ni la même capacité d'absorption, il devra être additionné d'un laitage crémeux pour donner le même effet. En règle générale, les grains de riz absorbent jusqu'à quatre ou cinq fois leur volume en liquide lorsqu'ils sont cuits à feu doux, au four ou sur le feu. Les gâteaux de riz cuits au four sont plus faciles à réaliser car ils n'ont pas besoin d'être remués en cours de cuisson. Les gâteaux de riz asiatiques se font avec du riz gluant, noir ou blanc. Ils peuvent être onctueux ou très collants et, dans ce cas, détaillés en portions.

GÂTEAU DE RIZ AU THYM-CITRON ET AUX FRAISES

Préparation : 20 minutes + temps de repos
Cuisson : 1 h 15
Pour 6 à 8 personnes

★★

500 g de fraises

2 cuil. à soupe de vinaigre balsamique

180 g de sucre en poudre

150 g de riz à grain long

750 ml de lait

6 brins de 3 cm de thym-citron

3 jaunes d'œufs

1 œuf

1 Équeuter les fraises et les couper en deux. Les mettre dans un saladier avec le vinaigre. Saupoudrer avec la moitié du sucre et bien mélanger. Laisser les parfums s'imprégner, en remuant de temps en temps.
2 Préchauffer le four à 160 °C (therm. 2-3). Beurrer un plat à gratin de 1,5 litre.
3 Bien rincer le riz et le mettre dans une casserole avec 375 ml d'eau. Porter à ébullition, couvrir et laisser mijoter 8 à 10 minutes à feu doux. Retirer du feu et laisser reposer 5 minutes à couvert, jusqu'à ce que le liquide soit absorbé.
4 Dans une petite casserole, chauffer le lait avec le thym-citron et le reste de sucre. Quand des bulles se forment sur le bord, retirer du feu et laisser reposer 10 minutes : que le lait absorbe ainsi le parfum du thym-citron. Égoutter. Dans un saladier, battre les jaunes d'œufs et l'œuf, ajouter le riz et incorporer peu à peu le lait chaud. Verser dans le plat. Le placer dans un plat plus grand et verser de l'eau chaude jusqu'à mi-hauteur. Enfourner 50 à 60 minutes, jusqu'à ce que le pudding soit juste pris (le temps de cuisson varie en fonction du type de plat). Retirer du four et laisser reposer 10 minutes. Servir tiède ou froid avec les fraises.

EN HAUT : Gâteau de riz au thym-citron et aux fraises

PAIN PERDU AUX RAISINS SECS

Préparation : 20 minutes + trempage + réfrigération
Cuisson : 40 minutes
Pour 4 personnes

★

60 g de raisins de Corinthe et de Smyrne

2 cuil. à soupe de cognac ou de rhum

30 g de beurre

4 tranches de pain de mie ou de brioche

3 œufs

3 cuil. à soupe de sucre en poudre

750 ml de lait

60 ml de crème liquide

Quelques gouttes d'essence de vanille

1 pincée de cannelle moulue

1 cuil. à soupe de cassonade

*EN HAUT : Pain perdu
aux raisins secs*

1 Tremper les raisins secs dans le cognac ou le rhum pendant 30 minutes. Beurrer les tranches de pain ou de brioche et couper chaque tranche en huit triangles. Disposer le pain dans un plat à gratin de 1 litre.

2 Mélanger les œufs et le sucre, ajouter le lait, la crème, la vanille et la cannelle et bien mélanger. Égoutter les raisins secs et ajouter le liquide à la crème.

3 Éparpiller les raisins secs sur le pain et verser la crème dessus. Couvrir de film plastique et réfrigérer 1 heure.

4 Préchauffer le four à 180 °C (therm. 4). Sortir le plat du réfrigérateur et saupoudrer de cassonade. Enfourner 35 à 40 minutes : la crème doit être prise et le dessus doré.

NOTE : Il est essentiel d'utiliser un pain de mie de qualité pour cette recette. Le pain de mie ordinaire s'émiette en absorbant le lait.

PUDDING AU CARAMEL

Préparation : 40 minutes + temps de repos
    + réfrigération
Cuisson : 1 heure
Pour 6 à 8 personnes

285 g de sucre en poudre

500 g de panettone ou de brioche

500 ml de lait

2 lamelles de zeste de citron, peau
    blanche enlevée

3 œufs, légèrement battus

Fruits frais et crème fraîche en
    accompagnement (facultatif)

1 Préchauffer le four à 180 °C (therm. 4). Graisser légèrement un moule à cake de 1,25 litre.
2 Dans une petite casserole, mettre 160 g de sucre en poudre et 2 cuil. à soupe d'eau. Remuer à feu moyen, sans faire bouillir, jusqu'à ce que le sucre soit complètement dissous. Porter à ébullition, baisser légèrement le feu et laisser cuire 10 minutes environ sans remuer : le sirop doit prendre une belle couleur brun doré. Veiller à ne pas laisser le caramel brûler. Dès qu'il atteint la couleur désirée, le verser dans le moule à cake et laisser refroidir.
3 Avec un couteau-scie, couper le panettone ou la brioche en tranches de 2 cm d'épaisseur et ôter la croûte. Couper en gros morceaux afin de remplir le moule en trois couches. Boucher les trous avec de petits morceaux de panettone.
4 Dans une casserole, mélanger le reste de sucre, le lait et le zeste de citron. Faire cuire à feu doux jusqu'à ce que le sucre soit dissous. Porter à ébullition, retirer du feu et transférer dans un récipient pour laisser le parfum du citron se libérer et la préparation refroidir. Enlever le zeste et incorporer les œufs battus. Verser la préparation peu à peu dans le moule, en laissant le panettone s'en imprégner après chaque ajout. Laisser reposer 20 minutes pour que le panettone absorbe tout le liquide.
5 Placer le moule à cake dans un grand plat à gratin et verser de l'eau jusqu'à mi-hauteur du moule. Enfourner 50 minutes. Retirer délicatement le moule du plat et laisser refroidir. Mettre le pudding au réfrigérateur toute la nuit.
6 Au moment de servir, démouler le pudding sur un plat et le couper en tranches. Servir avec des fruits frais et de la crème fraîche, à votre goût.

PUDDINGS À BASE DE PAIN

Les puddings à base de pain se font avec toutes sortes de restes de pain ou de gâteau. Les croissants, le panettone, la brioche et tous les cakes aux fruits forment de délicieux puddings. Saupoudrés de cassonade ou de morceaux de sucre concassés, ils auront une texture croquante. Pour un joli glaçage, couvrir le dessus du pudding de confiture d'abricot.

EN HAUT :
Pudding au caramel

1 Faire macérer les raisins 2 heures dans le Cointreau, ou toute la nuit. Égoutter et réserver le liquide. Préchauffer le four à 180 °C (therm. 4). Mélanger les œufs, le miel, le lait, la crème et le Cointreau réservé. Beurrer quatre ramequins de 250 ml et répartir la moitié des raisins dans les ramequins.

2 Couper le pain en tranches épaisses. Retirer la croûte. Mettre une tranche dans chaque ramequin. Éparpiller dessus le reste des raisins, puis poser une autre tranche de pain. Verser la préparation aux œufs dessus et laisser le pain s'imbiber. Placer les ramequins dans un plat à gratin et verser de l'eau jusqu'à mi-hauteur des ramequins. Enfourner 25 à 30 minutes, jusqu'à ce que les puddings soient pris. Laisser reposer 5 minutes avant de démouler.

3 Pour la crème à l'orange, fouetter la crème et le sucre glace jusqu'à obtention d'une consistance ferme. Incorporer le Cointreau, le zeste d'orange et la muscade. Servir avec le pudding.

PUDDING AUX FRUITS SECS

Préparation : 25 minutes + trempage
Cuisson : 50 minutes
Pour 6 personnes

★ ★

4 cuil. à soupe de sucre en poudre

100 g d'un assortiment de fruits secs

2 cuil. à soupe de rhum ou d'eau bouillante

150 g de génoise

500 ml de lait

4 œufs

1 cuil. à café d'essence de vanille

Crème liquide, en accompagnement

1 Préchauffer le four à 180 °C (therm. 4). Beurrer six ramequins de 185 ml. Saupoudrer la base et les bords avec 1 cuil. à soupe de sucre. Faire macérer les fruits 15 à 20 minutes dans le rhum (ou l'eau).

2 Détailler la génoise en cubes de 5 mm et les mélanger avec les fruits et le rhum. Répartir dans les moules, en égalisant la surface. Dans une petite casserole, chauffer le lait jusqu'à ce que des bulles apparaissent sur le bord. Battre ensemble les œufs et le reste du sucre. Les incorporer dans le lait chaud avec l'essence de vanille. Bien battre et répartir sur la génoise préparée.

3 Placer les moules dans un grand plat à four, à moitié rempli d'eau bouillante. Enfourner 40 à 45 minutes, jusqu'à ce que la crème soit prise. Retirer de l'eau et laisser reposer 2 à 3 minutes avant de démouler sur une assiette chaude. Servir accompagné de crème.

PUDDINGS AU COINTREAU ET CRÈME À L'ORANGE

Préparation : 40 minutes + trempage
Cuisson : 30 minutes
Pour 4 personnes

★ ★

60 g de raisins de Smyrne

80 ml de Cointreau

5 œufs

115 g de miel

250 ml de lait

250 ml de crème liquide

1 pain de mie entier

Crème à l'orange

250 ml de crème liquide

2 cuil. à café de sucre glace

2 cuil. à café de Cointreau

Le zeste râpé de 1 orange

1 pincée de noix muscade moulue

EN HAUT :
Puddings au Cointreau
et crème à l'orange

CLAFOUTIS AUX CERISES

Préparation : 15 minutes
Cuisson : 35 minutes
Pour 6 à 8 personnes

500 g de cerises fraîches, ou 800 g de cerises
   en boîte, dénoyautées et bien égouttées

60 g de farine

90 g de sucre en poudre

4 œufs, légèrement battus

250 ml de lait

25 g de beurre, fondu

Sucre glace, pour la décoration

1 Préchauffer le four à 180 °C (therm. 4). Beurrer un moule à tarte en verre ou en céramique de 24 cm.

2 Dénoyauter les cerises et les étaler dans le moule en une seule couche. Si vous utilisez des cerises en boîte, les égoutter complètement dans une passoire avant de les étaler, afin qu'elles ne rendent pas trop de liquide.

3 Tamiser la farine dans une terrine, ajouter le sucre et creuser un puits au centre. Dans un récipient à bec verseur, mélanger les œufs, le lait et le beurre. Ajouter peu à peu dans la terrine en battant bien, jusqu'à ce qu'il n'y ait plus de grumeaux.

4 Verser la préparation sur les cerises et enfourner 30 à 35 minutes. La pâte doit gonfler et dorer. Retirer du four et saupoudrer généreusement de sucre glace. Servir immédiatement.

NOTE : Le clafoutis est une spécialité du Limousin. Le mot clafoutis provient de clafir, qui, dans le dialecte local, signifie « fourrer ». Il se prépare traditionnellement avec des cerises, mais on peut utiliser des myrtilles, des mûres, des framboises ou même des petites fraises bien parfumées. Le plat de cuisson doit être peu profond afin que le clafoutis devienne bien doré.

*EN HAUT : Clafoutis
aux cerises*

3 Dans un saladier, battre les œufs, le sucre et la vanille. Incorporer le mélange de chocolat, puis la farine tamisée, le cacao et le café. Remuer sans trop battre. Verser dans le moule et enfourner 40 minutes. Laisser tiédir dans le moule.

4 Démouler le gâteau en vous aidant du papier sulfurisé. Avec un emporte-pièce rond de 8 cm, découper six ronds dans le gâteau encore tiède. Déposer chaque rond sur une assiette de service, garnir de trois petites boules de glace et saupoudrer légèrement de chocolat en poudre.

BROWNIES FOURRÉS À LA GLACE

Préparation : 20 minutes
Cuisson : 40 minutes
Pour 6 personnes

✶✶

1 litre de glace à la vanille, légèrement ramollie

125 g de beurre, coupé en morceaux

185 g de chocolat noir supérieur, concassé

250 g de sucre en poudre

2 œufs, légèrement battus

125 g de farine, tamisée

60 g de noix hachées

Cacao en poudre, pour la décoration

1 Préchauffer le four à 180 °C (therm. 4). Garnir une plaque à pâtisserie de papier sulfurisé, et étaler la glace de façon à former un rectangle de 15 x 20 cm. Couvrir la surface de papier sulfurisé et recongeler la glace. Graisser légèrement un moule de 20 x 30 cm et garnir le fond de papier sulfurisé, en en laissant un peu dépasser sur deux côtés.

2 Mettre le beurre et le chocolat dans un saladier résistant à la chaleur. Verser 5 cm d'eau dans une grande casserole ; porter à ébullition puis retirer du feu. Placer le saladier sur la casserole, sans qu'il touche l'eau. Remuer jusqu'à ce que le chocolat soit fondu. Incorporer le sucre et les œufs, puis la farine tamisée et les noix. Mélanger brièvement et verser dans le moule en égalisant la surface. Enfourner 30 minutes, jusqu'à ce que le gâteau soit ferme. Laisser refroidir complètement dans le moule avant de démouler à l'aide du papier sulfurisé.

3 Détailler le brownie en douze portions, et la glace en six. Placer un morceau de glace en sandwich entre deux brownies et saupoudrer de cacao.

BROWNIES FOURRÉS

Une fois le brownie cuit, laisser refroidir complètement dans le moule, puis démouler et détailler en carrés.

Placer un morceau de glace entre deux brownies, puis saupoudrer de cacao.

EN HAUT :
Brownies cappuccino

BROWNIES CAPPUCCINO

Préparation : 20 minutes
Cuisson : 40 minutes
Pour 6 personnes

✶

150 g de beurre

125 g de chocolat noir supérieur

3 œufs

375 g de sucre en poudre

1 cuil. à café d'essence de vanille

125 g de farine

30 g de cacao en poudre

2 cuil. à soupe de café instantané

1 litre de glace à la vanille

1 cuil. à café de chocolat en poudre

1 Préchauffer le four à 180 °C (therm. 4). Beurrer un moule peu profond de 28 x 18 cm et garnir le fond de papier sulfurisé, en le faisant déborder sur deux côtés.

2 Faire bouillir un peu d'eau dans une casserole. Mettre le beurre et le chocolat dans un bol, et faire fondre au bain-marie, hors du feu. Remuer jusqu'à obtention d'un mélange lisse. Laisser refroidir légèrement.

PUDDINGS AUX NOISETTES

Préparation : 40 minutes
Cuisson : 30 minutes
Pour 8 personnes

125 g de beurre + 30 g, fondu

60 g de noisettes hachées

125 g de sucre en poudre

3 œufs, légèrement battus

250 g de farine avec levure incorporée, tamisée

60 g de raisins de Smyrne

80 ml d'eau-de-vie (cognac, par exemple)

80 ml de babeurre

Sauce au chocolat

250 ml de crème liquide

30 g de beurre

200 g de chocolat noir supérieur, concassé

1 Préchauffer le four à 180 °C (therm. 4). Badigeonner huit ramequins ou moules à pudding de 125 ml avec le beurre fondu et tapisser de noisettes hachées, en ôtant l'excédent. Fouetter les 125 g de beurre et le sucre au batteur électrique jusqu'à obtention d'une crème légère. Ajouter les œufs un par un, en continuant à battre. Incorporer la farine, les raisins secs, l'eau-de-vie et le babeurre. Répartir la préparation dans les ramequins, les couvrir d'une feuille de papier d'aluminium beurré (avec un repli au centre, pour l'ôter plus facilement) et fixer avec de la ficelle.

2 Placer les puddings dans un grand plat à gratin et verser de l'eau jusqu'aux trois quarts des ramequins. Enfourner 25 minutes, en ajoutant de l'eau si nécessaire. Vérifier la cuisson avec la lame d'un couteau : elle doit ressortir sèche.

3 Pour la sauce au chocolat, faire fondre à feu doux la crème, le beurre et le chocolat dans une petite casserole. Démouler les puddings chauds sur des assiettes. S'ils se démoulent mal, passer un couteau sur le pourtour du ramequin. Servir avec la sauce au chocolat. On peut aussi les accompagner de crème anglaise et les décorer de copeaux de chocolat (voir page 238).

CI-DESSOUS :
Puddings aux noisettes

LA PÂTE À BRIOCHE

La pâte à brioche, telle qu'elle est utilisée ici, est une pâte riche contenant la moitié de son poids en beurre, plus d'autres ingrédients nourrissants comme le sucre et les œufs. Tout cela contribue à former une pâte souple et friable, assez difficile à manier. Un bon pétrissage et un levage lent sont nécessaires pour lui conférer une bonne souplesse. La levure a besoin d'un peu de sucre pour gonfler, mais trop de sucre entraînerait l'effet inverse. Les sirops à savarin et à baba servent à les sucrer.

EN HAUT :
Savarin à l'ananas

SAVARIN À L'ANANAS

Préparation : 40 minutes + levage
Cuisson : 40 minutes
Pour 6 à 8 personnes

7 g de levure de boulanger sèche
170 ml de jus d'ananas sans sucre ajouté, réchauffé
2 cuil. à café de sucre en poudre
250 g de farine
3 œufs, légèrement battus
90 g de beurre, ramolli

Sirop au rhum
250 g de sucre en poudre
375 ml de jus d'ananas sans sucre ajouté
1 morceau de zeste de citron de 5 cm
125 ml de rhum ambré

1 Beurrer un moule à savarin de 25 cm. Délayer la levure dans le jus d'ananas, puis incorporer le sucre. Laisser reposer 5 minutes, jusqu'à ce que le mélange devienne mousseux. Dans un saladier, tamiser la farine et 1 pincée de sel. Ajouter le mélange précédent et les œufs, travailler à la main pendant 5 minutes. Ajouter le beurre et continuer à travailler 5 minutes. Couvrir et laisser gonfler 45 minutes dans un endroit chaud (la pâte doit mousser légèrement). Appuyer sur la pâte pour chasser l'air et la manier 1 à 2 minutes.

2 Verser dans le moule et couvrir de film plastique. Laisser reposer 10 minutes dans un endroit chaud. Préchauffer le four à 190 °C (therm. 5). Enfourner 25 minutes sur une plaque : le savarin doit être ferme et doré, mais peut déborder un peu au centre.

3 Pendant ce temps, confectionner le sirop au rhum. Dans une petite casserole, remuer le sucre, le jus et le zeste de citron à feu doux jusqu'à ce que le sucre soit dissous. Porter à ébullition et laisser bouillir 10 à 15 minutes sans remuer. Retirer le zeste et ajouter le rhum.

4 Une fois le savarin cuit, égaliser la base avec un couteau. Démouler et laisser refroidir sur une grille posée sur un plat. Piquer le savarin à l'aide d'une pique à cocktail puis, tandis qu'il est encore chaud, l'arroser de sirop au rhum en récupérant le sirop tombé dans le plat pour l'imprégner totalement.

BABA AU RHUM ET FIGUES

Préparation : 40 minutes + temps de repos
Cuisson : 30 minutes
Pour 10 babas

200 g de farine

7 g de levure de boulanger

2 cuil. à café de sucre en poudre

80 ml de lait tiède

80 g de beurre, coupé en morceaux

3 œufs, légèrement battus

375 g de sucre en poudre

80 ml de rhum ambré + 2 cuil. à soupe

240 g de confiture d'abricots

4 à 6 figues fraîches

1 Huiler légèrement dix moules à baba de 125 ml. Dans un bol, mettre 1 cuil. à soupe de farine, la levure, le sucre, le lait et 1 pincée de sel. Couvrir de film plastique et laisser reposer 10 minutes dans un endroit chaud : le mélange doit devenir mousseux. Dans un saladier, travailler le reste de farine et le beurre avec les doigts pour obtenir une pâte friable.

2 Ajouter la levure délayée et les œufs à la préparation à base de farine. Manier pendant 2 minutes environ, jusqu'à obtention d'une pâte lisse et luisante. Racler les parois du saladier. Couvrir de film plastique et laisser lever 45 minutes dans un endroit chaud, de façon que la pâte soit bien gonflée.

3 Préchauffer le four à 210 °C (therm. 6-7). Avec une cuillère en bois ou avec la main, travailler la préparation pendant 2 minutes. Répartir dans les moules, couvrir de film plastique et laisser lever encore 10 minutes.

4 Enfourner 20 minutes, pour que les babas soient bien dorés. Pendant ce temps, mélanger le sucre et 500 ml d'eau dans une casserole. Remuer sur feu doux, sans faire bouillir, jusqu'à ce que le sucre soit complètement dissous. Porter à ébullition, puis baisser le feu et laisser cuire 15 minutes sans remuer. Retirer du feu, laisser refroidir un peu et ajouter 80 ml de rhum.

5 Démouler les babas sur une grille posée au-dessus d'un plat. Les piquer avec une pique à cocktail et les arroser généreusement de sirop au rhum jusqu'à ce qu'ils soient bien imbibés. Laisser égoutter. Récupérer l'excédent de sirop dans un récipient, en le passant éventuellement au tamis pour ôter les miettes.

6 Chauffer la confiture d'abricots à la casserole ou au micro-ondes, puis la passer au chinois fin. Ajouter les 2 cuil. à soupe de rhum, remuer et en badigeonner les babas. Au moment de servir, placer un ou deux babas dans chaque assiette et les entourer d'un peu du sirop réservé. Couper les figues en deux et les servir en accompagnement.

NOTE : Les babas au rhum sont meilleurs le jour même. Si vous n'avez pas de moules à baba, vous pouvez utiliser des boîtes de conserve vides (de préférence d'une contenance de 130 g). Laver et sécher soigneusement la boîte avant utilisation.

Sans doute originaire de Pologne, le baba est un gâteau spongieux à base de levure, que l'on imbibe de rhum et de sirop de sucre. Il est parfois agrémenté de raisins secs.

BABA AU RHUM

Travailler vigoureusement la préparation avec la main légèrement repliée.

EN HAUT :
Baba au rhum et figues

PUDDING ROYAL

Préparation : 15 minutes + trempage
Cuisson : 55 minutes
Pour 6 personnes

80 g de mie de pain émiettée

500 ml de lait bouillant

2 œufs, jaunes et blancs séparés

90 g de sucre en poudre

3 cuil. à soupe de confiture de fraises

150 g de fraises, émincées

1 Préchauffer le four à 180 °C (therm. 4). Mettre la mie de pain avec le lait chaud dans un saladier et laisser reposer 10 minutes. Battre les jaunes d'œufs avec la moitié du sucre et incorporer ce mélange à la mie de pain trempée.

2 Verser la préparation dans un plat à four beurré et enfourner 45 minutes : le pudding doit être ferme. Baisser le four à 160 °C (therm. 2-3).

3 Mélanger la confiture et les fraises et les étaler sur le pudding. Battre les blancs d'œufs en neige et incorporer le reste du sucre pour former une meringue. En décorer le dessus du pudding et enfourner 8 à 10 minutes, jusqu'à ce que la meringue soit prise et légèrement dorée. Servir chaud ou tiède.

CI-DESSOUS :
Charlotte aux pommes

CHARLOTTE AUX POMMES

Préparation : 50 minutes
Cuisson : 40 minutes
Pour 8 personnes

1 kg de pommes, pelées, épépinées et coupées en tranches

125 g de sucre en poudre

Le zeste de 1 citron

1 bâton de cannelle

30 g de beurre

1 pain de mie en tranches, sans la croûte

Un peu de beurre ramolli

Garniture

20 g de beurre

3 cuil. à soupe de sucre en poudre

1 grosse pomme, pelée, épépinée et coupée

200 ml de jus d'orange

1 Dans une grande casserole, faire cuire les pommes à feu doux avec le sucre, le zeste de citron, la cannelle et le beurre en remuant de temps en temps, jusqu'à ce que les fruits soient tendres. Le mélange doit être épais.

2 Préchauffer le four à 200 °C (therm. 6). Beurrer huit ramequins de 125 ml. Découper seize ronds de pain de mie, les tartiner de beurre ramolli et mettre un rond dans chaque ramequin, côté beurré dessous. Couper le reste du pain en bandes larges, les beurrer et en tapisser les parois des ramequins, côté beurré contre le ramequin. Verser la compote dans les ramequins en tassant bien. Poser les ronds de pain beurrés restants dessus, côté beurré au-dessus. Tasser et enfourner 15 minutes, jusqu'à ce que les charlottes soient dorées.

3 Pour préparer une grande charlotte, couper un rond de pain de même diamètre que le fond d'un moule à charlotte d'une capacité de 1,25 litre, et de larges bandes pour en tapisser les parois. Garder suffisamment de pain pour couvrir le dessus. Beurrer le pain et en garnir le moule, côté beurré vers l'extérieur. Verser la compote, couvrir avec le reste du pain et enfourner 30 à 40 minutes. Couvrir si la charlotte commence à trop brunir. Laisser refroidir un peu avant de démouler.

4 Pour la garniture, faire fondre le beurre, ajouter le sucre et bien mélanger. Ajouter la pomme et la faire légèrement rissoler. Ajouter le jus d'orange, porter à ébullition, baisser le feu et laisser mijoter jusqu'à ce que la pomme soit cuite. Retirer la pomme et faire réduire le sirop des deux tiers. Mettre la pomme sur la charlotte, la napper de sirop et servir.

LES ORANGES

Il existe deux principales variétés d'oranges : les blondes fines, telles que la valencialate, et les blondes navels, comme la navelina. La valencialate, disponible au printemps et en été, a une peau fine et orange clair, et une pulpe juteuse pratiquement dépourvue de pépins. La navel, que l'on trouve surtout en hiver, présente une sorte d'ombilic à une extrémité. Elle a une peau épaisse et foncée, facile à ôter, et se détache aisément en quartiers. Elle est délicieuse telle quelle. L'orange sanguine a un goût sucré mais acide, sa pulpe et son jus rouge foncé donnent une jolie couleur aux desserts.

PUDDING À L'ORANGE ET AUX AMANDES

Préparation : 45 minutes
Cuisson : 50 minutes
Pour 6 à 8 personnes

125 g de beurre

185 g de sucre en poudre

2 œufs, légèrement battus

3 cuil. à café de zeste d'orange finement râpé

280 g d'amandes en poudre

125 g de semoule

60 ml de jus d'orange

250 g de myrtilles, pour la décoration

Sucre glace, pour la décoration

Crème fraîche, en accompagnement (facultatif)

Sirop à l'orange

250 ml de jus d'orange, passé

125 g de sucre en poudre

1 Préchauffer le four à 180 °C (therm. 4). Beurrer légèrement un moule à savarin de 20 cm et garnir le fond de papier sulfurisé.

2 Dans un bol, fouetter le beurre et le sucre au batteur électrique jusqu'à obtention d'un mélange crémeux. Incorporer les œufs un par un, en continuant à battre. Ajouter le zeste d'orange et bien mélanger.

3 Transférer dans une grande jatte. Avec une cuillère en métal, incorporer les amandes et la semoule en alternance avec le jus d'orange. Mélanger brièvement pour obtenir une préparation homogène. Verser dans le moule et égaliser la surface. Enfourner 40 minutes (vérifier la cuisson avec une lame de couteau : elle doit ressortir sèche).

4 Pour le sirop, mélanger le jus d'orange et le sucre dans une petite casserole à feu doux, jusqu'à ce que le sucre soit dissous. Porter à ébullition, baisser le feu et laisser cuire 10 minutes.

5 Verser la moitié du sirop chaud sur le gâteau encore dans son moule. Laisser reposer 3 minutes, puis démouler le gâteau sur un plat. Badigeonner le gâteau du reste de sirop et laisser refroidir. Remplir le centre de myrtilles saupoudrées de sucre glace. Servir tel quel ou accompagné de crème fraîche.

EN HAUT : Pudding à l'orange et aux amandes

LA SEMOULE, LE SAGOU ET LE TAPIOCA

La semoule est une mouture de céréale, essentiellement du blé dur. Elle tire son nom de *simila*, un mot latin désignant une fine farine de blé, et de *semola*, le mot italien pour « son ». La semoule se compose des particules qui restent une fois que le blé a été moulu et tamisé. Un peu de semoule étalée au fond d'une tarte aux fruits absorbera le jus excédentaire.

Le sagou, également appelé « perles de Florence », est une fécule issue de la moelle de diverses variétés de palmiers, dont le sagoutier. Son nom provient du malais *sagu*. Il s'agit d'une fécule au goût neutre, qui se digère facilement.

Le tapioca est la fécule extraite de la racine de manioc. Il s'obtient en faisant tomber la fécule humide sur une plaque chaude, où elle forme de petits grains. Le tapioca peut remplacer le sagou, et vice versa.

EN HAUT :
Gâteau de semoule

GÂTEAU DE SEMOULE

Préparation : 10 minutes
Cuisson : 30 minutes
Pour 6 personnes

✦ ✦

90 g de semoule

500 ml de lait

4 cuil. à soupe de sucre en poudre

40 g de beurre

2 cuil. à soupe d'amandes en poudre

Quelques gouttes d'essence de vanille

2 œufs

50 g d'amandes mondées, pour la décoration (facultatif)

1 Préchauffer le four à 180 °C (therm. 4). Mettre la semoule, le lait et 3 cuil. à soupe de sucre dans une casserole, porter à ébullition. Baisser le feu et laisser cuire 10 minutes environ sans cesser de remuer, jusqu'à épaississement. Ajouter le beurre, les amandes en poudre, la vanille et les œufs. Bien mélanger.

2 Verser la préparation dans six ramequins ou petits moules de 125 ml, saupoudrer du reste de sucre et enfourner 15 minutes, jusqu'à ce que le dessus soit bien doré. Une fois que le gâteau est cuit, graver un motif sur la surface : chauffer une brochette métallique sur une flamme, et, quand elle est très chaude, la poser sur le gâteau jusqu'à ce qu'elle laisse une marque ; recommencer pour créer un motif.

3 Au moment de servir, griller les amandes mondées jusqu'à ce qu'elles soient bien dorées, les hacher finement et en saupoudrer le gâteau.

TAPIOCA À LA NOIX DE COCO

Dans une casserole à fond épais, mélanger 150 g de tapioca (grain fin) et 875 ml de lait de coco avec une gousse de vanille. Remuer à feu doux jusqu'à ce que les grains de tapioca deviennent transparents (15 minutes environ). Continuer à remuer pour éviter que le tapioca n'attache. Ajouter 125 g de sucre et bien mélanger. Transférer le tapioca dans un saladier, laisser refroidir avant de réfrigérer. Servir nappé de lait de coco et saupoudré de pistaches hachées.

RAMEQUINS DE RICOTTA AUX FRAMBOISES

Préparation : 20 minutes
Cuisson : 25 minutes
Pour 4 personnes

4 œufs, blancs et jaunes séparés

125 g de sucre en poudre

350 g de ricotta

35 g de pistaches, finement hachées

1 cuil. à café de zeste de citron râpé

2 cuil. à soupe de jus de citron

1 cuil. à soupe de sucre vanillé (voir Note)

200 g de framboises

Sucre glace, pour la décoration

1 Préchauffer le four à 180 °C (therm. 4). Dans un bol, battre les jaunes d'œufs et le sucre jusqu'à ce que le mélange blanchisse et épaississe. Mettre dans une terrine et ajouter la ricotta, les pistaches, le zeste et le jus de citron. Bien mélanger.

2 Dans un saladier, battre les blancs d'œufs en neige. Ajouter le sucre vanillé, puis incorporer délicatement les blancs dans la préparation à base de ricotta.

3 Beurrer légèrement quatre ramequins de 250 ml. Y répartir les framboises dans les ramequins et verser la ricotta dessus. Enfourner 20 à 25 minutes sur une plaque, jusqu'à ce qu'ils soient gonflés et légèrement dorés. Servir immédiatement, saupoudré de sucre glace.

NOTE : Pour confectionner soi-même le sucre vanillé, fendre une gousse de vanille dans la longueur et la placer dans un bocal de sucre en poudre (environ 1 kg). Laisser reposer au moins 4 jours.

GÂTEAU ROULÉ À LA CONFITURE

Préchauffer le four à 180 °C (therm. 4). Dans un saladier, tamiser 250 g de farine avec levure incorporée et ajouter 125 g de beurre coupé en morceaux. Travailler le beurre et la farine avec les doigts jusqu'à obtention d'une pâte friable. Incorporer 2 cuil. à soupe de sucre. Ajouter 50 ml de lait et 50 ml d'eau, et mélanger pour former une pâte (ajouter de l'eau si nécessaire). Placer sur un plan de travail fariné et former une boule. Étaler sur 5 mm d'épaisseur, en un rectangle de 30 x 23 cm. Recouvrir de 100 g de confiture, en laissant une bordure de 5 mm tout autour. Rouler dans la longueur et poser sur une plaque à pâtisserie garnie de papier sulfurisé. Badigeonner avec 1 cuil. à soupe de lait et enfourner 35 minutes. Servir en tranches tièdes avec de la crème anglaise. Pour 4 à 6 personnes.

LES PISTACHES

Les pistaches se composent d'une amande verte, recouverte d'une peau vert, rose et violet, elle-même recouverte d'une fine coquille qui s'ouvre à maturité. Les pistaches aux couleurs les plus vives sont les plus fraîches. Bien qu'originaires du Moyen-Orient, où elles sont abondamment utilisées dans les mets salés ou sucrés, les pistaches figurent dans la gastronomie de nombreux pays. En France et en Allemagne, par exemple, elles entrent dans la composition de terrines, de saucisses et de nougats ; en Grèce et en Turquie, elles s'utilisent dans les baklavas et les loukoums.

CI-CONTRE : Ramequins de ricotta aux framboises

LES PUDDINGS

Le pudding est devenu une telle institution en Grande-Bretagne qu'il désigne aujourd'hui n'importe quelle sorte de dessert, de la tarte aux pommes au sorbet au citron… En France, nous avons francisé le nom en pouding, incorporant ainsi dans notre cuisine une note britannique. Le Christmas pudding, traditionnellement consommé le jour de Noël, est un véritable délice à découvrir ou une coutume à perpétuer. Nappé d'une sauce chaude et parfumée, le pudding est le roi des desserts d'hiver...

À TOUTE VAPEUR ! Les puddings

cuits à la vapeur font partie des desserts traditionnels les plus anciens. Compacts

et riches ou légers et moelleux, ils sont généralement accompagnés d'une sauce chaude.

À l'origine, la pâte à pudding était enveloppée dans un tissu fariné et beurré, et maintenue au-dessus d'une casserole d'eau bouillante à l'aide d'une cuillère en bois. Aujourd'hui, on utilise plus couramment des moules à pudding, qu'ils soient en terre cuite, en verre, en acier ou en aluminium. Les moules en terre cuite n'ont pas de couvercle, mais offrent la meilleure isolation et la meilleure cuisson (en empêchant les bords de trop cuire).

CUIRE UN PUDDING À LA VAPEUR

Il convient tout d'abord de se procurer un moule à pudding de la capacité adéquate. Cela se vérifie en le remplissant d'eau à l'aide d'un verre doseur. Si votre moule est trop petit, le pudding risque de déborder.

Ensuite, il faut une grande cocotte ou une marmite munie d'un couvercle hermétique. Elle doit être suffisamment profonde

pour contenir un trépied et le moule sans que celui-ci ne touche le couvercle. Les marmites à vapeur et les autocuiseurs conviennent parfaitement. Les puddings individuels peuvent se cuire à la vapeur dans des paniers de bambou ou au bain-marie, au four.

Tout d'abord, préparer le moule à pudding. Le beurrer et garnir le fond d'un cercle de papier sulfurisé (cela est impor-

tant, même si le fond est très petit). Ensuite, préparer le couvercle de papier et d'aluminium qui servira à couvrir le pudding pendant la cuisson. Placer une feuille de papier d'aluminium sur le plan de travail, puis une feuille de papier sulfurisé dessus (un peu d'huile sur le papier d'aluminium permettra de maintenir le papier sulfurisé en place). Beurrer le papier. Faire un pli large dans la largeur des deux papiers, afin que le pudding puisse gonfler sans entrave. Placer le moule vide dans la marmite sur un trépied, et verser de l'eau froide jusqu'à mi-hauteur du moule. Retirer le moule de la marmite et porter l'eau à ébullition.

Préparer la pâte à pudding et la verser dans le moule, en égalisant la surface. Placer le couvercle de papier et d'aluminium sur le moule, côté aluminium au-dessus, et bien rabattre sur les côtés (veiller

à ne pas appuyer sur la surface). Si le moule est métallique, fixer simplement le couvercle. Sinon, attacher une double ficelle autour du moule (les moules en terre cuite sont munis d'un léger rebord permettant de retenir la ficelle). Former un nœud solide et, avec une ficelle double, fixer une anse sur la ficelle afin de pouvoir sortir le pudding de l'eau et l'y remettre facilement. On peut se procurer un tissu à pudding à cet effet.

Quelle que soit la méthode utilisée, le couvercle doit être relativement étanche afin que l'humidité ne pénètre pas dans le pudding.

Déposer délicatement le pudding dans l'eau bouillante et baisser le feu (à petits bouillons). Mettre le couvercle et cuire selon les instructions. Si le couvercle est hermétique, il n'y aura pas besoin de remettre de l'eau trop souvent. Il faudra

cependant surveiller régulièrement le niveau, et remettre de l'eau bouillante (pour garder une température constante) si nécessaire.

Une fois le pudding cuit, retirer le moule de la marmite et ôter le couvercle de papier et d'aluminium. S'il s'agit d'un pudding compact, vérifier la cuisson avec la lame d'un couteau (dans le cas d'un pudding aux fruits, en revanche, les fruits colleront à la lame) ou appuyer légèrement dessus : le pudding doit être ferme au centre et bien gonflé. Veiller à ne pas trop le cuire ; il doit être humide et présenter une texture légère et homogène. Si le pudding n'est pas assez cuit, le recouvrir et prolonger la cuisson. Laisser reposer 5 minutes, puis démouler sur un plat.

Si le pudding refuse de se démouler, passer délicatement une spatule ou une lame de couteau tout autour.

et porter l'eau à ébullition. Placer une feuille de papier d'aluminium sur le plan de travail et la couvrir d'une feuille de papier sulfurisé. Beurrer le papier. Faire un pli large au centre des deux épaisseurs.

2 Tamiser la farine dans une terrine. Ajouter la graisse de bœuf, les raisins secs, le sucre, les épices et le bicarbonate. Mélanger avec une cuillère en bois, creuser un puits et ajouter l'œuf et le babeurre. Bien remuer, sans trop battre. Verser la préparation dans le moule et égaliser la surface. Placer le couvercle d'aluminium et de papier sur le moule, côté aluminium au-dessus, et rabattre sur les côtés. Ficeler les papiers sous le rebord du moule, nouer fermement et former une anse avec une autre ficelle.

3 Déposer le moule dans l'eau, couvrir et faire cuire 2 h 30 à petits bouillons, en ajoutant de l'eau si nécessaire. Démouler sur un plat. Servir chaud soit tel quel, soit nappé de crème anglaise ou de crème fraîche.

PUDDING À LA MÉLASSE

Préparation : 30 minutes
Cuisson : 1 h 30
Pour 6 personnes

★★

4 cuil. à soupe de mélasse

185 g de beurre, ramolli

185 g de sucre en poudre

1 cuil. à café d'essence de vanille

3 œufs

60 g de farine ordinaire

125 g de farine avec levure incorporée

90 g de mélasse, réchauffée, en accompagnement

1 Beurrer un moule à pudding de 1,5 litre et garnir le fond d'un cercle de papier sulfurisé. Placer une feuille de papier d'aluminium sur le plan de travail et la couvrir d'une feuille de papier sulfurisé. Beurrer le papier. Faire un pli large au centre des deux épaisseurs. Placer le moule vide dans une marmite, sur un trépied, et verser de l'eau jusqu'à mi-hauteur du moule. Retirer le moule et porter l'eau à ébullition.

2 Verser la mélasse dans le moule. Travailler le beurre et le sucre au batteur électrique. Ajouter la vanille, les œufs et les farines, et battre à puissance minimum. Verser dans le moule et égaliser la surface. Placer le couvercle d'aluminium et de papier sur le moule, côté aluminium au-dessus, et rabattre sur les côtés (ne pas appuyer sur la surface). Ficeler les papiers sous le rebord du moule, nouer fermement et former une anse avec une autre ficelle.

3 Déposer délicatement le moule dans l'eau bouillante et baisser le feu. Couvrir et faire cuire

LE CLOOTIE DUMPLING
Consommé traditionnellement lors de la Saint-Sylvestre, le *clootie dumpling* est une spécialité écossaise qui doit son nom à l'étoffe dans laquelle on le met pour le faire cuire. On peut toutefois le réaliser dans un moule à pudding ordinaire.

EN HAUT :
Clootie dumpling

CLOOTIE DUMPLING

Préparation : 25 minutes
Cuisson : 2 h 30
Pour 6 à 8 personnes

★★

375 g de farine avec levure incorporée

125 g de graisse de rognon de bœuf (« panne de bœuf », chez votre boucher), hachée

150 g de raisins de Corinthe

60 g de raisins de Smyrne

60 g de raisins secs, hachés

185 g de sucre en poudre

1 cuil. à café 1/2 de cannelle moulue

1 cuil. à café 1/2 d'un mélange de gingembre, clous de girofle et muscade en poudre

1/2 cuil. à café de bicarbonate de soude

1 œuf, légèrement battu

500 ml de babeurre

1 Beurrer un moule à pudding de 2 litres et garnir le fond d'un cercle de papier sulfurisé. Placer le moule vide dans une marmite, sur un trépied, et verser de l'eau jusqu'à mi-hauteur du moule. Retirer le moule

1 h 30 à petits bouillons, en ajoutant de l'eau si nécessaire. Retirer de la marmite et vérifier la cuisson avec une lame de couteau. S'il n'est pas cuit, recouvrir et prolonger la cuisson. Laisser reposer 5 minutes, puis démouler sur un plat. Servir avec la mélasse et, éventuellement, de la crème anglaise.

PUDDING AU CHOCOLAT

Préparation : 20 minutes
Cuisson : 1 h 20
Pour 6 personnes

★★

90 g de beurre

95 g de cassonade

3 œufs, blancs et jaunes séparés

125 g de chocolat noir, fondu et refroidi

1 cuil. à café d'essence de vanille

125 g de farine avec levure incorporée

1 cuil. à soupe de cacao en poudre

1/2 cuil. à café de bicarbonate de soude

60 ml de lait

2 cuil. à soupe d'eau-de-vie (cognac, par exemple)

Sauce au chocolat

125 g de chocolat noir, concassé

60 ml de crème liquide

1 cuil. à soupe d'eau-de-vie

1 Beurrer un moule à pudding de 1,25 litre et garnir le fond d'un cercle de papier sulfurisé. Préchauffer le four à 180 °C (therm. 4). Travailler le beurre et la moitié de la cassonade jusqu'à obtention d'une consistance légère et crémeuse. Ajouter les jaunes d'œufs, le chocolat et la vanille. Dans un saladier, tamiser la farine, le cacao et le bicarbonate. Incorporer dans la préparation, en alternance avec des cuillerées de lait mélangé à l'eau-de-vie. Battre les blancs d'œufs en neige, puis ajouter peu à peu le reste du sucre. Incorporer les blancs dans la préparation.

2 Verser la préparation dans le moule. Bien couvrir de papier d'aluminium, attacher avec de la ficelle. Placer le moule dans un plat à four profond et verser de l'eau chaude jusqu'à mi-hauteur du moule. Enfourner 1 h 15 (vérifier la cuisson avec la lame d'un couteau : elle doit ressortir sèche). Démouler.

3 Pour la sauce au chocolat, faire fondre les ingrédients au bain-marie. Servir le pudding avec la sauce et de la crème fouettée.

EN HAUT :
Pudding au chocolat

CUISSON À L'EAU

Découper un carré de calicot ou de torchon et le faire bouillir 20 minutes dans une casserole.

Étendre le torchon, le fariner uniformément et généreusement en laissant une bordure tout autour.

Rassembler les bords en veillant à faire des plis bien nets.

Ficeler le torchon aussi serré que possible, de façon que l'eau ne puisse pas rentrer.

PAGE CI-CONTRE :
Christmas puddings :
cuit à la vapeur (en haut) ;
cuit à l'eau (en bas)

CHRISTMAS PUDDING

Préparation : 40 minutes + temps de repos
Cuisson : 7 à 10 heures
Pour un pudding préparé dans un moule de
   1,25 litre, ou deux de 570 ml

★ ★ ★

500 g de raisins secs variés

300 g de fruits confits variés, hachés

50 g d'écorces confites

125 ml de bière brune

2 cuil. à soupe de rhum ou de cognac

Le jus et le zeste de 1 orange

Le jus et le zeste de 1 citron

225 g de graisse de rognon de bœuf (« panne
   de bœuf », à commander chez votre
   boucher), hachée

245 g de cassonade

3 œufs, légèrement battus

200 g de mie de pain émiettée

90 g de farine avec levure incorporée

1 cuil. à café d'un mélange de cannelle,
   gingembre et clous de girofle en poudre

1 pincée de noix muscade fraîchement râpée

60 g d'amandes mondées, grossièrement
   hachées

CUISSON À LA VAPEUR

1 La veille, mettre les raisins secs, les fruits confits, la bière, le rhum, le jus et le zeste d'orange et de citron dans un saladier. Couvrir et laisser reposer toute la nuit.

2 Dans une terrine, mélanger les fruits macérés, la graisse de bœuf, la cassonade, les œufs, la mie de pain, la farine, les épices, les amandes et 1 pincée de sel (la préparation doit couler de la cuillère). Si la pâte est trop ferme, ajouter un peu de bière. Déposer le moule à pudding dans une marmite munie d'un couvercle, sur un trépied, et verser de l'eau jusqu'à mi-hauteur du moule. Le retirer et porter l'eau à ébullition.

3 Beurrer le moule et garnir le fond d'un cercle de papier sulfurisé. Verser la préparation dedans. Placer une feuille de papier d'aluminium sur le plan de travail et la couvrir d'une feuille de papier sulfurisé. Beurrer le papier. Faire un pli large au centre des deux épaisseurs. Placer le couvercle d'aluminium et de papier sur le moule, côté beurré au-dessous, et rabattre sur les côtés. Le cas échéant, mettre le couvercle. Sinon, ficeler les papiers sous le rebord du moule, nouer fermement et former une anse avec une autre ficelle.

4 Déposer délicatement le moule dans l'eau bouillante et baisser le feu. Couvrir la marmite et faire cuire 8 heures, en ajoutant de l'eau quand c'est nécessaire. Si l'on souhaite réchauffer le pudding plus tard, ne le faire cuire que 6 heures et 2 heures le jour de la dégustation.

CUISSON À L'EAU

1 Confectionner la préparation comme précédemment, mais sans ajouter de bière si la pâte est trop épaisse. La laisser reposer 10 minutes, de façon que la mie de pain absorbe tout le liquide et que le mélange épaississe.

2 Couper un carré de 80 cm dans un morceau de calicot propre ou un vieux torchon et le faire bouillir 20 minutes dans une casserole d'eau. Retirer, essorer (en portant des gants de caoutchouc pour ne pas se brûler) et étendre sur le plan de travail. Saupoudrer d'une épaisse couche de farine tamisée, en laissant une bordure tout autour. Étaler la farine à la main en veillant à ce que la couche soit bien régulière (afin de former une protection entre le pudding et l'eau, et d'éviter que le pudding n'absorbe de l'eau). Déposer la préparation au centre du torchon (mettre le calicot dans un bol, si vous trouvez cela plus facile). Rassembler les bords du torchon au centre en formant des plis nets et réguliers (ils laisseront une marque sur le pudding). Ficeler le torchon aussi serré que possible (il est important que la fermeture soit étanche et qu'il n'y ait pas de vide entre le torchon et le pudding, pour ne pas laisser entrer l'eau). Former à une extrémité de la ficelle une boucle qui servira d'anse ultérieurement. Passer une cuillère en bois dans la boucle et suspendre le pudding dans une marmite d'eau bouillante, avec un trépied au fond (le pudding ne doit pas toucher les bords de la marmite). Couvrir la marmite et laisser bouillir 5 heures. Si le niveau d'eau baisse, ajouter un peu d'eau bouillante autour du pudding. Celui-ci ne doit pas toucher le fond de la marmite. Une fois que le pudding est cuit, le retirer de l'eau et le suspendre dans un endroit sec et bien aéré, où il ne doit rien toucher. Veiller à ce que les extrémités du torchon retombent toutes du même côté pour ne pas goutter sur le pudding. Laisser reposer toute la nuit.

3 Détacher la ficelle et, si le torchon est encore mouillé, l'étaler pour qu'il sèche complètement. Quand il est sec, envelopper de nouveau le pudding, le nouer avec une nouvelle ficelle et le conserver jusqu'à 4 mois dans un endroit frais et sec. Au moment de servir, le faire bouillir 2 heures, le suspendre 15 minutes, puis le retirer du torchon. La croûte farinée fonce avec le temps. Servir côté plissé dessous.

PUDDING AUX FIGUES ET CRÈME AU COGNAC

Préparation : 40 minutes + temps de repos
Cuisson : 4 heures
Pour 8 à 10 personnes

✶ ✶

240 g de figues, hachées (fraîches)

225 g de dattes dénoyautées, hachées

90 g de raisins secs

80 g de gingembre confit, haché

2 cuil. à soupe de cognac ou de jus d'orange

60 g de cassonade

240 g de mie de pain émiettée

250 g de farine avec levure incorporée, tamisée

160 g de beurre, fondu

3 œufs, légèrement battus

125 ml de lait

2 cuil. à café de zeste de citron râpé

3 cuil. à soupe de jus de citron

Figues, pour la décoration (facultatif)

CI-DESSOUS :
Pudding aux figues
et crème au cognac

Crème au cognac

30 g de Maïzena

60 g de sucre en poudre

500 ml de lait

30 g de beurre

80 ml de cognac

1 Dans un saladier, mettre les figues, les dattes, les raisins secs et le gingembre. Verser le cognac (ou le jus d'orange) et laisser macérer au moins 2 heures. Beurrer un moule à pudding de 2 litres et garnir le fond de papier sulfurisé. Placer le moule vide dans une marmite, sur un trépied, et verser de l'eau jusqu'à mi-hauteur du moule. Le retirer et porter l'eau à ébullition. Placer une feuille de papier d'aluminium sur le plan de travail et la couvrir d'une feuille de papier sulfurisé. Beurrer le papier. Faire un pli large au centre des deux épaisseurs.

2 Mélanger la cassonade, la mie de pain et la farine. Incorporer les fruits macérés, puis ajouter le beurre, les œufs, le lait, le zeste et le jus de citron ; bien remuer. Verser dans le moule et tasser fermement pour chasser les éventuelles bulles d'air. Égaliser la surface, placer le couvercle d'aluminium et de papier sur le moule, côté aluminium au-dessus, et rabattre sur les côtés (ne pas appuyer sur la surface). Ficeler les papiers sous le rebord du moule, nouer fermement et former une anse avec une autre ficelle.

3 Déposer délicatement le moule dans l'eau bouillante et baisser le feu. Couvrir et faire cuire 4 heures à petits bouillons (vérifier la cuisson avec la lame d'un couteau). Retirer le moule de la marmite et ôter les papiers. Laisser reposer 5 minutes avant de démouler.

4 Pour la crème au cognac, mélanger la Maïzena et le sucre dans une casserole, et former une pâte lisse avec un peu de lait. Ajouter le reste du lait et battre 3 à 4 minutes à feu moyen, jusqu'à ébullition et épaississement. Incorporer le beurre et le cognac. Servir avec le pudding aux figues chaud. Décorer éventuellement de tranches de figues.

BEURRE AU COGNAC

Travailler 250 g de beurre et 185 g de sucre glace tamisé au batteur électrique, jusqu'à obtention d'une consistance crémeuse. Ajouter peu à peu 60 ml de cognac, en continuant à battre. Former des rosettes sur une plaque à pâtisserie garnie de papier sulfurisé, à l'aide d'une poche à douille munie d'un embout en forme d'étoile. Réfrigérer jusqu'au moment de servir. On peut remplacer le cognac par du rhum ambré.

PUDDING À LA CONFITURE

Préparation : 30 minutes
Cuisson : 50 minutes
Pour 6 personnes

185 g de beurre, ramolli

185 g de sucre en poudre

1 cuil. à café d'essence de vanille

3 œufs, légèrement battus

60 g de farine ordinaire

125 g de farine avec levure incorporée

160 g de confiture de fruits rouges

1 Préchauffer le four à 180 °C (therm. 4). Beurrer légèrement six moules cannelés ou droits de 250 ml.
2 Travailler le beurre, le sucre et la vanille 1 à 2 minutes au batteur électrique, jusqu'à obtention d'un mélange léger et crémeux. Ajouter les œufs un par un, en battant bien après chaque ajout. Incorporer les farines tamisées, un quart à la fois.
3 Répartir la préparation dans les moules et égaliser la surface. Couvrir chaque moule de papier d'aluminium beurré, plié au centre. Fixer avec de la ficelle. Placer les moules dans un plat à four profond et remplir d'eau bouillante jusqu'à mi-hauteur des moules. Enfourner 45 minutes (vérifier la cuisson avec la lame d'un couteau : elle doit ressortir sèche). Dans une petite casserole, réchauffer la confiture 3 à 4 minutes à feu doux, jusqu'à ce qu'elle devienne liquide. Laisser reposer les puddings 5 minutes avant de les démouler. Napper de confiture et servir avec de la crème anglaise, de la crème fraîche ou de la glace.

PUDDING AU CITRON

Préparation : 20 minutes
Cuisson : 3 à 4 heures
Pour 4 à 6 personnes

340 g de farine avec levure incorporée

170 g de graisse de rognon de bœuf (« panne de bœuf », à commander chez votre boucher) ou de beurre, congelé

150 ml de lait

250 g de beurre, coupé en morceaux

250 g de cassonade

1 citron à peau fine

1 Beurrer un moule à pudding de 1,5 litre et le déposer dans une marmite, sur un trépied. Verser de l'eau jusqu'à mi-hauteur du moule. Le retirer et porter l'eau à ébullition. Placer une feuille de papier d'aluminium sur le plan de travail et la couvrir d'une feuille de papier sulfurisé. Beurrer le papier. Faire un pli large au centre des deux épaisseurs.
2 Tamiser la farine dans une grande jatte, envelopper une extrémité du bloc de graisse ou de beurre de papier d'aluminium et le râper sur la farine. Bien travailler puis incorporer le lait et 150 ml d'eau, en mélangeant avec une spatule. Pétrir à la main.
3 Réserver un quart de la pâte pour le couvercle, et étaler le reste en un cercle de 25 cm, le milieu étant plus épais que les bords. Placer la pâte dans le moule et tapisser entièrement les parois en pressant la pâte vers le haut. La pâte doit légèrement dépasser du bord.
4 Mettre la moitié du beurre et de la cassonade dans le moule, ajouter le citron piqué sur toute sa surface, puis le reste de beurre et de sucre. Replier le bord de la pâte vers l'intérieur et humecter avec un peu d'eau. Étaler le reste de pâte pour former un couvercle et le tasser fermement sur le pudding. Placer le couvercle d'aluminium et de papier sur le moule, côté aluminium au-dessus. Le cas échéant, mettre le couvercle. Sinon, ficeler les papiers sous le rebord du moule, nouer fermement et former une anse avec une autre ficelle. Déposer délicatement le moule dans l'eau ; couvrir et faire cuire 3 à 4 heures en ajoutant de l'eau si nécessaire.
5 Démouler le pudding sur un plat légèrement creux. Une fois coupé, le jus s'écoulera tout autour.

PUDDING AU CITRON

Tapisser le moule de pâte en la pressant vers le haut et en la faisant légèrement dépasser du bord.

Ajouter la moitié du beurre et du sucre, puis le citron piqué sur toute sa surface, et enfin le reste de beurre et de sucre.

EN HAUT :
Pudding à la confiture

1 Beurrer un moule à pudding de 1,5 litre en verre ou en terre cuite (éviter d'utiliser un moule métallique, car le pudding attacherait). Déposer le moule dans une marmite, sur un trépied, et verser de l'eau jusqu'à mi-hauteur du moule. Le retirer et porter l'eau à ébullition. Garnir le fond du moule de papier sulfurisé. Placer une feuille de papier d'aluminium sur le plan de travail et la couvrir d'une feuille de papier sulfurisé. Beurrer le papier. Faire un pli large au centre des deux épaisseurs.

2 Dans une casserole à fond épais, mélanger le sucre et 3 cuil. à soupe d'eau ; remuer à feu doux en inclinant la casserole de temps en temps, jusqu'à ce que le sucre soit dissous. Porter à ébullition, baisser le feu et laisser mijoter sans remuer, jusqu'à ce que le sirop prenne une jolie couleur caramel (cela prend 6 minutes environ, mais veiller à ne pas laisser brûler le caramel). Dès que le sirop a atteint la couleur désirée, le verser rapidement dans le moule à pudding. Réserver.

3 Égoutter les mangues et réserver le jus. Couper cinq longues bandes de mangue, les mettre de côté et hacher grossièrement le reste. Dans un bol, battre le beurre, le sucre et le zeste de citron vert jusqu'à obtention d'un mélange crémeux. Ajouter les œufs un par un, en battant bien après chaque ajout. Transférer dans une terrine. Incorporer la moitié de la farine et les mangues hachées. Ajouter le reste de la farine, les amandes et la cardamome. Bien mélanger.

4 Disposer les bandes de mangue en une seule couche sur le caramel, au fond du moule. Verser la préparation dans le moule et couvrir du couvercle d'aluminium et de papier, côté aluminium au-dessus, en le rabattant sur les côtés. Le cas échéant, mettre le couvercle. Sinon, ficeler les papiers sous le rebord du moule, nouer fermement et former une anse avec une autre ficelle.

5 Déposer délicatement le moule dans l'eau bouillante, baisser le feu, couvrir la marmite et laisser mijoter 1 h 15 en ajoutant de l'eau si nécessaire. Une fois cuit, le pudding doit être bien gonflé et ferme au toucher.

6 Pendant la cuisson du pudding, confectionner la sauce. Dans une casserole, mélanger le jus de mangue réservé avec le jus de citron vert. Incorporer l'arrow-root en battant bien et cuire à feu doux, sans cesser de remuer, jusqu'à ébullition et épaississement (le jus doit être transparent). Détacher le pudding des parois du moule avec un couteau, puis le démouler. Si des morceaux de mangue restent collés au moule, les remettre à la main sur le pudding. Servir avec la sauce à la mangue chaude.

PUDDING À LA MANGUE

Préparation : 35 minutes
Cuisson : 1 h 30
Pour 4 à 6 personnes

★★★

3 cuil. à soupe de sucre en poudre

425 g de mangues en boîte, dans leur jus

100 g de beurre, ramolli

125 g de sucre en poudre

1/2 cuil. à café de zeste de citron vert râpé

2 œufs

125 g de farine avec levure incorporée

3 cuil. à soupe d'amandes en poudre

1 pincée de graines de cardamome broyées

1 cuil. à soupe de jus de citron vert

2 cuil. à café d'arrow-root (ou de Maïzena)

EN HAUT :
Pudding à la mangue

PUDDING CHAUD AU CITRON VERT

Préparation : 45 minutes + réfrigération
Cuisson : 1 h 20
Pour 6 personnes

★★

375 g de farine, tamisée

1 cuil. à café 1/2 de levure chimique

200 g de beurre très froid, coupé
  en morceaux

45 g de poudre de noix de coco

250 à 300 ml de crème liquide

160 g de marmelade de citron vert

Sirop au citron vert

185 g de sucre en poudre

Le jus et le zeste finement râpé de
  3 citrons verts

60 g de beurre

1 Dans une grande jatte, mélanger la farine, la levure et 1 pincée de sel. Incorporer le beurre et le travailler avec les doigts jusqu'à obtention d'une pâte friable. Ajouter la noix de coco. Avec un couteau, incorporer presque toute la crème liquide. Ajouter le reste, si nécessaire, pour assouplir la pâte. Former une boule avec les mains. Étaler la pâte entre deux feuilles de papier sulfurisé, en un rectangle de 25 x 40 cm. Étaler la marmelade dessus, rouler dans la longueur et réfrigérer 20 minutes.

2 Préchauffer le four à 180 °C (therm. 4). Beurrer un moule à pudding de 1,5 litre. Couper le rouleau de pâte en tranches de 2 cm et les disposer sur le fond et les côtés du moule. Remplir le centre avec le reste des tranches.

3 Pour le sirop au citron vert, mélanger tous les ingrédients dans une petite casserole avec 185 ml d'eau, et remuer à feu doux jusqu'à ce que le sucre soit dissous. Porter à ébullition et verser sur le pudding. Mettre le moule sur une plaque creuse, afin de recueillir les gouttes, et enfourner 1 h 15 (vérifier la cuisson avec la lame d'un couteau : elle doit ressortir sèche). Laisser reposer 15 minutes avant de démouler.

PUDDING AU CITRON VERT

Disposer les tranches roulées autour et au fond du moule, puis remplir le centre.

EN HAUT : Pudding chaud au citron vert

PUDDING AUX RAISINS
Ce pudding traditionnel, originaire de Grande-Bretagne, se présente généralement sous forme de cylindre.

CI-DESSOUS :
Pudding aux raisins

PUDDING AUX RAISINS

Préparation : 15 minutes
Cuisson : 1 h 30
Pour 4 personnes

★★

185 g de farine
1 cuil. à café 1/2 de levure chimique
125 g de sucre en poudre
1 cuil. à café 1/2 de gingembre moulu
160 g de mie de pain émiettée
60 g de raisins de Smyrne
110 g de raisins de Corinthe
125 g de graisse de rognon de bœuf (« panne de bœuf », chez votre boucher), hachée
2 cuil. à café de zeste de citron finement râpé
2 œufs, légèrement battus
170 ml de lait

1 Dans une terrine, tamiser la farine, la levure, le sucre et le gingembre. Ajouter la mie de pain, les raisins secs, la graisse de bœuf et le zeste de citron. Bien mélanger avec une cuillère en bois.
2 Mélanger les œufs et le lait, et les incorporer dans la préparation. Ajouter un peu de lait si nécessaire, et laisser reposer 5 minutes.
3 Étendre une feuille de papier sulfurisé sur le plan de travail et déposer la préparation dessus en lui donnant une forme de cylindre de 20 cm de long. Enrouler le pudding dans le papier et replier les extrémités (ne pas trop serrer, car le pudding gonfle en cuisant). Envelopper le tout dans un torchon, le placer sur un panier de bambou (ou dans un auto-cuiseur), couvrir et faire cuire 1 h 30 à la vapeur. Vérifier le niveau d'eau, et ajouter de l'eau bouillante en cours de cuisson. Démouler le pudding sur un plat et le trancher. Servir avec de la crème anglaise ou de la crème fouettée.

GÂTEAU RENVERSÉ À LA BANANE

Préparation : 20 minutes
Cuisson : 45 minutes
Pour 8 personnes

★

50 g de beurre, fondu
300 g de cassonade
6 belles bananes bien mûres, coupées en deux dans la longueur
125 g de beurre, ramolli
2 œufs, légèrement battus
185 g de farine avec levure incorporée
1 cuil. à café de levure chimique
2 belles bananes, écrasées

1 Préchauffer le four à 180 °C (therm. 4). Beurrer et garnir de papier sulfurisé un moule à cake de 20 cm. Verser le beurre fondu au fond du moule et saupoudrer de 60 g de cassonade. Disposer les 6 bananes, côté coupé au-dessous, sur le sucre.
2 Travailler le beurre ramolli et le reste de cassonade en une crème légère. Ajouter les œufs un par un, en battant bien après chaque ajout.
3 Dans un saladier, tamiser la farine et la levure, puis incorporer dans la préparation avec les bananes écrasées. Verser délicatement dans le moule et enfourner 45 minutes (vérifier la cuisson avec la lame d'un couteau : elle doit ressortir sèche). Démouler quand le gâteau est encore chaud.
NOTE : Les bananes doivent être très mûres, pour bien fondre à la cuisson.

PUDDING À LA BANANE ET SAUCE BUTTERSCOTCH

Préparation : 30 minutes
Cuisson : 1 h 40
Pour 6 à 8 personnes

 ☆☆

150 g de beurre

140 g de cassonade

185 g de farine avec levure incorporée

60 g de farine ordinaire

1/2 cuil. à café de bicarbonate de soude

1/2 cuil. à café de noix muscade moulue

1 cuil. à café d'essence de vanille

2 œufs, légèrement battus

185 ml de babeurre

2 petites bananes mûres, écrasées

Sauce Butterscotch

125 g de beurre

125 g de cassonade

315 g de lait concentré

350 ml de crème liquide

1 Beurrer un moule à pudding de 2 litres et garnir le fond de papier sulfurisé. Déposer le moule vide dans une marmite, sur un trépied, et verser de l'eau jusqu'à mi-hauteur du moule. Le retirer et porter l'eau à ébullition. Placer une feuille de papier d'aluminium sur le plan de travail et la couvrir d'une feuille de papier sulfurisé. Beurrer le papier. Faire un pli large au centre des deux épaisseurs.

2 Faire fondre le beurre et la cassonade à feu doux, jusqu'à ce que la cassonade soit dissoute. Retirer du feu. Dans un saladier, tamiser les farines, le bicarbonate et la muscade. Creuser un puits au centre, ajouter le mélange de beurre et de cassonade, la vanille, les œufs et le babeurre. Bien remuer. Incorporer les bananes, puis verser la préparation dans le moule. Placer le couvercle d'aluminium et de papier sur le moule, côté aluminium au-dessus. Ficeler les papiers sous le rebord du moule, nouer fermement et former une anse avec une autre ficelle. Déposer le moule dans l'eau bouillante, couvrir et faire cuire à petits bouillons pendant 1 h 30 (vérifier la cuisson avec une lame de couteau), en ajoutant de l'eau si nécessaire. Laisser reposer 5 minutes avant de démouler.

3 Pour la sauce, mélanger les ingrédients dans une casserole et remuer à feu doux jusqu'à ce que le sucre soit dissous. Porter à ébullition, baisser le feu et laisser mijoter 3 à 5 minutes. Servir chaud.

EN HAUT :
Pudding à la banane
et sauce Butterscotch

SIROPS ET SAUCES

Que peut-on imaginer de plus irrésistible que de savoureuses sauces et sirops nappés

sur de moelleux entremets, génoises et autres délices sucrés?

SAUCE BUTTERSCOTCH

Dans une petite casserole, faire fondre tout doucement 75 g de beurre, 185 g de cassonade et 185 ml de crème liquide, jusqu'à ce que la cassonade soit entièrement dissoute. Porter à ébullition, baisser le feu et laisser mijoter 2 minutes. Pour 400 ml environ.

SAUCE CHOCOLAT-CARAMEL

Hacher 4 barres de chocolat au caramel, les mettre dans une casserole avec 50 ml de lait et 150 ml de crème liquide. Remuer à feu doux jusqu'à dissolution. Ajouter 100 g de chocolat au lait, coupé en morceaux, et remuer jusqu'à ce qu'il soit fondu. Laisser refroidir à température ambiante. Pour 500 ml.

SAUCE AU CHOCOLAT NOIR

Dans un saladier, mettre 150 g de chocolat noir concassé. Dans une casserole, porter 300 ml de crème liquide à ébullition. Incorporer 2 cuil. à soupe de sucre, puis verser sur le chocolat. Après 2 minutes, remuer jusqu'à obtention d'un mélange homogène. Ajouter 1 cuil. de liqueur. Servir chaud. Pour 500 ml.

SIROP AU TOKAY

Dans une casserole, mettre 250 g de sucre et 250 ml d'eau. Porter doucement à ébullition, en remuant pour dissoudre le sucre. Ajouter une demi-gousse de vanille et faire bouillir 5 minutes sans remuer. Ajouter 250 ml de vin blanc tokay, de muscat ou de sauternes, et bien remuer. Porter de nouveau à ébullition et laisser mijoter 15 minutes, selon l'épaisseur désirée. Pour 500 ml.

FUDGE AU CHOCOLAT

Dans une casserole, mettre 250 ml de crème liquide, 30 g de beurre, 1 cuil. à soupe de mélasse et 200 g de chocolat noir concassé. Remuer à feu doux jusqu'à ce que les ingrédients soient fondus. Servir chaud ou tiède. Pour 500 ml.

SAUCE PRALINÉE

Dans une petite casserole, verser 300 ml de crème liquide. Fendre 1 gousse de vanille et incorporer les graines. Ajouter la gousse et porter à ébullition. Retirer du feu, couvrir et laisser reposer 10 minutes avant de passer. Dans un saladier, mettre 200 g de chocolat blanc concassé. Réchauffer la crème et la verser sur le chocolat. Laisser 2 minutes, puis bien remuer. Incorporer 30 g de noisettes grillées. Pour 500 ml.

SAUCE AU COGNAC

Dans une casserole à fond épais, porter 500 ml de crème liquide à ébullition. Battre 4 jaunes d'œufs avec 125 g de sucre en poudre, jusqu'à obtention d'un mélange crémeux. Incorporer peu à peu la crème chaude en remuant. Remettre sur le feu et remuer 5 à 6 minutes à feu doux, jusqu'à épaississement (ne pas faire bouillir). Incorporer 3 cuil. à soupe de cognac avant de servir. Pour 800 ml environ.

SIROP AUX AGRUMES

Couper le zeste de 1 orange, de 1 citron et de 1 citron vert. Retirer la peau blanche. Détailler le zeste en fines lamelles. Presser le citron vert, la moitié de l'orange et la moitié du citron. Mettre tous les jus dans une casserole, ajouter 125 g de sucre, 125 ml d'eau et une demi-gousse de vanille. Remuer à feu doux. Laisser cuire 10 minutes sans remuer. Pour 250 ml.

DE GAUCHE À DROITE : Butterscotch; Chocolat-caramel; Chocolat noir; Tokay; Fudge au chocolat; Pralinée; Cognac; Agrumes.

PUDDING AU SIROP D'ÉRABLE ET AUX NOIX DE PECAN

Préparation : 20 minutes
Cuisson : 2 heures
Pour 8 à 10 personnes

200 g de beurre

250 g de sucre en poudre

4 œufs, légèrement battus

1 cuil. à café d'essence de vanille

375 g de farine avec levure incorporée, tamisée

200 g de noix de pecan, hachées

1/2 cuil. à café de cannelle moulue

Le zeste râpé de 1 citron

185 ml de lait

250 ml de sirop d'érable

1 Préchauffer le four à 180 °C (therm. 4). Travailler le beurre et le sucre en crème au batteur électrique. Incorporer peu à peu les œufs, puis la vanille. Dans un bol, mélanger la farine, trois quarts des noix de pecan, la cannelle et le zeste de citron. Incorporer à la préparation précédente en alternance avec des cuillerées de lait.

EN HAUT :
Pudding au sirop d'érable et aux noix de pecan

2 Beurrer un moule à pudding de 2,25 litres et garnir le fond de papier sulfurisé. Verser les trois quarts du sirop d'érable dans le moule et ajouter le reste des noix de pecan. Verser la préparation, puis le reste du sirop.

3 Couvrir de papier d'aluminium et déposer le moule dans un plat à four profond. Verser de l'eau jusqu'à mi-hauteur du moule, puis enfourner 2 heures (vérifier la cuisson avec la lame d'un couteau : elle doit ressortir sèche). Démouler sur un grand plat de service et accompagner de glace ou de crème fouettée.

PUDDING À L'ORANGE

Préparation : 30 minutes
Cuisson : 1 h 30
Pour 4 personnes

1 orange à peau fine

90 g de beurre, ramolli

1 cuil. à soupe de sucre en poudre

2 œufs

4 cuil. à soupe de marmelade avec morceaux

Le zeste de 1 orange

250 g de farine avec levure incorporée

1 pincée de sel

4 cuil. à soupe de lait

1 Beurrer un moule à pudding de 1,25 litre et garnir le fond de papier sulfurisé. Déposer le moule vide dans une marmite, sur un trépied, et verser de l'eau jusqu'à mi-hauteur du moule. Retirer le moule et porter l'eau à ébullition. Placer une feuille de papier d'aluminium sur le plan de travail et la couvrir d'une feuille de papier sulfurisé. Beurrer le papier. Faire un pli large au centre des deux épaisseurs.

2 Peler l'orange à vif et la couper en tranches fines. Placer une tranche au fond du moule et le reste sur les côtés.

3 Travailler le beurre et le sucre en crème. Ajouter les œufs un par un, en continuant à battre. Ajouter la marmelade et le zeste d'orange, bien mélanger, puis ajouter la farine tamisée et le sel. Remuer vigoureusement. Ajouter le lait et verser la préparation dans le moule, en veillant à ne pas faire tomber les oranges. Placer le couvercle d'aluminium et de papier sur le moule, côté aluminium au-dessus, et rabattre sur les côtés. Le cas échéant, mettre le couvercle. Sinon, ficeler les papiers sous le rebord du moule, nouer fermement et former une anse avec une autre ficelle. Couvrir la marmite et faire cuire 1 h 30 en ajoutant de l'eau si nécessaire. Démouler avant de servir.

PUDDING AUX DATTES ET SAUCE AU CARAMEL

Préparation : 30 minutes + temps de repos
Cuisson : 1 h 10
Pour 6 à 8 personnes

370 g de dattes dénoyautées

1 cuil. à café 1/2 de bicarbonate de soude

1 cuil. à café de gingembre frais râpé

90 g de beurre

250 g de sucre en poudre

3 œufs

185 g de farine avec levure incorporée

1/2 cuil. à café d'un mélange de cannelle, gingembre, clous de girofle et muscade

Crème fraîche, en accompagnement

Sauce au caramel

150 g de beurre

230 g de cassonade

80 ml de mélasse

185 ml de crème liquide

1 Préchauffer le four à 180 °C (therm. 4). Beurrer un moule à cake de 23 cm et garnir le fond de papier sulfurisé. Hacher les dattes et les mettre dans une casserole avec 440 ml d'eau. Porter à ébullition, puis retirer du feu. Ajouter le bicarbonate et le gingembre, et laisser reposer 5 minutes.

2 Travailler le beurre, le sucre et 1 œuf en crème. Incorporer les autres œufs un par un. Ajouter la farine tamisée, les épices et la préparation à base de dattes ; bien mélanger. Verser dans le moule et enfourner 55 à 60 minutes (vérifier la cuisson avec la lame d'un couteau : elle doit ressortir sèche). Couvrir de papier d'aluminium en cours de cuisson si la surface brunit trop. Laisser reposer 5 minutes avant de démouler.

3 Pour la sauce au caramel, faire fondre tous les ingrédients à feu doux, jusqu'à ce que le sucre soit dissous. Laisser épaissir 3 minutes à découvert. Badigeonner de sauce le dessus et les côtés du pudding. Servir immédiatement avec le reste de sauce et une cuillerée de crème fraîche.

EN HAUT :
Pudding aux dattes
et sauce au caramel

LE FRUIT DE LA PASSION

Originaire du Brésil, le fruit de la Passion tire son nom de ses fleurs, que les missionnaires jésuites considéraient comme une représentation du crucifix. Il existe 350 variétés de passiflore, dont trois se trouvent assez facilement. Certaines ont des fruits longs et jaunes à la saveur peu acide, d'autres ont une peau violet foncé et ridée, et une pulpe orangée dotée de petites graines noires. Une autre variété présente une peau plus lisse et une couleur plus jaune, mais elle a moins de goût. Pour utiliser la pulpe sans les graines, la passer au chinois fin.

EN HAUT :
Pudding orange-passion

PUDDING ORANGE-PASSION

Préparation : 35 minutes + réfrigération
Cuisson : 55 minutes
Pour 6 personnes

★

375 g de farine

1 cuil. à café 1/2 de levure chimique

200 g de beurre très froid, coupé
   en morceaux

45 g de poudre de noix de coco

300 ml de crème liquide

160 g de marmelade d'oranges

2 cuil. à soupe de pulpe de fruits de la Passion

Sirop aux fruits de la Passion

125 ml de jus d'orange

185 g de sucre en poudre

60 g de pulpe de fruits de la Passion

1 Dans une jatte, tamiser la farine, la levure et 1 pincée de sel. Incorporer le beurre et le travailler avec les doigts jusqu'à obtention d'une pâte friable. Ajouter la noix de coco. À l'aide d'une spatule, incorporer presque toute la crème. Ajouter le reste, si nécessaire, pour former une pâte homogène. Pétrir et étaler entre deux feuilles de papier sulfurisé, en un rectangle de 25 x 40 cm.

2 Étaler la marmelade sur la pâte et éparpiller dessus la pulpe de fruits de la Passion. Rouler la pâte en cylindre. Réfrigérer 20 minutes pour qu'elle raffermisse.

3 Préchauffer le four à 180 °C (therm. 4). Beurrer un moule à gâteau rond de 20 cm et garnir le fond de papier sulfurisé. Couper le rouleau en tranches de 2 cm. En utiliser la moitié pour tapisser le fond du moule. Disposer une deuxième couche, de façon à couvrir les vides entre les premières tranches. Poser le moule sur une plaque à pâtisserie.

4 Pour le sirop, mettre tous les ingrédients dans une casserole, avec 60 ml d'eau. Remuer à feu doux, sans faire bouillir, jusqu'à ce que le sucre soit dissous. Porter à ébullition, puis verser sur le pudding. Enfourner 50 minutes (vérifier la cuisson avec la lame d'un couteau : elle doit ressortir sèche). Laisser reposer 15 minutes avant de démouler.

GÂTEAU DE SAGOU AU BEURRE DE RHUM

Préparation : 30 à 35 minutes + trempage
Cuisson : 3 h 30 à 4 heures
Pour 6 à 8 personnes

65 g de sagou

250 ml de lait

1 cuil. à café de bicarbonate de soude

140 g de cassonade

160 g de mie de pain émiettée

60 g de raisins de Smyrne

75 g de raisins de Corinthe

90 g de dattes, hachées

2 œufs, légèrement battus

60 g de beurre fondu

Framboises, myrtilles et sucre glace, pour la
   décoration

Beurre de rhum

125 g de beurre, ramolli

140 g de cassonade

4 cuil. à soupe de rhum

1 Dans un bol, mélanger le sagou et le lait, couvrir et réfrigérer toute la nuit. Beurrer légèrement un moule à pudding de 1,5 litre et garnir le fond d'un cercle de papier sulfurisé. Déposer le moule vide dans une marmite, sur un trépied, et verser de l'eau jusqu'à mi-hauteur du moule. Retirer le moule et porter l'eau à ébullition. Placer une feuille de papier d'aluminium sur le plan de travail et la couvrir d'une feuille de papier sulfurisé. Beurrer le papier. Faire un pli large au centre des deux épaisseurs.
2 Mettre le sagou et le lait dans un saladier, délayer le bicarbonate de soude dedans. Incorporer la cassonade, la mie de pain, les fruits secs, les œufs et le beurre fondu. Bien mélanger.
3 Verser la préparation dans le moule et égaliser la surface. Placer le couvercle d'aluminium et de papier sur le moule, côté aluminium au-dessus. Le cas échéant, mettre le couvercle. Sinon, ficeler les papiers sous le rebord du moule, nouer fermement et former une anse avec une autre ficelle.
4 Déposer délicatement le moule dans l'eau bouillante. Baisser le feu, couvrir la marmite et faire cuire 3 h 30 à 4 heures à petits bouillons (vérifier la cuisson avec la lame d'un couteau). Ajouter de l'eau si nécessaire en cours de cuisson. Retirer le moule de la marmite, ôter les cou-vercles et laisser reposer 5 minutes avant de démouler. Décorer de framboises et de myrtilles, saupoudrer de sucre glace et servir chaud avec le beurre de rhum.
5 Pour le beurre de rhum, travailler le beurre et la cassonade 3 à 4 minutes au batteur électrique, jusqu'à obtention d'un mélange crémeux. Incorporer peu à peu le rhum, cuillerée par cuillerée. Rajouter éventuellement un peu de rhum, selon le goût. Transférer dans un plat de service, couvrir et réfrigérer jusqu'au moment de servir.

CI-DESSOUS : Gâteau de sagou au beurre de rhum

GÂTEAU DE RIZ À L'ORIENTALE

Préparation : 10 minutes + trempage
Cuisson : 40 minutes
Pour 6 à 8 personnes

400 g de riz gluant

500 ml de lait de coco

80 g de sucre de palme, râpé

3 cuil. à soupe de sucre en poudre

1 cuil. à café d'essence de vanille

Crème de coco, en accompagnement

1 Mettre le riz dans un saladier en verre ou en terre cuite et couvrir d'eau. Laisser tremper 8 heures. Égoutter et mettre dans une casserole avec 1 litre d'eau. Porter doucement à ébullition en remuant fréquemment, puis faire cuire 20 minutes à petits bouillon : le riz doit être tendre. Égoutter.
2 Dans une grande casserole à fond épais, chauffer le lait de coco sans le laisser bouillir. Ajouter les sucres, l'essence de vanille, et remuer jusqu'à dissolution du sucre.
3 Ajouter le riz dans la casserole et cuire 3 à 4 minutes en remuant, toujours sans laisser bouillir. Retirer du feu, couvrir et laisser reposer 15 minutes. Servir tiède avec de la crème de coco.

PETITS PUDDINGS AU SIROP CITRONNÉ

Préparation : 15 minutes
Cuisson : 30 minutes
Pour 4 personnes

125 g de farine avec levure incorporée

40 g de beurre, coupé en morceaux

1 œuf

1 cuil. à soupe de lait

Sirop
250 g de sucre en poudre

40 g de beurre

2 cuil. à soupe de mélasse

60 ml de jus de citron

1 Tamiser la farine et 1 pincée de sel dans une jatte. Incorporer le beurre et le travailler avec les doigts. Creuser un puits. Avec une spatule, incorporer l'œuf et le lait mélangés pour former une pâte souple.
2 Mettre les ingrédients du sirop dans une casserole avec 500 ml d'eau. Porter à ébullition, puis déposer délicatement des petites cuillerées de pâte dans le sirop. Couvrir et baisser le feu. Laisser mijoter 20 minutes (vérifier la cuisson avec la lame d'un couteau : elle doit ressortir sèche). Disposer les puddings dans les assiettes et napper de sirop. Servir avec de la crème fouettée.

RIZ GLUANT AU CARAMEL

Préparation : 40 minutes + trempage
Cuisson : 1 h 15
Pour 4 personnes

400 g de riz gluant

250 ml de lait de coco

85 g de sucre de palme, râpé

1 Verser le riz dans un tamis. Le laver jusqu'à ce que l'eau soit claire, puis le mettre dans un saladier en verre ou en terre cuite. Couvrir d'eau et laisser tremper 8 heures. Égoutter.
2 Garnir un panier en bambou de papier sulfurisé ou d'un torchon humide et le placer sur un wok rempli d'eau. Veiller à ce que le fond du panier ne touche pas l'eau. Étaler le riz sur le papier, replier le papier (ou le torchon) par-dessus et couvrir avec une autre feuille de papier (ou un torchon), de façon que le riz soit complètement enveloppé. Couvrir avec le couvercle de bambou et laisser cuire 50 minutes à la vapeur, en vérifiant l'eau régulièrement.
3 Dans une petite casserole, mélanger le lait de coco, le sucre de palme et 1 pincée de sel. Porter à ébulli-

EN HAUT : Petits
puddings au sirop citronné

tion. Baisser le feu, laisser cuire et épaissir 15 minutes.

4 Verser un quart de ce caramel sur le riz, le mélanger à la fourchette, remettre le papier et le couvercle et faire cuire 5 minutes à la vapeur. Répéter l'opération avec le reste du caramel, jusqu'à ce que le riz soit bien gonflé et collant. Transférer le riz sur un plat en métal, le tasser légèrement, puis laisser reposer. Quand il est bien ferme, couper en losanges et servir tiède.

PUDDINGS DE SAGOU AU LAIT DE COCO

Préparation : 10 minutes + réfrigération
Cuisson : 1 heure
Pour 8 personnes

220 ml de lait de coco

90 g de sucre de palme, râpé

1 tige de lemon-grass, écrasé

250 g de sagou

1 cuil. à café de zeste de citron vert râpé

1 blanc d'œuf, légèrement battu

4 goyaves, finement émincées

Sirop de citron vert

500 g de sucre en poudre

1 cuil. à café de gingembre frais finement râpé

Le zeste de 2 citrons verts

1 Beurrer légèrement huit ramequins de 125 ml. Dans une casserole, mettre le lait de coco, le sucre de palme et le lemon-grass avec 750 ml d'eau. Porter juste au point d'ébullition. Ajouter le sagou et le zeste de citron. Faire cuire 35 à 40 minutes à feu doux, en remuant souvent, jusqu'à ce que le sagou devienne épais et transparent.

2 Retirer du feu et laisser refroidir légèrement. Ôter le lemon-grass. Battre le blanc d'œuf en neige et l'incorporer au sagou. Verser la préparation dans les ramequins, couvrir de film plastique et réfrigérer 3 heures, pour que les puddings durcissent. Plonger les ramequins 20 secondes dans l'eau chaude avant de démouler.

3 Pour le sirop de citron, mettre le sucre et 250 ml d'eau dans une casserole à feu doux. Remuer jusqu'à ce que le sucre soit dissous. Porter à ébullition et prolonger la cuisson de 10 minutes, sans remuer, jusqu'à épaississement. Ajouter le gingembre, les zestes de citron, et prolonger la cuisson 5 minutes. Disposer les tranches de goyave sur une assiette, napper de sirop et servir avec les puddings.

PUDDINGS DE SAGOU

Cuire le sagou à feu doux en remuant, jusqu'à ce qu'il devienne épais et transparent.

Verser la préparation dans les ramequins beurrés. Couvrir de film plastique et réfrigérer 3 heures.

EN HAUT : Puddings de sagou au lait de coco

CHARLOTTES, GÂTEAUX FOURRÉS ET TRIFLES

Riches et parfumés, ces desserts à base de biscuit ou de génoise, garnis de crème fouettée et de fruits, parfois imbibés de liqueur ou aromatisés au chocolat, ravissent le palais autant que les yeux. Charlottes, génoises, biscuits roulés, forêts noires, trifles… tous allient une consistance moelleuse et une saveur crémeuse. Mais gare! Ils sont si onctueux et fondants qu'on se laisse très facilement tenter…

GÂTEAU FOURRÉ AUX NOISETTES

Préparation : 40 minutes + réfrigération
Cuisson : 35 minutes
Pour 6 à 8 personnes

★★

185 g de noisettes

6 blancs d'œufs

185 g de sucre en poudre

1 cuil. à café de vinaigre de vin blanc

1/2 cuil. à café d'essence de vanille

1/2 cuil. à café de cardamome moulue

Poudre de cacao et chocolat fondu

Crème à la cardamome

250 ml de crème liquide

1/2 cuil. à café de cardamome moulue

2 cuil. à soupe de sucre en poudre

EN HAUT : Gâteau fourré aux noisettes

1 Préchauffer le four à 180 °C (therm. 4). Beurrer le fond de deux moules à gâteau ronds de 20 cm.

Garnir le fond de papier sulfurisé.

2 Faire griller les noisettes 8 minutes sur une plaque à pâtisserie. Les frotter dans un torchon pour ôter les peaux. Une fois refroidies, les broyer dans le bol d'un robot.

3 Battre les blancs d'œufs en neige. Ajouter le sucre peu à peu, sans cesser de battre, jusqu'à ce que les blancs soient fermes et luisants. Avec une cuillère en métal, incorporer les noisettes, le vinaigre, la vanille et la cardamome.

4 Répartir la préparation équitablement dans les moules. Enfourner 25 minutes, jusqu'à ce que les gâteaux soient fermes en surface (ils ne lèvent pas et doivent être humides au centre). Passer un couteau tout autour afin que les gâteaux retombent uniformément. Laisser reposer 5 minutes, puis démouler sur une grille. Retirer le papier.

5 Fouetter la crème, ajouter la cardamome et le sucre en continuant à battre.

6 Placer un gâteau sur un plat et étaler dessus un tiers de la crème à la cardamome. Poser l'autre gâteau dessus et le couvrir également de crème. Avec le reste de crème, former des rosettes avec une poche à douille tout autour du gâteau. Réfrigérer au moins 5 heures avant de servir. Saupoudrer de cacao et napper de chocolat fondu.

CHARLOTTE MALAKOFF

Préparation : 1 heure + réfrigération
Cuisson : aucune
Pour 8 à 12 personnes

★★

250 g de biscuits à la cuiller
125 ml de Grand Marnier
500 g de fraises, équeutées et coupées en deux
Crème fouettée et fraises, en accompagnement

Crème d'amandes

125 g de beurre
90 g de sucre en poudre
60 ml de Grand Marnier
Quelques gouttes d'essence d'amande
185 ml de crème liquide, fouettée
140 g d'amandes en poudre

1 Beurrer un plat à soufflé de 1 à 1,5 litre. Garnir le fond de papier sulfurisé. Couper l'extrémité des biscuits pour qu'ils soient de la hauteur du moule. Délayer la liqueur dans 125 ml d'eau, puis plonger rapidement les biscuits dedans. Les disposer à la verticale tout autour du plat, côté arrondi en bas.
2 Travailler le beurre et le sucre au batteur, jusqu'à obtention d'un mélange crémeux. Ajouter la liqueur et l'essence d'amande. Continuer à battre jusqu'à ce que le sucre soit dissous. Avec une cuillère en métal, incorporer la crème liquide et les amandes.
3 Verser un tiers de la crème d'amandes dans le plat et couvrir de fraises. Garnir d'une couche de biscuits trempés et continuer à superposer les couches, en terminant par des biscuits. Bien tasser le tout.
4 Couvrir de papier d'aluminium, placer une petite assiette et un poids dessus. Réfrigérer 8 heures ou toute une nuit. Retirer l'assiette et le papier d'aluminium et démouler sur un plat de service glacé. Retirer le papier sulfurisé. Garnir de crème fouettée et de fraises.
NOTE : Ce dessert très riche doit être servi de préférence après un repas léger. Très décoratif, il convient bien aux grandes occasions.

LES BISCUITS À LA CUILLER

Les biscuits à la cuiller se trouvent en diverses tailles et sous différents noms (on les appelle notamment boudoirs). Ils accompagnent généralement les desserts glacés, les glaces et les compotes de fruits, et entrent dans la composition de nombreux entremets et charlottes. Ils sont préparés avec une pâte très légère qui, à la cuisson, forme des biscuits bien fermes.

EN HAUT :
Charlotte Malakoff

**LES TRIFLES
ET LA ZUPPA INGLESE**
Les *trifles* étaient à l'origine des crèmes parfumées appréciées des Anglais à l'époque élisabéthaine. Peu à peu, la préparation a changé : crème plus épaisse, ajout de biscuits et divers ingrédients, décorations… En 1755, Hannah Glasse mit au point une recette de *grand trifle*, destinée à « orner la table d'un roi ». Ce trifle comprenait des biscuits et des macarons imbibés d'alcool, une couche de crème et se terminait par un sabayon. En anglais, *trifle* désigne une chose sans importance.
La *zuppa inglese*, « soupe anglaise » en italien, doit vraisemblablement son nom à sa ressemblance avec le *trifle* anglais. À l'origine, elle était cuite, mais les recettes modernes se préparent sans cuisson.

PAGE CI-CONTRE :
Trifle anglais (en haut);
Zuppa inglese (en bas)

TRIFLE ANGLAIS

Préparation : 25 minutes + réfrigération
Cuisson : 10 minutes
Pour 6 personnes

4 tranches de quatre-quarts
60 ml de xérès doux ou de madère
250 g de framboises
4 œufs
2 cuil. à soupe de sucre en poudre
2 cuil. à soupe de farine
500 ml de lait
Quelques gouttes d'extrait de vanille
125 ml de crème liquide
25 g d'amandes effilées, pour la décoration
Framboises, pour la décoration

1 Mettre le quatre-quarts dans un joli saladier et l'arroser de xérès. Éparpiller les framboises dessus et les écraser légèrement avec le dos d'une cuillère (en laisser quelques-unes entières).
2 Dans une terrine, mélanger les œufs, le sucre et la farine. Chauffer le lait et le verser sur le mélange aux œufs, en remuant bien. Verser la préparation dans une autre casserole et faire cuire à feu moyen jusqu'à ébullition et épaississement (la crème doit napper le dos d'une cuillère). Incorporer la vanille, couvrir la surface de film plastique et laisser refroidir.
3 Verser la crème sur les framboises et laisser prendre au réfrigérateur (elle doit être ferme mais non solide). Fouetter la crème liquide et la déposer sur la crème. Décorer avec les amandes et les framboises, et réfrigérer jusqu'au moment de servir.

TIPSY TRIFLE
(ENTREMETS PARFUMÉ AU COGNAC)

Préparation : 25 minutes + réfrigération
Cuisson : aucune
Pour 6 personnes

1 génoise de 20 cm environ
160 g de confiture d'abricots
125 ml de cognac
10 feuilles de gélatine
300 g de coulis d'abricots
2 bananes en rondelles, arrosées d'un peu de jus de citron

500 ml de crème anglaise (toute prête)
250 ml de crème liquide, fouettée
60 g d'amandes grillées, hachées
La pulpe de 2 fruits de la Passion

1 Couper la génoise en petits cubes et les mettre dans un saladier (ou dans des coupes individuelles). Mélanger la confiture, le cognac et 60 ml d'eau ; en arroser la génoise.
2 Faire ramollir les feuilles de gélatine dans de l'eau froide ; bien les presser. Verser le coulis d'abricots dans un moule rectangulaire de 27 x 18 cm, incorporer la gélatine, et laisser prendre au réfrigérateur. Détailler en cubes à l'aide d'une spatule en caoutchouc.
3 Disposer les cubes de gelée sur la génoise et garnir de bananes et de crème anglaise. Décorer avec la crème fouettée, les amandes et la pulpe de fruits de la Passion. Réfrigérer jusqu'au moment de servir.

ZUPPA INGLESE

Préparation : 35 minutes + réfrigération
Cuisson : 10 minutes
Pour 6 personnes

500 ml de lait
1 gousse de vanille, fendue dans la longueur
4 jaunes d'œufs
125 g de sucre en poudre
2 cuil. à soupe de farine
300 g de quatre-quarts, coupé en tranches de 1 cm
80 ml de rhum
30 g de chocolat noir, râpé ou en copeaux
50 g d'amandes effilées, grillées

1 Beurrer un saladier de 1,5 litre. Dans une casserole, mettre le lait et la vanille et faire chauffer jusqu'à l'apparition de bulles sur les bords. Dans un bol, battre les jaunes d'œufs, le sucre et la farine : le mélange doit blanchir et épaissir.
2 Ôter la gousse de vanille et verser délicatement le lait dans la préparation aux œufs, en battant bien. Remettre la crème dans une autre casserole et remuer sur feu moyen jusqu'à ébullition et épaississement.
3 Garnir le fond du saladier d'un tiers des tranches de quatre-quarts, les arroser du rhum délayé dans 1 cuil. à soupe d'eau. Étaler un tiers de la crème, garnir de tranches de gâteau et arroser de rhum. Superposer les couches en terminant par de la crème. Couvrir et réfrigérer au moins 3 heures. Saupoudrer de chocolat râpé et d'amandes grillées juste avant de servir.

TIRAMISU

Incorporer les blancs en neige dans la crème à l'aide d'une cuillère en métal.

Plonger les biscuits dans le café alcoolisé et les disposer au fond du plat.

TIRAMISU

Préparation : 30 minutes + réfrigération
Cuisson : aucune
Pour 6 à 8 personnes

★

750 ml de café noir, refroidi

3 cuil. à soupe de cognac ou de Kahlua

2 œufs, blancs et jaunes séparés

3 cuil. à soupe de sucre en poudre

250 g de mascarpone

250 ml de crème liquide, fouettée

16 gros biscuits à la cuiller

2 cuil. à café de poudre de cacao

1 Mettre le café et l'eau-de-vie dans un saladier. Dans un autre, travailler les jaunes d'œufs et le sucre 3 minutes au batteur électrique. Ajouter le mascarpone et battre légèrement. Incorporer la crème fouettée avec une cuillère en métal.

2 Battre les blancs d'œufs en neige. Les incorporer délicatement et rapidement dans la crème avec une cuillère en métal, en essayant de conserver le volume.

3 Plonger rapidement la moitié des biscuits dans le café alcoolisé, un par un. Les égoutter et les disposer au fond d'un plat profond. Étaler la moitié de la crème dessus.

4 Imbiber le reste des biscuits et répéter l'opération. Égaliser la surface et saupoudrer généreusement de cacao. Réfrigérer 2 heures afin de laisser les parfums se développer.

EN HAUT : Tiramisu

BISCUIT ROULÉ AUX FRAISES

Préparation : 25 minutes + temps de repos
+ réfrigération
Cuisson : 10 minutes
Pour 6 à 8 personnes

3 œufs, blancs et jaunes séparés

125 g de sucre en poudre + 1 cuil. à soupe

90 g de farine avec levure incorporée, tamisée

185 ml de crème liquide

160 g de confiture de fraises

250 g de fraises, coupées en quatre

1 Préchauffer le four à 200 °C (therm. 6). Répartir 1 cuil. à soupe de sucre sur une feuille de papier sulfurisé de 30 x 35 cm posée sur un torchon. Beurrer un moule à génoise de 20 x 30 cm environ, et le garnir de papier sulfurisé.

2 Monter les blancs d'œufs en neige. Incorporer le sucre peu à peu et fouetter jusqu'à ce qu'il soit dissous. Ajouter les jaunes d'œufs légèrement battus, et continuer à fouetter jusqu'à épaississement.

3 Incorporer la farine et 2 cuil. à soupe d'eau chaude. Étaler dans le moule et enfourner 8 à 10 minutes : le biscuit doit être doré. Démouler sur le papier saupoudré de sucre et détacher le papier sulfurisé de la base. En s'aidant du torchon, rouler le biscuit sans trop serrer. Laisser refroidir 20 minutes, puis dérouler (ceci empêche le biscuit de se fendre quand on le fourre).

4 Fouetter la crème et le sucre. Étaler la confiture sur le biscuit, puis garnir de crème fouettée et de fraises. Rouler à nouveau et réfrigérer.

ROULÉ AU CHOCOLAT

Préparation : 20 minutes
Cuisson : 25 minutes
Pour 6 personnes

5 œufs, jaunes et blancs séparés

140 g de sucre en poudre

225 g de chocolat à cuire supérieur, concassé

250 ml de crème liquide

Sucre glace, pour la décoration

1 Beurrer un moule à génoise de 20 x 30 cm environ, le garnir de papier sulfurisé et saupoudrer d'un peu de sucre. Préchauffer le four à 200 °C (therm. 6).

2 Dans un bol, mettre les jaunes d'œufs et le sucre et travailler au batteur électrique jusqu'à obtention d'un mélange mousseux et léger. Mettre le chocolat dans une petite casserole avec 75 ml d'eau, et faire fondre à feu doux. Incorporer le chocolat fondu aux œufs.

3 Battre les blancs d'œufs en neige ferme. Incorporer 1 cuil. de blanc dans la préparation au chocolat afin de l'assouplir, puis ajouter le reste des blancs. Verser la préparation dans le moule et enfourner 12 à 15 minutes.

4 Faire glisser le biscuit sur une grille, le couvrir d'un torchon pour l'empêcher de se dessécher et le laisser refroidir. Fouetter la crème. Placer le biscuit sur le plan de travail. En partant du bas, napper les deux tiers de crème fouettée (laisser une bordure sur le pourtour). Rouler le biscuit en s'aidant du papier et en le détachant au fur et à mesure. Si le biscuit se fend, le resceller et saupoudrer le tout de sucre glace.

EN HAUT :
Biscuit roulé aux fraises

219

TRIFLE DE NOËL

Préparation : 20 minutes + réfrigération
Cuisson : 10 minutes
Pour 6 à 8 personnes

Crème

3 jaunes d'œufs

2 cuil. à soupe de sucre en poudre

1 cuil. à soupe de Maïzena

375 ml de lait

1/2 cuil. à café d'essence de vanille

185 ml de cognac ou de xérès

200 g d'un assortiment de fruits secs, hachés

500 g de cake émietté

60 g de gingembre confit, finement haché

250 ml de crème liquide

Fruits confits, pour la décoration

1 Battre les jaunes d'œufs, le sucre et la Maïzena dans un bol. Mettre le lait dans une petite casserole, le porter presque à ébullition, puis le verser sur le mélange aux œufs. Bien remuer, puis transvaser le tout dans une autre casserole et porter à ébullition, sans cesser de remuer. Ajouter l'essence de vanille et verser la crème dans un saladier. Couvrir la surface de film plastique et laisser refroidir.

2 Dans une petite casserole, mettre 125 ml de cognac (ou de xérès) et les fruits secs ; remuer 5 minutes à feu moyen, jusqu'à ce que les fruits gonflent. Retirer du feu.

3 Mettre le cake dans le plat de service et l'arroser du reste de cognac (ou de xérès). Ajouter les fruits et le gingembre et bien mélanger. Couvrir et réfrigérer.

4 Verser la crème sur le gâteau et les fruits, couvrir et réfrigérer jusqu'au moment de servir. Fouetter légèrement la crème liquide et la mettre sur la crème. Servir décoré de fruits confits.

NOTE : Pour un plus bel effet, servir les trifles dans de jolies coupelles en verre, afin de laisser voir les différentes couches.

TRIFLE AUX POMMES

Préparation : 35 minutes + réfrigération
Cuisson : 20 minutes
Pour 6 personnes

Crème

3 jaunes d'œufs

2 cuil. à soupe de sucre en poudre

1 cuil. à soupe de Maïzena

375 ml de lait

1/2 cuil. à café d'essence de vanille

1 kg de pommes

185 g de sucre en poudre

1/2 cuil. à café de noix muscade râpée

1 cuil. à café de zeste de citron jaune ou vert

6 biscuits à la cuiller

125 ml de crème liquide, fouettée

1 cuil. à soupe de sucre glace

1 cuil. à café d'un mélange de cannelle, gingembre et clous de girofle en poudre

1 Battre les jaunes d'œufs, le sucre et la Maïzena dans un bol. Mettre le lait dans une petite casserole, le porter presque à ébullition, puis le verser sur le mélange aux œufs. Bien remuer, puis transvaser le tout dans une autre casserole et porter à ébullition, sans cesser de remuer. Ajouter l'essence de vanille et verser la crème dans un saladier. Couvrir la surface de film plastique et laisser refroidir.

2 Peler et couper les pommes en tranches. Les faire cuire 10 à 15 minutes à feu doux dans une casserole à fond épais avec 2 cuil. à soupe d'eau, jusqu'à ce qu'elles soient tendres. Retirer du feu et écraser à la fourchette. Incorporer le sucre, la muscade, et le zeste de citron.

3 Briser les biscuits en morceaux égaux et en garnir le fond de six coupes en verre. Recouvrir d'une couche de pommes puis d'une couche de crème. Couvrir et réfrigérer 3 à 4 heures.

4 Décorer avec la crème fouettée (à la poche à douille). Saupoudrer légèrement avec le mélange de sucre glace et d'épices.

PAGE CI-CONTRE : Trifle de Noël (en haut) ; Trifle aux pommes (en bas)

ÉPICES ET AROMATES

Le épices et les aromates sont constitués par la feuille, la racine, l'écorce, la gousse, la graine,

le fruit ou la tige d'une plante. Il est recommandé d'acheter les épices en petite quantité.

LE POIVRE DE LA JAMAÏQUE
Également nommé toute-épice ou myrte-piment, c'est une baie de la taille d'un tout petit pois, que l'on utilise entière ou moulue.

LE LAURIER
Vert foncé et luisante quand elle est fraîche, la feuille de laurier séchée a un goût très prononcé. Elle se marie bien avec certains entremets, notamment les crèmes et les laitages. Les feuilles de laurier fraîches se conservent

quelques jours au réfrigérateur, dans un sac en plastique (les laver avant emploi).

LA CARDAMOME
Les capsules sont vert pâle. La variété brune, au goût différent, n'est pas de la vraie cardamome. Chaque capsule contient des graines noires et brunes. La cardamome en grains ou moulue perdant vite son goût, il vaut mieux acheter des capsules et les écraser légèrement avant emploi, ou extraire les graines. La car-

damome s'utilise parcimonieusement en raison de son goût « médicinal ». Elle agrémente parfaitement le café et le chocolat.

LA CANNELLE ET LA CASSE
Ces épices sont issues de l'écorce de différents types de lauriers. La casse est plus grossière et plus rouge que la cannelle, et son goût plus puissant : elle est souvent vendue à tort sous le nom de cannelle. La cannelle, plus souple, est roulée en petits bâtonnets. La

cannelle et la casse moulues perdent leur parfum assez vite. Les bâtons de cannelle se conservent dans des récipients hermétiques à l'abri de la lumière. Mélangée à du sucre, la cannelle est l'accompagnement idéal des pommes cuites et des desserts à base de fruits.

LE GINGEMBRE

Le gingembre peut s'acheter frais, séché, moulu, mariné, au sirop, glacé ou confit. En pâtisserie, on utilise plutôt le gingembre moulu pour sa saveur légèrement âpre. Le gingembre confit se conserve dans un endroit frais et sombre, ou au réfrigérateur; il agrémente agréablement les desserts et les glaces. Le gingembre se marie particulièrement bien avec la rhubarbe, la pomme et le melon.

LES CLOUS DE GIROFLE

Très parfumés, ils peuvent devenir amers en grande quantité. On les utilise entiers ou moulus dans les plats sucrés. Ils ne se conservent pas plus de six mois.

LA NOIX MUSCADE ET LE MACIS

Les deux sont le fruit d'un arbre de l'île aux Épices. La noix muscade est une amande dure brun foncé enveloppée d'un tégument rouge, qui devient jaune-brun en séchant (le macis). Le macis, qui possède un goût plus doux, s'utilise dans les gâteaux et les desserts. La noix muscade a une saveur qui se marie bien avec celle des fruits au four, des crèmes et des gâteaux de riz. Pour plus de fraîcheur, il vaut mieux râper soi-même la muscade.

L'ANIS ÉTOILÉ

Également connue sous le nom de badiane, cette gousse brune a une forme d'étoile à huit branches, dotées chacune d'une graine. La gousse s'utilise entière ou moulue. L'anis étoilé est un des composants de la poudre de cinq-épices, et s'emploie dans les crèmes, les sablés et les sirops.

LA VANILLE

Les gousses de vanille doivent être noires et souples. Elles se conservent plusieurs mois dans un récipient hermétique, à l'abri de la chaleur et de la lumière. Pour les réutiliser, il suffit de les rincer et de les sécher. L'essence de vanille doit toujours porter la mention « naturelle » ou « extrait pur ».

DANS LE SENS DES AIGUILLES D'UNE MONTRE, EN PARTANT DU HAUT À GAUCHE : Poivre de la Jamaïque; Bâtons de cannelle; Casse; Clous de girofle; Gingembre frais; Anis étoilé; Gousses de vanille; Noix muscade; Macis; Gingembre confit; Gingembre glacé; Gingembre séché; Gingembre moulu; Casse; Bâtons de cannelle; Cardamome; Feuilles de laurier.

LA CRÈME FOUETTÉE

La crème fraîche liquide est plus facile à fouetter quand elle est froide; une crème trop fouettée tourne rapidement au beurre, ce qui se produit très vite quand la crème est trop chaude. La crème à fouetter doit contenir au moins 35 % de matière grasse. Une crème légèrement fouettée s'incorpore facilement dans toutes sortes de préparations. Bien ferme, elle s'utilise pour décorer les desserts, notamment à l'aide d'une poche à douille. Veiller cependant à ne pas trop la fouetter, car elle tournerait. Pour une chantilly, mieux vaut utiliser la crème fluide UHT.

FORÊT-NOIRE

Préparation : 1 heure + temps de repos
Cuisson : 50 à 60 minutes
Pour 8 à 10 personnes

125 g de beurre

250 g de sucre en poudre

2 œufs, légèrement battus

1 cuil. à café d'essence de vanille

40 g de farine avec levure incorporée

125 g de farine ordinaire

1 cuil. à café de bicarbonate de soude

60 g de poudre de cacao

185 ml de babeurre

Garniture

60 ml de kirsch

750 ml de crème liquide, fouettée

425 g de griottes ou de cerises noires
    dénoyautées en boîte, égouttées

Glaçage

100 g de chocolat noir supérieur

100 g de chocolat au lait

Cerises au marasquin, pour la décoration

1 Préchauffer le four à 180 °C (therm. 4). Beurrer un moule à manqué de 20 cm. Garnir le fond et les côtés de papier sulfurisé.

2 Travailler le beurre et le sucre en crème au batteur électrique. Ajouter les œufs peu à peu, sans cesser de battre. Incorporer la vanille et bien mélanger. Transférer dans une grande jatte. Avec une cuillère en métal, incorporer les farines tamisées, le bicarbonate de soude et le cacao, en alternance avec le babeurre. Bien remuer, jusqu'à obtention d'une préparation homogène.

3 Verser la préparation dans le moule et égaliser la surface. Enfourner 50 à 60 minutes (vérifier la cuisson avec la lame d'un couteau : elle doit ressortir sèche). Laisser reposer le gâteau 30 minutes dans son moule avant de le faire refroidir sur une grille. Quand il est froid, le trancher en trois épaisseurs à l'aide d'un couteau-scie. Pour plus de facilité, poser délicatement la paume de la main sur le gâteau tout en coupant. Tourner régulièrement le gâteau afin que l'épaisseur soit uniforme sur les bords. Quand la circonférence est faite, couper au centre. Retirer la première épaisseur avant de passer à la suivante.

4 Pour les copeaux de chocolat, laisser reposer le chocolat 10 à 15 minutes dans un endroit chaud afin qu'il ramollisse légèrement. Avec un couteau économe, former de longs copeaux de chocolat à partir du bord. Si la plaque de chocolat est trop molle, la réfrigérer. Les rouleaux de chocolat requièrent une certaine technique (voir p. 238).

CI-CONTRE : Forêt-noire

5 Pour l'assemblage, placer une épaisseur de gâteau sur le plat de service et l'arroser généreusement de kirsch. Étendre uniformément un cinquième de la crème fouettée et garnir de la moitié des cerises. Continuer à superposer les couches en terminant par de la crème. Étaler le reste de crème sur le pourtour du gâteau et recouvrir de copeaux de chocolat : mettre les copeaux sur un morceau de papier sulfurisé et les enfoncer délicatement dans la crème (ne pas le faire avec les mains, car le chocolat fondrait). Former des rosettes de crème tout autour du gâteau avec une poche à douille et décorer le tout avec des cerises au marasquin et des copeaux de chocolat.

NOTE : La forêt-noire est probablement l'un des gâteaux les plus connus au monde. Originaire de Souabe, dans la Forêt-Noire, elle est toujours parfumée au kirsch, une liqueur de cerise incolore.

TRIFLE AUX PÊCHES

Préparation : 20 minutes + réfrigération
Cuisson : aucune
Pour 6 à 8 personnes

1 génoise préparée la veille, coupée en cubes
825 g de pêches en boîte, émincées
60 ml de marsala, de liqueur de pêche ou
   de Grand Marnier
250 ml de crème liquide
200 g de mascarpone
25 g d'amandes effilées, grillées

1 Mettre les cubes de génoise dans un saladier profond (contenance de 2 litres) et les tasser fermement. Égoutter les pêches, en réservant 125 ml de jus. Mélanger le marsala avec le jus et en arroser le gâteau.
2 Disposer les tranches de pêche sur le gâteau. Fouetter la crème. Ajouter le mascarpone et battre brièvement. Étaler la crème sur les pêches. Réfrigérer 1 heure afin de laisser les arômes se mélanger. Garnir d'amandes grillées juste avant de servir.

EN HAUT :
Trifle aux pêches

3 Incorporer les flocons d'avoine dans la crème à l'aide d'une cuillère en métal.

4 Superposer des couches de framboises et de crème dans six coupes hautes en verre, en terminant par de la crème. Réfrigérer 2 heures et servir garni de flocons d'avoine grillés.

NOTE : En Écosse, des petits objets symboliques sont placés dans le cranachan lors de la fête d'Halloween, un peu à la manière de nos fèves.

TRIFLE CHOCOLAT-CERISE

Préparation : 30 minutes + réfrigération
Cuisson : 10 minutes
Pour 6 personnes

350 g de quatre-quarts ou de cake au chocolat
30 g d'amandes effilées, grillées, et crème
    fouettée, pour la décoration

Crème

2 boîtes de 450 g de cerises noires dénoyautées
60 ml de kirsch
2 jaunes d'œufs
2 cuil. à soupe de sucre en poudre
I cuil. à soupe de Maïzena
250 ml de lait
I cuil. à café d'essence de vanille
185 ml de crème liquide, légèrement fouettée

I Couper le gâteau en fins tronçons. Garnir le fond d'un saladier de 1,75 litre avec un tiers du gâteau.

2 Égoutter les cerises et réserver le jus. Mélanger 250 ml de jus avec le kirsch et en arroser généreusement le gâteau. Déposer quelques cerises sur le gâteau.

3 Battre les jaunes d'œufs, le sucre et la Maïzena dans un saladier résistant à la chaleur : le mélange doit blanchir et épaissir. Chauffer le lait dans une casserole, presque jusqu'à ébulliton. Retirer du feu et verser peu à peu dans la préparation aux œufs, sans cesser de battre. Remettre le tout dans une autre casserole et remuer 5 minutes à feu moyen. Retirer du feu et ajouter la vanille. Couvrir la surface de film plastique et laisser refroidir avant d'incorporer cette préparation dans la crème fouettée.

4 Pour l'assemblage, étaler un tiers de la crème sur les cerises du saladier. Garnir de gâteau, de jus, de cerises et de crème. Superposer les couches en terminant par de la crème. Couvrir et réfrigérer 3 à 4 heures. Décorer d'amandes et de crème fouettée.

CRANACHAN
(TRIFLE ÉCOSSAIS)

Préparation : 30 minutes + réfrigération
Cuisson : 10 minutes
Pour 6 personnes

2 cuil. à soupe de flocons d'avoine
250 ml de crème liquide
2 cuil. à soupe de miel
I cuil. à soupe de whisky
500 g de framboises ou de fraises
2 cuil. à soupe de flocons d'avoine grillés

I Mettre les flocons d'avoine dans une petite casserole et remuer 5 minutes à feu doux, jusqu'à ce qu'ils soient légèrement grillés. Retirer du feu et laisser refroidir complètement.

2 Fouetter la crème au batteur électrique. Ajouter le miel et le whisky et bien battre.

EN HAUT : Cranachan

GÂTEAU FOURRÉ À L'ORANGE ET AU CITRON

Préparation : I heure
Cuisson : 30 minutes
Pour 8 à 10 personnes

125 g de farine

4 œufs

160 g de sucre en poudre

60 g de beurre, fondu et refroidi

Garniture

2 cuil. à soupe de Maïzena

80 ml de jus de citron

80 ml de jus d'orange

I cuil. à café de zeste de citron râpé

I cuil. à café de zeste d'orange râpé

90 g de sucre en poudre

2 jaunes d'œufs

20 g de beurre

Glaçage

200 g de chocolat blanc, concassé

125 ml de crème liquide

60 g de beurre

Rouleaux de chocolat blanc et écorces confites

1 Préchauffer le four à 180 °C (therm. 4). Beurrer deux moules ronds peu profonds de 20 cm et garnir le fond et les côtés de papier sulfurisé.

2 Tamiser la farine trois fois sur une feuille de papier sulfurisé. Battre les œufs et le sucre jusqu'à obtention d'un mélange épais (qui doit avoir augmenté de volume).

3 Avec une cuillère en métal, incorporer la farine en deux fois, en mélangeant rapidement et légèrement. Ajouter le beurre fondu avec la seconde moitié de farine, en éliminant les dépôts blancs du beurre. Répartir la préparation dans les moules et enfourner 20 minutes, jusqu'à ce que les gâteaux soient légèrement dorés. Laisser reposer 2 minutes avant de démouler sur une grille.

4 Pour la garniture, délayer la Maïzena dans 1 cuil. à soupe d'eau. Dans une petite casserole, mettre 3 cuil. à soupe d'eau, les jus, les zestes et le sucre ; remuer à feu moyen, sans faire bouillir, pour faire fondre le sucre. Ajouter la Maïzena et remuer jusqu'à ébullition et épaississement, sans cesser de remuer. Retirer du feu, ajouter les jaunes d'œufs et le beurre ; bien mélanger. Transférer dans un saladier, couvrir la surface de film plastique et laisser refroidir complètement.

5 Pour le glaçage, faire fondre le chocolat, la crème et le beurre dans une petite casserole, à feu doux.

Transférer dans un saladier, couvrir de film plastique et laisser refroidir complètement (ne pas mettre au réfrigérateur). Travailler la préparation au batteur jusqu'à ce qu'elle soit bien légère.

6 Avec un couteau-scie, couper les gâteaux en deux à l'horizontale. Mettre une épaisseur sur le plat de service et étendre la garniture dessus. Continuer à superposer les couches de gâteau et de garniture, en terminant par un cercle de gâteau. Étendre le glaçage sur le dessus et les côtés. Décorer de rouleaux de chocolat blanc et d'écorces confites.

NOTE : Pour préparer soi-même les écorces confites, couper chaque citron en quartiers et retirer la pulpe. Mettre l'écorce dans une casserole d'eau froide et porter à ébullition. Baisser le feu, laisser cuire 2 minutes, puis changer l'eau et recommencer pour supprimer l'amertume de la peau blanche. Égoutter. Dans une casserole, mélanger 220 g de sucre et 250 ml d'eau ; faire fondre le sucre à feu doux, sans cesser de remuer. Une fois le sucre dissous, porter à ébullition, baisser le feu et laisser mijoter. Ajouter quelques gouttes de jus de citron et les morceaux d'écorce. Faire cuire à feu très doux jusqu'à ce que l'écorce devienne transparente. Laisser refroidir dans le sirop, puis retirer et égoutter. Couper l'écorce en forme d'étoiles et les rouler dans du sucre en poudre.

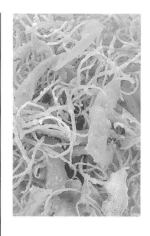

CI-DESSOUS :
Gâteau fourré à l'orange et au citron

ROULÉ AUX NOISETTES FOURRÉ À LA FRAMBOISE

Préparation : 40 minutes + réfrigération
Cuisson : 15 minutes
Pour 8 personnes

★★

100 g de noisettes grillées

5 œufs, blancs et jaunes séparés

185 g de sucre en poudre

1 cuil. à café d'essence de vanille

40 g de farine avec levure incorporée

1 cuil. à soupe de farine ordinaire

Crème fouettée, framboises et rouleaux de
chocolat, pour la décoration

Crème à la framboise

170 ml de crème liquide

200 g de framboises, légèrement écrasées

1 cuil. à soupe de sucre en poudre

1 cuil. à soupe d'eau-de-vie (cognac, par
exemple)

EN HAUT :
Roulé aux noisettes fourré
à la framboise

1 Préchauffer le four à 180 °C (therm. 4). Huiler un moule à génoise de 30 x 25 cm environ. Garnir le fond et les côtés de papier sulfurisé. Saupoudrer d'un peu de sucre. Broyer les noisettes dans le bol d'un robot.

2 Travailler les jaunes d'œufs et le sucre au batteur électrique, puis ajouter la vanille.

3 Battre les blancs d'œufs en neige. Avec une cuillère en métal, incorporer les blancs et les farines tamisées dans les jaunes, tiers par tiers. Incorporer les noisettes avec le dernier tiers. Verser la préparation dans le moule et égaliser la surface. Enfourner 15 minutes, jusqu'à ce que le biscuit soit légèrement doré et souple au toucher. Démouler sur un torchon couvert de papier sulfurisé et saupoudré de sucre. Laisser reposer 1 minute. En s'aidant du torchon, rouler délicatement le biscuit avec son papier, puis le laisser refroidir 5 minutes. Dérouler et retirer le papier.

4 Fouetter la crème, incorporer les framboises, le sucre et l'eau-de-vie (la crème doit être marbrée). Étaler la crème sur le biscuit en laissant une bordure de 1,5 cm tout autour. Rouler de nouveau le biscuit et réfrigérer 2 heures avant de servir. Décorer de crème fouettée, de framboises et de rouleaux de chocolat.

TRIFLE AU MASCARPONE

Préparation : 40 minutes + réfrigération
Cuisson : 10 minutes
Pour 4 à 6 personnes

175 g de génoise

125 ml de Tia Maria ou de Kahlua

70 g de chocolat noir, râpé

500 g de fraises, équeutées

Poudre de cacao et sucre glace, pour
   la décoration

Crème

4 jaunes d'œufs

2 cuil. à soupe de sucre en poudre

2 cuil. à café de Maïzena

475 ml de crème liquide

125 ml de lait

2 cuil. à café d'essence de vanille

250 g de mascarpone

1 Couper la génoise en morceaux et en garnir le fond d'un compotier de 1,75 litre. Verser la liqueur sur la génoise et saupoudrer avec la moitié du chocolat. Émincer un tiers des fraises et les éparpiller dessus. Couvrir et réfrigérer.

2 Battre les jaunes d'œufs, le sucre et la Maïzena, jusqu'à ce que le mélange blanchisse et épaississe. Faire chauffer 125 ml de crème liquide et le lait, puis incorporer peu à peu dans la préparation aux œufs. Verser le tout dans une casserole et faire épaissir à feu doux (la crème doit napper le dos d'une cuillère). Retirer du feu et incorporer la vanille et le reste de chocolat. Bien mélanger. Couvrir la surface de film plastique et laisser refroidir.

3 Fouetter un tiers du reste de crème liquide et l'incorporer, avec le mascarpone, dans la crème refroidie. Verser sur la génoise et les fraises, couvrir de film plastique et mettre au frais jusqu'au moment de servir. Avant de porter à table, fouetter le reste de crème et en décorer le trifle. Couper le reste des fraises en deux et les disposer dessus. Saupoudrer d'un mélange de cacao et de sucre glace.

NOTE : Le mascarpone est un fromage frais italien à base de crème fraîche. Légèrement sucré et acide, il est plus épais que le fromage blanc.

EN HAUT :
Trifle *au mascarpone*

LES DESSERTS PRESTIGIEUX

Certaines occasions ne s'accommodent guère d'une simple coupe de glace. Quelque chose de spectaculaire et raffiné s'impose… Grâce au choix de recettes suivant, vous passerez pour le plus grand des pâtissiers alors qu'il vous aura suffi d'un peu de temps, de patience et d'enthousiasme pour réussir la plupart de ces délicieuses gourmandises!

DÉLICES AU CHOCOLAT
ET AUX MARRONS

Après avoir badigeonné de sirop les grands ronds de gâteau, étaler une couche de crème aux marrons.

Étendre la crème aux marrons réservée aussi finement et uniformément que possible sur toute la surface des gâteaux.

Disposer les gâteaux sur une grille placée sur une plaque à pâtisserie et verser le glaçage à la cuillère avant de les recouvrir complètement. Réfrigérer.

Couper l'extrémité du sac et faire couler le chocolat fondu en cercles concentriques, sur du papier sulfurisé.

PAGE CI-CONTRE :
*Délices au chocolat
et aux marrons*

DÉLICES AU CHOCOLAT ET AUX MARRONS

Préparation : 50 minutes + réfrigération
Cuisson : 30 minutes
Pour 6 personnes

100 g de beurre coupé en morceaux

80 g de chocolat noir, concassé

125 ml de lait

125 g de sucre en poudre

25 g de poudre de noix de coco

30 g de poudre de cacao

60 g de farine avec levure incorporée

2 œufs, légèrement battus

Sirop amaretto

2 cuil. à soupe de sucre en poudre

60 ml d'amaretto

Crème de marrons

30 g de beurre, ramolli

260 g de purée de marrons non sucrée

30 g de sucre glace

Glaçage

75 g de beurre

150 g de chocolat noir, concassé

2 cuil. à soupe de sirop d'érable

Coulis de framboises

150 g de framboises surgelées, décongelées

2 cuil. à soupe de sucre en poudre

Spirales en chocolat

60 g de chocolat noir

Sucre glace, pour la décoration

1 Préchauffer le four à 180 °C (therm. 4). Beurrer légèrement un moule à génoise de 30 x 25 cm environ, et couvrir le fond et les côtés de papier sulfurisé. Dans une petite casserole, mélanger le beurre, le chocolat, le lait et le sucre et remuer à feu doux jusqu'à ce que le sucre et le chocolat soient fondus. Retirer du feu et laisser refroidir légèrement. Dans un saladier, mélanger la noix de coco, le cacao et la farine ; incorporer le mélange au chocolat et les œufs en remuant bien. Verser la préparation dans le moule et enfourner 15 minutes, jusqu'à ce que le biscuit soit ferme au toucher. Laisser reposer 5 minutes avant de démouler sur une grille.

2 Pour le sirop, mettre le sucre et 60 ml d'eau dans une petite casserole sur feu doux. Remuer jusqu'à ce que le sucre soit dissous. Retirer du feu, incorporer l'amaretto et laisser refroidir.

3 Pour la crème de marrons, travailler le beurre, la purée de marrons et le sucre jusqu'à obtention d'un mélange homogène. Couper des ronds de gâteau au chocolat à l'aide d'emporte-pièce de 3, 5 et 7 cm, en en faisant six de chaque taille.

4 Réserver 125 ml de crème de marrons. Placer les grands ronds de gâteau sur une plaque à pâtisserie couverte de papier sulfurisé et les badigeonner généreusement de sirop. Étaler dessus une couche de crème de marrons, garnir d'un rond moyen, badigeonner de sirop et recouvrir de crème de marrons. Placer le petit rond de gâteau et badigeonner du reste de sirop. Prendre la crème de marrons réservée et enrober chaque gâteau d'une couche aussi fine que possible. Réfrigérer 1 heure, jusqu'à ce que la crème ait raffermi.

5 Faire fondre le beurre, le chocolat et le sirop au bain-marie. Poser les gâteaux sur une grille placée au-dessus d'une plaque à pâtisserie. Étaler le glaçage à la cuillère sur chacun d'entre eux de façon à les recouvrir complètement, puis réfrigérer.

6 Pendant ce temps, préparer le coulis de framboises : dans une petite casserole, mélanger-les avec le sucre et laisser mijoter 5 minutes. Passer au chinois fin (en plastique) et laisser refroidir.

7 Pour les spirales en chocolat, faire fondre le chocolat et le verser dans une poche à douille en papier ou dans un petit sac en plastique. Couper l'extrémité et faire couler le chocolat en cercles concentriques d'environ 7 cm de diamètre sur une plaque à pâtisserie couverte de papier sulfurisé. Les faire durcir au réfrigérateur. Placer les délices au chocolat et aux marrons dans des assiettes à dessert, décorer d'une spirale en chocolat, saupoudrer d'un peu de sucre glace et verser le coulis autour.

GLACE AUX TROIS PARFUMS

Préparation : 1 heure + congélation
Cuisson : 30 minutes
Pour 6 à 8 personnes

Meringue à la noix de coco

2 blancs d'œufs

125 g de sucre en poudre

90 g de poudre de noix de coco

1 cuil. à soupe de Maïzena

Glace à la framboise

200 g de framboises fraîches ou surgelées

170 ml de lait

90 g de sucre en poudre

125 ml de crème liquide

Glace à la réglisse

60 g de réglisse souple, hachée

250 ml de lait

185 ml de crème liquide

60 g de sucre en poudre

Colorant alimentaire noir

Glace à la mangue

1 grosse mangue

170 ml de lait

90 g de sucre en poudre

125 ml de crème liquide

1 Préchauffer le four à 150 °C (therm. 2). Garnir deux plaques à pâtisserie de papier sulfurisé et dessiner six rectangles de 25 x 7 cm. Préparer les meringues à la noix de coco : battre les blancs d'œufs en neige, et ajouter le sucre peu à peu sans cesser de battre, jusqu'à ce qu'il soit dissous. Incorporer le mélange de noix de coco et de Maïzena. Étendre la préparation sur chaque rectangle, en égalisant la surface. Enfourner 20 minutes : les meringues doivent être à peine fermes. Éteindre le four et les laisser refroidir dans le four légèrement entrouvert.

2 Beurrer légèrement deux moules rectangulaires de 25 x 7,5 cm et de 4 cm de profondeur. Les tapisser entièrement de film plastique. Égaliser les bords des meringues.

3 Glace à la framboise : préparer environ 170 ml de purée de framboises. Réduire les fruits en purée et les passer dans un tamis en plastique pour ôter les graines (un tamis métallique noircirait les framboises). Dans une petite casserole, mélanger le lait et le sucre en remuant à feu moyen, sans faire bouillir, jusqu'à ce que le sucre soit dissous. Retirer du feu, incorporer la crème et laisser refroidir. Une fois la préparation froide, l'incorporer dans la purée de framboises et verser le tout dans un récipient en métal peu profond. Mettre au congélateur jusqu'à ce que la glace soit à moitié congelée. La ressortir et la fouetter au batteur électrique, jusqu'à ce qu'elle soit épaisse et onctueuse, puis la répartir dans les deux moules préparés. Garnir de meringue, et mettre au congélateur.

4 Glace à la réglisse : dans une petite casserole, mélanger la réglisse, le lait et la crème à feu doux en remuant doucement, jusqu'à ce que la réglisse commence à fondre. Passer au chinois fin pour éliminer les grumeaux. Ajouter le sucre et remuer jusqu'à ce qu'il soit dissous. Laisser refroidir. Teinter la préparation à votre goût avec du colorant alimentaire. Verser la préparation dans un moule en métal peu profond et mettre au congélateur jusqu'à ce que la glace soit ferme. La ressortir et la fouetter au batteur électrique jusqu'à ce qu'elle soit épaisse et onctueuse. En napper les meringues, puis poser une autre meringue dessus. Remettre au congélateur.

5 Glace à la mangue : réduire la mangue en une purée lisse. Il vous faudra 180 ml de purée de mangue. Suivre la méthode de la glace à la framboise. Étaler la glace sur les meringues et garnir d'une dernière meringue. Couvrir et remettre au congélateur. Au moment de servir, démouler la glace sur une planche, retirer le film plastique et couper en tranches.

NOTE : On peut également préparer les glaces dans une sorbetière. Pour gagner du temps, congeler les trois glaces en même temps.

LA RÉGLISSE

La réglisse est la racine d'une petite plante qui a gagné l'Europe par la route des épices. Au XVIIe siècle, la réglisse moulue s'utilisait pour parfumer les gâteaux, les entremets et les boissons. Aujourd'hui, on extrait essentiellement le suc de la racine pour aromatiser toutes sortes de confiseries, ainsi que le pastis et la sambucca italienne. La réglisse s'achète en racine ou sous forme de poudre.

PAGE CI-CONTRE :
Glace aux trois parfums

LE CHOCOLAT

Ce sont les Aztèques qui découvrirent les vertus de la fève de cacao et qui, les premiers, élaborèrent des boissons chocolatées. Au XVIe siècle, les explorateurs espagnols importèrent le cacao en Europe.

Le chocolat provient des fèves de cacao, qui se trouvent elles-mêmes dans les cabosses (fruits) du cacaoyer. Il se compose de divers ingrédients extraits de la fève et reformés. Les fèves sont torréfiées, puis décortiquées et broyées. On obtient ainsi la pâte de cacao, très amère, qui forme la base de tous les produits au chocolat. On presse cette pâte pour extraire le beurre de cacao, et les résidus secs sont à nouveau broyés pour donner la poudre de cacao. La pâte de cacao est additionnée d'une quantité variable de beurre de cacao et d'arôme afin de produire divers types de chocolats. Ensuite, par l'opération du conchage, le chocolat est brassé en une pâte très lisse.

Le chocolat supérieur est brillant, et sa couleur tire légèrement sur le rouge. Il se casse en faisant des bords nets et fond facilement (le beurre de cacao fond à température ambiante). En outre, il doit avoir un pourcentage élevé de cacao et être parfumé à l'extrait de vanille pur. La règle d'or de la cuisson du chocolat est de toujours utiliser la meilleure qualité. Les traces blanches qui apparaissent parfois sur le chocolat proviennent soit du sucre qui se cristallise en sur-

face quand il fait humide, soit du beurre de cacao qui remonte à la surface quand il fait trop chaud. Si le chocolat n'est pas bien enveloppé et conservé au réfrigérateur, il donnera l'impression de « suer » et, en s'évaporant, l'eau laissera des cristaux de sucre. Ce phénomène n'altère en rien le goût du chocolat.

LE CHOCOLAT FONDU

Le chocolat doit être manipulé soigneusement. L'eau ou une température trop élevée le font accrocher ou créent des grumeaux. Veiller à utiliser un récipient propre et sec, et éviter de hâter l'opération. Ne faire fondre que la quantité nécessaire, en une seule fois. Porter à ébullition une casserole contenant 4 cm d'eau et la retirer du feu. Casser le chocolat en petits morceaux, les mettre dans un saladier et placer ce saladier sur la casserole. Le fond ne doit pas toucher l'eau, et il doit être suffisamment large pour obstruer complètement la casserole. Laisser le chocolat ramollir, puis remuer jusqu'à ce qu'il soit bien lisse. Retirer le saladier de la casserole pour le faire refroidir, ou le laisser en place pour garder le chocolat liquide. Ne pas surchauffer le chocolat, qui brûlerait et prendrait un goût amer.

On peut aussi utiliser un four à micro-ondes : passer le chocolat au four 15 secondes à puissance moyenne (50 %), le sortir, le remuer et le remettre 15 secondes. Répéter l'opération autant de fois que nécessaire. Le chocolat conservera peut-être sa forme, mais il deviendra luisant et ses bords retomberont légèrement. S'il accroche, ajouter quelques gouttes d'huile ou de graisse végétale, et bien remuer.

LA BONNE TEMPÉRATURE

Le beurre de cacao se compose de plusieurs matières grasses qui fondent et se solidifient à différentes températures. Selon la chaleur et l'humidité ambiantes, la stabilisation des matières grasses s'effectue correctement, conférant au chocolat manié une surface brillante ou une bonne solidification. Il est donc important de savoir chauffer et refroidir le chocolat aux températures exactes. Cette opération est compliquée, mais il existe une méthode rapide pour stabiliser le chocolat avant utilisation : râper le chocolat et en faire fondre les deux tiers selon la méthode décrite ci-dessus. Incorporer le reste du chocolat en plusieurs fois, jusqu'à ce qu'il soit complètement fondu. La température doit être de 30 à 31 °C pour le chocolat noir, et de 29 à 30 °C pour le chocolat blanc.

DÉCORATIONS EN CHOCOLAT

FORMES À CRÉER

Collerette en chocolat Les collerettes forment de ravissantes décorations pour les gâteaux et les cheesecakes. Démouler le gâteau et le mettre sur une planche. Mesurer sa hauteur et ajouter 1 cm. Découper une bande de papier sulfurisé ayant cette largeur et suffisamment longue pour faire le tour du gâteau. Étendre une fine couche de chocolat fondu sur le papier, laisser prendre un peu (le chocolat doit toutefois rester malléable) et en entourer le gâteau, côté papier à l'extérieur. Fixer le papier et réfrigérer jusqu'à ce que le chocolat soit solidifié, puis détacher délicatement le papier. Pour confectionner des collerettes à pois ou à motifs,

déposer d'abord des pois ou des lignes en chocolat blanc, noir ou au lait sur le papier, les laisser prendre un peu, puis étaler dessus un chocolat fondu d'une couleur différente.

ROULEAUX DE CHOCOLAT Verser le chocolat fondu sur un plan de travail en marbre ou sur une planche à découper épaisse. Quand il est refroidi et à peine solidifié, le racler à l'aide d'un couteau incliné à 45°. Si le chocolat durcit trop, il se fendra et craquera ; il faut donc le travailler vite une fois qu'il a atteint la bonne température. Pour confectionner des rouleaux rayés, verser le chocolat fondu sur le plan de travail et creuser des sillons à l'aide d'une fourchette.

Laisser refroidir, puis verser un chocolat fondu d'une couleur différente par-dessus. Former des rouleaux selon la méthode ci-dessus. On peut également étaler des bandes de chocolats différents les unes à côté des autres et procéder comme précédemment. Les copeaux de chocolat se forment en raclant un gros bloc de chocolat avec un couteau économe.

COUPELLES EN CHOCOLAT Étendre un cercle de chocolat sur un morceau de film plastique et en entourer un moule. Laisser durcir complètement avant de retirer la coupelle en chocolat et de détacher le film. Les coupelles se font aussi en tapissant un

moule de film plastique, en le remplissant d'eau, puis en le congelant pour obtenir un bloc de glace. Sortir le film plastique rempli de glace du moule et le plonger dans le chocolat fondu. Celui-ci durcit immédiatement. On peut également huiler un moule puis le badigeonner de chocolat. Le chocolat rétrécit en refroidissant : le passer quelques minutes au réfrigérateur pour que la coupelle se détache du moule. Elle présentera une surface lisse et brillante.

BOÎTES EN CHOCOLAT Faire fondre le chocolat et l'étendre en une couche fine et régulière sur du papier sulfurisé. Quand il commence à se solidifier, le couper en petits carrés égaux à l'aide d'un couteau bien affûté (chauffer la lame si le chocolat est trop dur). Coller les carrés avec un peu de chocolat fondu pour former de petites boîtes.

FORMES AJOURÉES Verser du chocolat fondu dans une poche à douille et former des motifs ajourés sur du papier sulfurisé. Détacher le papier et coller les formes avec un peu de chocolat fondu pour obtenir un effet en trois dimensions, ou bien les utiliser telles quelles.

FEUILLES EN CHOCOLAT Badigeonner le dessous de chaque feuille de rose ou de camélia lavées et séchées d'une fine couche de chocolat fondu, laisser prendre, puis détacher délicatement la feuille du chocolat.

VARIÉTÉS DE CHOCOLAT

CHOCOLATS NOIR ET AMER (au moins 43 % de cacao) Ils sont additionnés de vanille, de sucre et de beurre de cacao.

CHOCOLAT AU LAIT (environ 25 % de cacao) Il a été développé à grande échelle

par les Suisses (qui possédaient peu de chocolat et de sucre, mais beaucoup de lait) dans les années 1870.

CHOCOLAT BLANC Ce n'est pas du chocolat à strictement parler, car il ne contient pas de pâte de cacao. C'est un simple mélange de beurre de cacao, de sucre et de lait.

CHOCOLAT À CUIRE OU À DESSERT (au moins 30 % de cacao) Il s'utilise en pâtisserie et pour faire des décorations. Il contient de la graisse végétale à la place du beurre de cacao, et n'a pas besoin d'être tempéré.

CHOCOLAT DE COUVERTURE Il possède un pourcentage plus élevé de beurre de cacao. Il doit être ramolli avant utilisation. Il est essentiellement utilisé dans la restauration car il fond et enrobe facilement.

LA CHARLOTTE

À l'origine, une charlotte était un entremets à base de pommes chaudes, cuit dans un moule garni de pain ou de gâteau. Elle apparaît dans les livres de recettes anglais du XVIIIᵉ siècle, et doit peut-être son nom à la reine Charlotte, qui aimait beaucoup les pommes… La charlotte s'est ensuite transformée, intégrant en son centre une crème froide ou une bavaroise, que l'on réfrigérait. Cette recette aurait été inventée en 1802 par le chef français Antonin Carême, sous le nom de « charlotte à la parisienne », avant d'être rebaptisée « charlotte russe » en hommage au tsar Alexandre Iᵉʳ.

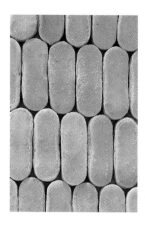

EN HAUT :
Charlotte russe

CHARLOTTE RUSSE

Préparation : 40 minutes + réfrigération
Cuisson : 10 minutes
Pour 8 à 10 personnes

★★★

250 g de biscuits à la cuiller (30 à 35 biscuits)

9 jaunes d'œufs

185 g de sucre en poudre

500 ml de lait

1 cuil. à café d'essence de vanille

5 cuil. à café de gélatine (en feuilles, voir p. 11)

125 g de crème fraîche épaisse

125 ml de crème liquide

Fruits rouges et crème liquide (facultatif)

1 Prévoir un moule à charlotte d'une capacité de 2 litres. Couvrir le fond de papier sulfurisé. Si nécessaire, couper les biscuits de façon qu'ils aient un bout plus large que l'autre, et les disposer côte à côte, bien serrés, contre les parois du moule (il ne doit pas y avoir de vide).

2 Battre les jaunes d'œufs en crème, ajouter le sucre et continuer à battre vigoureusement jusqu'à obtention d'une crème épaisse mais fluide. Chauffer le lait et la vanille jusqu'à ce des bulles commencent à se former sur les bords. Verser sans attendre le lait sur la préparation, lentement et en continuant à battre. Remettre la préparation dans une casserole et la faire chauffer sans bouillir jusqu'à épaississement en tournant avec une cuillère en bois. Retirer du feu.

3 Mettre 3 cuil. à soupe d'eau froide dans un bol résistant à la chaleur, saupoudrer la surface avec la gélatine et laisser gonfler. Porter à ébullition une casserole contenant 4 cm d'eau, la retirer du feu et poser le bol dedans. Remuer jusqu'à dissolution complète de la gélatine. Ajouter à la préparation précédente et bien mélanger. Couvrir la surface de film plastique et laisser refroidir. Fouetter la crème fraîche et la crème liquide ; les incorporer également.

4 Couvrir la surface de film plastique et réfrigérer 1 heure environ, en remuant de temps en temps. La crème doit épaissir, sans être complètement prise (si elle est trop liquide, les biscuits risquent de flotter à la surface). Verser la crème au centre du moule et réfrigérer toute la nuit.

5 Au moment de servir, démouler la charlotte en posant le plat de service dessus et en retournant délicatement le tout. S'il n'y a pas de vide entre les biscuits, la charlotte devrait se démouler très facilement. Dans le cas contraire, passer un couteau tout autour pour la détacher. Décorer de quelques fruits rouges et servir avec de la crème liquide ou un coulis de fruits.

ZUCCOTTO

Préparation : I heure + réfrigération
Cuisson : aucune
Pour 6 à 8 personnes

I génoise

80 ml de kirsch

60 ml de Cointreau

80 ml de rhum, cognac, Grand Marnier ou
   marasquin

500 ml de crème liquide

90 g de chocolat noir aux amandes grillées,
   concassé

175 g de fruits confits variés, finement hachés

100 g de chocolat noir supérieur, fondu

70 g de noisettes, grillées et hachées

Poudre de cacao et sucre glace, pour
   la décoration

I Garnir un moule à pudding de 1,5 litre d'une étamine humide. Couper la génoise en morceaux incurvés à l'aide d'un couteau tranchant (douze morceaux environ). Prendre les morceaux un par un, les arroser légèrement du mélange de liqueurs et les disposer côte à côte dans le moule. Mettre les extrémités fines au centre de sorte que la génoise couvre le fond et les côtés du moule. Arroser avec le reste de liqueur. Réfrigérer.

2 Fouetter la crème jusqu'à ce qu'elle soit bien ferme, puis la diviser en deux. Incorporer le chocolat aux amandes et les fruits confits dans une moitié. Étaler régulièrement cette crème sur la génoise en laissant un espace au centre.

3 Incorporer le chocolat fondu refroidi et les noisettes dans l'autre moitié de crème fouettée. Verser ce mélange au centre du moule en le tassant fermement. Égaliser la surface, couvrir et réfrigérer 8 heures.

4 Démouler sur un plat de service et décorer en saupoudrant généreusement de cacao et de sucre glace. Confectionner éventuellement un gabarit en carton afin d'alterner les couleurs (vous aurez peut-être besoin d'aide pour le maintenir en place).

NOTE : La génoise doit faire environ 30 x 25 x 2 cm. Cette recette est meilleure préparée 1 ou 2 jours à l'avance, afin que les arômes se développent pleinement.

ZUCCOTTO

Couper le gâteau en morceaux incurvés à l'aide d'un couteau tranchant (ou utiliser un gabarit).

Si on utilise un gabarit pour décorer le gâteau, se faire aider pour le maintenir en place.

CI-CONTRE : Zuccotto

LE CHOCOLAT BLANC

Le chocolat blanc est un mélange de beurre de cacao, de sucre, d'extraits de lait, de vanille et de stabilisant. Dépourvu de pâte de cacao, ce n'est pas un chocolat à proprement parler. Le chocolat blanc est plus tendre que les autres types de chocolat, mais n'est pas aussi facile à manier. Il fond aisément, et on peut rarement le remplacer par une variété de chocolat.

FRAMBOISIER

Préparation : 1 heure + réfrigération
Cuisson : 30 minutes
Pour 8 à 10 personnes

★★★

Génoise

1 œuf
2 cuil. à soupe de sucre en poudre
2 cuil. à soupe de farine avec levure incorporée
1 cuil. à soupe de farine ordinaire

Mousse à la framboise

500 g de framboises fraîches ou surgelées
4 jaunes d'œufs
125 g de sucre en poudre
250 ml de lait
1 cuil. à soupe 1/2 de gélatine (en feuilles,
  voir p. 11)
60 ml de crème de cassis
250 ml de crème liquide

Glaçage à la framboise

2 cuil. à café de gélatine
1 cuil. à soupe de crème de cassis

Écorces de chocolat

100 g de pépites de chocolat blanc à cuire,
  fondues

Framboises et sucre glace, pour la décoration
Crème fouettée, en accompagnement
  (facultatif)

1 Préchauffer le four à 180 °C (therm. 4). Beurrer légèrement un moule haut à fond amovible, et garnir le fond de papier sulfurisé. Préparer la génoise : dans un bol, travailler l'œuf et le sucre 5 minutes au batteur électrique, jusqu'à obtention d'une crème épaisse et mousseuse. Tamiser les farines ensemble trois fois, puis les incorporer à la préparation avec une cuillère en métal. Verser dans le moule et enfourner 10 à 15 minutes, jusqu'à ce que la surface soit légèrement dorée et que les bords se détachent. Démouler et laisser refroidir sur une grille. Nettoyer le moule, graisser légèrement le fond, et le garnir, ainsi que les côtés, de film plastique.

2 Réduire les framboises en purée au mixeur, en plusieurs fois, et les passer dans un tamis en plastique (un tamis métallique noircirait les framboises) pour ôter les graines. Réserver 125 ml de purée de framboises pour le glaçage. Battre les jaunes d'œufs et le sucre 5 minutes dans un récipient résistant à la chaleur, jusqu'à ce que le mélange blanchisse et épaississe. Porter le lait à ébullition et le verser peu à peu sur la préparation à base d'œufs, sans cesser de battre. Mettre le récipient sur une casserole d'eau frémissante et remuer 10 minutes environ, jusqu'à épaississement (la crème doit napper le dos d'une cuillère). Laisser refroidir.

3 Mettre 60 ml d'eau froide dans un bol résistant à la chaleur, saupoudrer uniformément la surface avec la gélatine et laisser gonfler. Porter à ébullition une casserole contenant 4 cm d'eau, la retirer du feu et poser délicatement le bol dedans. Remuer jusqu'à dissolution complète de la gélatine. Laisser refroidir légèrement. Incorporer la gélatine, la purée de framboises et la crème de cassis, puis réfrigérer jusqu'à ce que la mousse épaississe sans être trop ferme. Fouetter la crème liquide et l'incorporer à la préparation avec une cuillère en métal. Remettre la génoise dans le moule, et verser la mousse dessus. Réfrigérer plusieurs heures.

4 Pour le glaçage, mettre 80 ml d'eau froide dans un bol résistant à la chaleur, saupoudrer uniformément la surface avec la gélatine et laisser gonfler. Porter à ébullition une casserole contenant 4 cm d'eau, la retirer du feu et poser délicatement le bol dedans. Remuer jusqu'à dissolution complète de la gélatine. Laisser refroidir légèrement. Incorporer la purée de framboises réservée et la crème de cassis, étaler uniformément sur la mousse, puis réfrigérer.

5 Pour faire les écorces de chocolat, couvrir une plaque à pâtisserie de film plastique, étaler le chocolat en une fine couche et laisser prendre. Quand il a durci, le rompre en gros morceaux angulaires.

6 Au moment de servir, couper le framboisier en parts, placer des morceaux de chocolat sur le dos de chaque part et les maintenir avec une cuillerée de crème fraîche. Décorer de framboises, saupoudrer légèrement de sucre glace et servir éventuellement avec de la crème fouettée.

PAGE CI-CONTRE :
Framboisier

PASHKA

Préparation : 30 minutes + égouttage
  + trempage + réfrigération
Cuisson : aucune
Pour 8 à 10 personnes

★★

750 g de ricotta

100 g d'ananas confit, haché

100 g de gingembre confit, haché

60 g d'écorces confites

60 g de raisins de Smyrne

2 cuil. à soupe de rhum blanc ou ambré

100 g de beurre ramolli

125 g de sucre en poudre

2 jaunes d'œufs

60 g d'amandes effilées, grillées

2 cuil. à café de zeste de citron râpé

2 cuil. à café de zeste d'orange râpé

2 cuil. à soupe de jus de citron

125 g de crème fraîche épaisse

Amandes effilées et fruits confits, pour la
  décoration

CI-DESSOUS : Pashka

1 Mettre la ricotta dans un tamis et la laisser égoutter toute une nuit. Dans un saladier, faire macérer l'ananas, le gingembre, les écorces confites et les raisins secs dans le rhum pendant 2 heures. Plonger un morceau d'étamine dans de l'eau bouillante, essorer et en garnir un moule à pudding ou à charlotte de 2 litres.

2 Travailler le beurre et le sucre en crème, puis incorporer les jaunes d'œufs un par un. Ajouter les amandes, les zestes et le jus de citron ; bien mélanger. Transférer dans une terrine et incorporer la ricotta, la crème fraîche et les fruits macérés.

3 Tasser le tout dans le moule et rabattre l'étamine sur le dessus. Couvrir de film plastique, placer une soucoupe et un poids dessus. Mettre le moule sur une assiette et réfrigérer toute la nuit. Démouler et ôter l'étamine. Transférer sur le plat de service, côté pointu en haut, et décorer d'amandes et de fruits confits. Servir en petites parts.

NOTE : Ce dessert se conserve 2 jours au réfrigérateur. La pashka est un plat traditionnel de la Pâque russe, généralement en forme de cône ou de pyramide à quatre faces.

TARTE AU CHOCOLAT ET CORNETS AU CAFÉ

Préparation : 1 heure + réfrigération
 + congélation
Cuisson : 5 à 10 minutes
Pour 8 personnes

★★★

20 g de café instantané
1 litre de glace à la vanille de qualité
 supérieure, ramollie

Pâte à tarte

100 g de noix de pecan
100 g de biscuits au chocolat noir
1 cuil. à soupe de poudre de cacao
3 cuil. à café de cassonade
1 cuil. à soupe de rhum
30 g de beurre fondu
40 g de chocolat noir supérieur, fondu

Garniture

200 g de chocolat noir supérieur
30 g de beurre
125 ml de crème liquide

3 jaunes d'œufs, légèrement battus
250 ml de crème liquide, fouettée

1 Pour préparer les cornets, entourer huit grands moules à cornet de papier sulfurisé et le fixer à l'aide de ruban adhésif. Retirer les cônes de papier et les placer à l'intérieur des moules. Faire tenir les moules ainsi garnis dans des verres, pointe en bas, afin de faciliter leur remplissage.

2 Avec une cuillère en métal, délayer le café dans 1 cuil. à soupe d'eau chaude et l'incorporer à la glace à la vanille. Bien mélanger, puis répartir dans les moules garnis de papier. Réfrigérer toute la nuit.

3 Beurrer un moule à tarte cannelé de 24 cm. Passer tous les ingrédients de la pâte au mixeur, par à-coups, pendant 30 secondes, jusqu'à obtention d'un mélange friable et homogène. Tapisser le fond du moule et les côtés. Réfrigérer.

4 Dans une casserole à fond épais, faire fondre le chocolat, le beurre et la crème à feu doux, en remuant. Retirer du feu, incorporer les jaunes d'œufs et transférer dans une jatte. Laisser refroidir légèrement. Avec une cuillère en métal, incorporer la crème fouettée. Bien mélanger, verser sur la pâte puis réfrigérer jusqu'à ce que la garniture soit ferme.

5 Servir chaque part de tarte au chocolat accompagnée d'un cornet au café.

EN HAUT :
Tarte au chocolat
et cornets au café

LE CARAMEL

Pour créer des desserts de fête, le caramel est magique! Liquide, croustillant ou filé en fines baguettes dorées, le caramel entre également dans la confection de nougatines, de pralins et de glaçages étincelants.

Il existe deux manières de préparer le caramel. La méthode « à l'eau », comme son nom l'indique, consiste à dissoudre le sucre dans l'eau puis à faire bouillir le sirop. La méthode « à sec » utilise du sucre pur. La première est plus compliquée, car le sirop peut cristalliser, mais plus facile à surveiller. La seconde requiert un peu plus de pratique pour éviter que le sucre ne brûle en fondant.

Quelle que soit la méthode, utiliser une casserole à fond épais, dans laquelle la chaleur se répand de façon uniforme (éviter les casseroles en émail, étamées, à revêtement antiadhésif). Employer un sucre bien blanc, et cristallisé.

MÉTHODE À L'EAU

Mettre le sucre et l'eau dans une casserole et remuer à feu doux jusqu'à ce que le sucre soit complètement dissous; porter à ébullition. Si le sirop bout avant que le sucre ne soit complètement dissous, il cristallisera. Ne pas remuer le sirop quand il bout, car cela forme des cristaux sur la cuillère. Éviter les projections sur les parois de la casserole; s'il s'en produit, tremper un pinceau à pâtisserie sec dans l'eau froide et racler les parois de la casserole.

À mesure que l'eau s'évapore, la température s'élève. Attention, le sirop chaud peut provoquer de graves brûlures ! Lorsque le sirop a atteint 160 à 175 °C, toute l'eau s'est évaporée et le sucre fondu restant commence à caraméliser. Le sirop s'épaissit et les bulles deviennent plus grosses et plus lentes à éclater.

À ce stade, le sucre commence à se colorer très rapidement : il faut le surveiller attentivement, et le retirer du feu dès qu'il atteint la couleur désirée. Tourner la casserole pour uniformiser la couleur du caramel et éviter que certaines parties ne foncent et ne brûlent avant le reste.

Pour arrêter la cuisson du caramel dans la casserole, plonger le fond de la casserole dans un évier rempli d'eau froide. On peut alors refondre le caramel à feu doux, selon les besoins.

MÉTHODE À SEC

Saupoudrer le sucre en couche régulière au fond d'une casserole, et la mettre sur feu doux. Faire fondre le sucre doucement, en inclinant la casserole pour le répartir de façon uniforme (il faut remuer le sucre sans arrêt, sinon il risque de caraméliser sur un côté avant que l'autre ne soit fondu). Quand le caramel commence à se colorer, continuer à bouger la casserole jusqu'à obtention de la teinte désirée, puis la retirer du feu. Arrêter la cuisson en plongeant le fond de la casserole dans un évier rempli d'eau froide.

Si le caramel n'est pas assez foncé, le remettre sur le feu jusqu'à ce qu'il atteigne la couleur désirée. S'il est trop foncé, il faudra tout recommencer ! Le dernier stade du caramel, très foncé, a un goût particulièrement prononcé et s'utilise en très petites

quantités pour colorer les desserts. Il ne peut être consommé tel quel.

Si le sirop commence à cristalliser, on peut y remédier en ajoutant 1 cuil. à soupe de miel, un filet de jus de citron ou une pincée de crème de tartre (cela ralentit la cristallisation en réduisant la saccharose en fructose et en glucose). S'il n'y a que quelques cristaux, retirer la casserole du feu et laisser refroidir légèrement. Ajouter ensuite un peu d'eau et dissoudre à nouveau les cristaux. Pour éviter que le sirop ne cristallise, ajouter quelques gouttes de jus de citron au sucre dès le début.

DÉCORATIONS EN CARAMEL

FORMES À CRÉER

Les décorations en caramel doivent être préparées et consommées rapidement, car elles se conservent mal et ramollissent à l'humidité. De même, réfrigéré, le caramel ramollit et devient trop collant. Le sucre du caramel se liquéfiant au contact de la crème fraîche, de la glace, de la crème anglaise, etc., il vaut mieux le confectionner et garnir les desserts juste avant de les servir.

Préparer le caramel selon l'une des méthodes de la page précédente. Quand le caramel atteint la couleur désirée, arrêter la cuisson et le liquéfier de nouveau en le réchauffant à feu doux.

PLAQUES DE CARAMEL Verser le
caramel sur une plaque à pâtisserie huilée et laisser refroidir (attention, la plaque peut devenir très chaude). Casser ensuite les plaques de caramel en leur donnant des formes variées pour les utiliser en décoration. Il est plus facile de le faire à la main, en veillant toutefois à ne pas se blesser.

On peut également faire couler le caramel en fils ou en formes diverses, ou le verser dans un moule spécifique préalablement graissé. On peut encore le teinter avec du colorant alimentaire afin de réaliser toutes sortes de motifs de différentes couleurs.

SUCRE FILÉ Pour faire du sucre filé, la
méthode la plus simple consiste à prendre deux fourchettes. Pendant le travail, conserver le caramel liquide en mettant la casserole dans une grande casserole d'eau chaude.

Il doit être suffisamment épais pour couler en ruban continu depuis les dents des fourchettes. Protéger le plan de travail avec du papier journal. Tenir les deux fourchettes dos à dos, les tremper dans le caramel, puis faire couler le caramel en dessinant des zigzags. Façonner les fils en formes décoratives en les moulant délicatement à la main. Utiliser immédiatement.

PANIERS EN CARAMEL Faire couler le caramel en un fin filet sur le dos d'une louche ou d'un petit moule huilé, avec des mouvements de va-et-vient, et laisser durcir avant de détacher le panier de la louche. Pour confectionner des bandelettes de caramel ou des motifs de croisillons, faire couler le caramel selon le motif voulu sur une plaque à pâtisserie ou un moule métallique bien huilé. Plus les fils sont épais, moins ils risquent de se briser.

NOUGATINE ET PRALIN Ajouter des amandes mondées et grillées, entières ou effilées, à un caramel doré fait avec un poids de sucre égal à celui des fruits secs. Bien mélanger, verser rapidement sur une plaque de marbre ou sur une plaque à pâtisserie huilée, puis étaler en couche régulière et laisser refroidir. Pour préparer un pralin, broyer la nougatine au rouleau à pâtisserie (en la protégeant dans un sac en plastique) ou en la passant au mixeur. La conserver dans un récipient hermétique. On peut mouler les plaques de nougatine en forme de coupelles en les réchauffant doucement et en les appliquant sur des moules retournés.

NAPPAGE Verser le caramel liquide au fond du moule ou des ramequins et bien tourner le moule pour le couvrir de caramel. Attention, le moule peut devenir très chaud.

FRUITS DÉGUISÉS Tremper des fruits frais ou secs dans un caramel pâle pour leur donner un glaçage brillant. Tenir le fruit par la queue, ou le piquer sur une brochette. Le déposer sur une feuille de papier sulfurisé jusqu'à ce qu'il soit complètement refroidi.

ÉCORCES DE CARAMEL Saupoudrer une plaque à pâtisserie garnie de papier d'aluminium d'une fine couche de sucre, puis la mettre au gril préchauffé. Surveiller attentivement la cuisson : le sucre doit fondre et se transformer en caramel. Laisser refroidir et détacher soigneusement le caramel du papier d'aluminium. Le casser en morceaux.

GLAÇAGE Pour obtenir un glaçage dur, verser le caramel liquide sur le dessert (crème brûlée, etc.) et tourner le plat pour qu'il recouvre bien toute la surface. Le caramel durcissant vite, il faut travailler rapidement.

TUILES AU NOUGAT ET COULIS DE MÛRES

Préparation : 1 h 45 + réfrigération
Cuisson : 1 h 15
Pour 6 personnes

Mousse au nougat

200 g de nougat tendre
125 ml de lait
1 cuil. à café de zeste d'orange râpé
315 ml de crème fraîche épaisse

Coulis de mûres

150 g de mûres fraîches ou surgelées
80 ml de vin rouge de qualité
2 cuil. à soupe de sucre en poudre
1 cuil. à café de Maïzena

Tuiles

40 g de beurre
1 cuil. à soupe de miel
30 g de farine
1 blanc d'œuf
60 g de sucre en poudre

Sucre filé

250 g de sucre en poudre

Mûres, pour la décoration

1 Hacher le nougat en petits morceaux, le mélanger au lait dans une casserole, et remuer constamment à feu doux jusqu'à ce que le nougat soit fondu. Retirer du feu, incorporer le zeste d'orange et réfrigérer. Fouetter la crème, l'incorporer au nougat, puis bien battre jusqu'à épaississement. Réfrigérer jusqu'au moment voulu.

2 Pour le coulis, mettre les mûres, le vin et le sucre dans une petite casserole. Remuer à feu moyen jusqu'à ce que le sucre soit dissous, en écrasant les mûres avec le dos d'une cuillère. Laisser mijoter 2 minutes. Délayer la Maïzena dans 2 cuil. à café d'eau, l'ajouter dans la casserole et remuer jusqu'à ébullition et épaississement. Passer le coulis pour éliminer les graines et laisser refroidir.

3 Pour confectionner les tuiles, préchauffer le four à 180 °C (therm. 4). Dessiner un cercle de 17 cm de diamètre sur du papier sulfurisé, retourner le papier et le poser sur une plaque à pâtisserie. Passer tous les ingrédients 2 minutes au mixeur, puis étaler 3 cuil. à café de préparation sur le cercle, en une couche fine et régulière.

4 Enfourner chaque tuile 5 à 6 minutes, jusqu'à ce qu'elle soit légèrement dorée. En travaillant rapidement, couper un bout de la tuile de façon à avoir un bord droit, puis enrouler fermement la tuile autour d'un grand moule à cornet en plaçant la pointe du moule sur le bord arrondi de la tuile, ce qui permet à la tuile de tenir debout. Recommencer avec le reste de préparation. Conserver les tuiles dans un récipient hermétique pour éviter qu'elles ne ramollissent.

5 Pour le glaçage en sucre filé, étaler quelques feuilles de papier journal sur le plan de travail et sur le sol. Placer une cuillère en bois sur le plan de travail en faisant dépasser le manche dans le vide, au-dessus du papier journal. Poser une planche à découper ou un autre objet lourd sur la cuillère pour la maintenir. Huiler le manche. Mettre une casserole à fond épais sur feu moyen et saupoudrer de sucre. Le faire fondre et continuer ainsi en ajoutant le sucre peu à peu. Remuer pour dissoudre les grumeaux et éviter que le caramel ne brûle. Quand le caramel est bien doré, retirer la casserole du feu et plonger le fond dans un évier rempli d'eau froide (cela arrête la cuisson du caramel et le fait épaissir).

6 Plonger deux fourchettes dans le caramel chaud et, avec des mouvements de va-et-vient, faire couler le caramel sur le manche de la cuillère, en retrempant les fourchettes aussi souvent que nécessaire. Si le caramel devient trop épais, le réchauffer à feu doux. Répéter l'opération trois ou quatre fois. Avant qu'ils ne durcissent, détacher rapidement les fils de caramel du manche pour leur donner la forme d'un petit nid. Les conserver dans un récipient hermétique. Recommencer avec le reste du caramel pour former six nids, en huilant le manche de la cuillère à chaque fois. Cela demande une certaine pratique, mais le résultat est spectaculaire !

7 Pour assembler le gâteau, mettre la mousse au nougat dans une poche à douille munie d'un gros embout droit. Remplir les tuiles de mousse et les retourner sur des assiettes à dessert. Verser le coulis de mûres autour de la tuile, décorer de mûres et garnir d'un nid de caramel filé.

NOTE : Les tuiles, le coulis et la mousse peuvent se préparer la veille. La mousse devra être battue pour être bien épaisse. Le caramel doit être fait le jour même et conservé dans un récipient hermétique. Par temps humide, le caramel risque de devenir collant et de fondre.

TUILES

Étaler 3 cuil. à café de pâte à tuile en une couche fine et régulière sur le cercle.

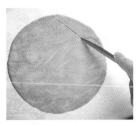

Retirer la tuile du four quand elle est dorée et couper immédiatement un bout pour former un bord droit.

Enrouler fermement la tuile autour d'un grand moule à cornet, en plaçant la pointe du moule sur le bord arrondi de la tuile.

Plonger deux fourchettes dans le caramel chaud et les passer en effectuant des mouvements de va-et-vient sur le manche de la cuillère.

PAGE CI-CONTRE :
Tuiles au nougat et coulis de mûres

CORNETS EN PAPIER

Pour fabriquer une poche à douille en papier, couper un carré de papier sulfurisé de 25 cm. Le plier en deux dans la diagonale pour former un triangle. Rabattre la pointe gauche sur la pointe du haut, et maintenir en place tout en enroulant fermement l'autre côté pour former un cornet. Fixer avec du ruban adhésif ou agrafer. Remplir le cornet de chocolat fondu et replier les bords supérieurs pour le refermer. Couper la pointe et appuyer doucement à partir du haut du cornet.

*PAGE CI-CONTRE :
Roulade au chocolat
(en haut) ; Gâteau
au chocolat noir (en bas)*

ROULADE AU CHOCOLAT

Préparation : 35 minutes + réfrigération
Cuisson : 12 minutes
Pour 6 à 8 personnes

3 œufs
125 g de sucre en poudre
30 g de farine
2 cuil. à soupe de poudre de cacao
250 ml de crème liquide
1 cuil. à soupe de sucre glace
1/2 cuil. à café d'essence de vanille
Sucre glace, pour la décoration

1 Préchauffer le four à 200 °C (therm. 6). Beurrer légèrement le fond et les côtés d'un moule à génoise de 25 x 30 cm. Garnir le fond de papier sulfurisé. Dans un bol, mettre les œufs avec 90 g de sucre. Travailler le mélange au batteur électrique pendant 8 minutes environ, jusqu'à ce qu'il blanchisse et épaississe.

2 Tamiser la farine et le cacao, puis les incorporer délicatement aux œufs battus avec une cuillère en métal. Étaler le mélange uniformément dans le moule. Enfourner 12 minutes environ, jusqu'à ce que le gâteau soit juste cuit.

3 Pendant ce temps, étendre un torchon propre sur le plan de travail, le couvrir d'une feuille de papier sulfurisé et saupoudrer avec le reste du sucre. Quand le gâteau est cuit, le démouler immédiatement sur le papier saupoudré de sucre. Égaliser les bords. Rouler le gâteau à partir d'un côté long, en laissant le papier à l'intérieur et en s'aidant du torchon. Laisser reposer le gâteau 5 minutes sur une grille, puis le dérouler délicatement et le laisser refroidir à température ambiante.

4 Fouetter la crème, le sucre glace et l'essence de vanille. Étaler la crème fouettée sur le gâteau refroidi, en laissant une bordure de 1 cm tout autour. Rouler de nouveau le gâteau, en s'aidant du papier. Le poser sur une plaque, jointure cachée, couvrir et réfrigérer 30 minutes environ. Saupoudrer le gâteau de sucre glace avant de le couper en tranches.

GÂTEAU AU CHOCOLAT NOIR

Préparation : 30 minutes + réfrigération
Cuisson : 1 h 55
Pour 8 à 10 personnes

250 g de beurre
250 g de chocolat noir, concassé
2 cuil. à soupe de café instantané (poudre ou granulés)
150 g de farine avec levure incorporée
150 g de farine ordinaire
60 g de poudre de cacao
1/2 cuil. à café de bicarbonate de soude
550 g de sucre en poudre
4 œufs
2 cuil. à soupe d'huile
125 ml de babeurre

Glaçage

250 g de chocolat à cuire supérieur, concassé
125 ml de crème liquide
160 g de sucre en poudre

1 Préchauffer le four à 160 °C (therm. 2-3). Beurrer un moule à manqué de 23 cm. Garnir le fond et les côtés de papier sulfurisé, en le faisant dépasser de 2 cm au-dessus du bord.

2 Dans une casserole, mélanger le beurre, le chocolat et le café avec 185 ml d'eau, à feu doux, jusqu'à ce que le beurre et le chocolat soient fondus et que la préparation devienne lisse. Retirer du feu.

3 Dans une terrine, tamiser les farines, le cacao et le bicarbonate de soude. Ajouter le sucre, remuer et creuser un puits au centre. Mélanger les œufs, l'huile et le lait, les verser dans le puits et, avec une grande cuillère en métal, les incorporer délicatement à la farine. Ajouter le chocolat et bien mélanger.

4 Verser la préparation dans le moule et enfourner 1 h 40. Vérifier la cuisson avec la lame d'un couteau : elle doit ressortir sèche. Sinon, prolonger la cuisson de 5 à 10 minutes. Laisser refroidir complètement avant de démouler.

5 Pour le glaçage, faire fondre tous les ingrédients dans une casserole à feu doux. Porter à ébullition, baisser le feu et laisser mijoter 4 à 5 minutes. Retirer du feu et laisser refroidir légèrement. Placer une grille au-dessus d'une plaque à pâtisserie et transférer le gâteau sur la grille. Verser le glaçage sur le gâteau, en veillant à bien couvrir les côtés. Garnir de décorations en chocolat (voir p. 238-239).

POIRES POCHÉES SUR SABLÉS AU CHOCOLAT

Préparation : 50 minutes + réfrigération
Cuisson : 1 h 10
Pour 6 personnes

6 poires moyennes
375 ml de vin doux
1 gousse de vanille, fendue dans la longueur

Crème à la cardamome
250 ml de lait
125 ml de crème liquide
6 graines de cardamome, écrasées
3 jaunes d'œufs
2 cuil. à soupe de sucre en poudre

Sablés au chocolat
60 g de beurre coupé en morceaux
2 cuil. à soupe de cassonade
1 jaune d'œuf
1 cuil. à soupe de poudre de cacao
60 g de farine
30 g de Maïzena

Bâtonnets de caramel
250 g de sucre en poudre

Sucre glace, pour la décoration

1 Peler les poires et les évider avec un vide-pomme. Les mettre toutes dans une grande casserole. Ajouter le vin et la vanille, couvrir et laisser mijoter 20 à 25 minutes, jusqu'à ce que les poires soient tendres (le temps de cuisson dépend de la maturité des poires). Retirer la casserole du feu et laisser les poires refroidir dans leur sirop.

2 Dans une petite casserole, mélanger le lait, la crème et la cardamome, porter à ébullition et retirer du feu. Battre les jaunes d'œufs et le sucre 5 minutes dans une casserole, puis incorporer peu à peu le mélange de lait chaud et de crème. Faire cuire au bain-marie 10 à 15 minutes en remuant avec une cuillère en bois, jusqu'à ce que la préparation nappe le dos de la cuillère. Passer au tamis, puis laisser refroidir.

3 Pour confectionner les sablés au chocolat (en forme de fleur), préchauffer le four à 180 °C (therm. 4). Travailler le beurre et la cassonade au batteur électrique, jusqu'à obtention d'une crème légère. Ajouter le jaune d'œuf, puis le cacao et les farines tamisées. Pétrir pour former une pâte souple. Envelopper de film plastique et réfrigérer 30 minutes. Étaler la pâte sur 4 mm d'épaisseur entre deux feuilles de papier sulfurisé. Avec un emporte-pièce rond de 3 cm, découper quarante-deux ronds dans la pâte. Découper le reste de pâte en douze petites feuilles. Pour chaque fleur, assembler sept ronds en cercle, en les faisant légèrement se chevaucher, sur une plaque à pâtisserie garnie de papier sulfurisé. Décorer avec les feuilles. Enfourner 10 à 15 minutes, jusqu'à ce que les sablés soient fermes au toucher. Retirer de la plaque et laisser refroidir sur une grille.

4 Pour faire les bâtonnets de caramel, garnir deux ou trois plaques à pâtisserie de papier sulfurisé. Saupoudrer le sucre dans une poêle à fond épais, puis remuer doucement jusqu'à ce que le sucre soit dissous et légèrement doré. Retirer du feu (le caramel continuera à foncer hors du feu). Avec une cuillère, faire couler sur les plaques des rubans de caramel de 12 cm de long et de 5 mm de large. Les laisser refroidir et durcir.

5 Pour assembler le gâteau, saupoudrer très légèrement les sablés de sucre glace, les placer au centre des assiettes à dessert et poser une poire bien égouttée dessus. Verser la crème à la cardamome autour du sablé et disposer les bâtonnets de caramel contre la poire.

NOTE : La crème à la cardamome peut se préparer 3 jours à l'avance. Les poires et les sablés peuvent se confectionner la veille et les sablés se conservent 1 mois au congélateur. Les bâtonnets de caramel doivent être faits le jour même et conservés dans un récipient hermétique.

POIRES ET SABLÉS

Peler les poires et les évider avec un vide-pomme.

Former une fleur avec sept ronds, en les faisant se chevaucher, sur une plaque à pâtisserie garnie de papier sulfurisé. Décorer de feuilles.

Dès que le sucre commence à caraméliser, le retirer du feu. Il continuera à foncer.

Faire couler des rubans de caramel sur le papier sulfurisé et les laisser durcir.

PAGE CI-CONTRE :
Poires pochées sur sablés au chocolat

LES GLACES

Bien que les entremets glacés aient déjà été introduits en 1533 à la cour par Catherine de Médicis, on ne découvrit vraiment ceux-ci qu'un siècle plus tard où ils connurent, grâce à l'Italien Francesco Procope qui ouvrit une « maison de café » à Paris, un succès immédiat. On ne cessera dès lors de modifier la consistance et le goût de ces délicieux entremets en leur ajoutant lait, crème et œufs mais aussi diverses essences parfumées… pour le plaisir de tous.

GLACE À LA VANILLE

Pour vérifier la cuisson de la crème, passer un doigt dans la préparation, au dos d'une cuillère en bois. Il doit laisser un sillon net.

Couvrir la surface de la crème de film plastique et congeler 2 heures.

Mélanger la glace à demi congelée au batteur électrique, afin de réduire les cristaux. Chaque fois que l'on bat la préparation, les cristaux deviennent un peu plus fins, et la glace plus lisse.

PAGE CI-CONTRE :
Glace à la vanille (en haut) ; Glace au chocolat et à la cannelle (en bas)

GLACE À LA VANILLE

Préparation : 30 minutes + réfrigération + congélation
Cuisson : 15 minutes
Pour 4 personnes

250 ml de lait
250 ml de crème liquide
1 gousse de vanille, fendue dans la longueur
6 jaunes d'œufs
125 g de sucre en poudre

1 Dans une casserole, mélanger le lait et la crème et ajouter la gousse de vanille. Porter à ébullition, puis retirer du feu et laisser reposer 10 minutes.
2 Avec un fouet métallique, battre les jaunes d'œufs et le sucre pendant 2 à 3 minutes, jusqu'à ce que le mélange blanchisse, puis incorporer le lait mélangé à la crème. Gratter les graines de la vanille et les ajouter à la préparation. Éliminer la gousse.
3 Laver la casserole et verser la préparation dedans. Remuer à feu très doux jusqu'à épaississement (compter 5 à 10 minutes). Vérifier la cuisson en passant un doigt dans la crème sur le dos d'une cuillère en bois : s'il y a un sillon, la crème est prête.
4 Verser la crème dans une jatte et laisser refroidir à température ambiante, en remuant fréquemment pour accélérer le refroidissement.
5 Verser dans un moule à glace (ou un récipient métallique), couvrir la surface de film plastique ou de papier sulfurisé, puis congeler environ 2 heures, jusqu'à ce que la glace soit presque solidifiée. Transférer dans une jatte froide et ramollir au batteur électrique, puis remettre dans le moule et congeler. Répéter cette étape deux fois avant de transférer la glace dans un récipient à congélation. Protéger avec un film plastique pour éviter la formation de cristaux en surface, puis couvrir hermétiquement.
6 Avant de servir, mettre la glace 30 minutes au réfrigérateur, afin qu'elle ramollisse légèrement. Dans un récipient hermétique, la glace se conserve 1 mois au congélateur.
NOTE : Cette recette peut également se préparer avec une sorbetière.

VARIANTES

Glace à la fraise : passer 250 g de fraises au mixeur, jusqu'à obtention d'une purée lisse. L'incorporer à la crème quand celle-ci est bien refroidie (fin de l'étape 4). Congeler comme précédemment.
Glace à la banane : écraser 3 bananes mûres (ou les passer au mixeur) et les incorporer à la crème quand celle-ci est bien refroidie, avec 1 cuil. à soupe de jus de citron. Congeler. Pour 1,5 litre.

GLACE AU CHOCOLAT ET À LA CANNELLE

Préparation : 20 minutes + réfrigération + congélation
Cuisson : 30 minutes
Pour 6 à 8 personnes

500 ml de lait
200 g de chocolat noir supérieur, concassé
4 bâtons de cannelle
185 g de sucre en poudre
1 cuil. à café 1/2 de cannelle en poudre
4 jaunes d'œufs
500 ml de crème liquide

1 Dans une casserole à fond épais, faire chauffer le lait, le chocolat et les bâtons de cannelle 15 minutes à feu doux, en remuant de temps en temps, jusqu'à ce que le chocolat soit fondu : le mélange doit être homogène (ne pas faire bouillir). Retirer les bâtons de cannelle.
2 Dans un saladier résistant à la chaleur, mélanger le sucre et la cannelle en poudre. Ajouter les jaunes d'œufs et placer le saladier au-dessus d'une casserole d'eau frémissante. Battre la préparation jusqu'à ce qu'elle blanchisse et épaississe.
3 Incorporer peu à peu le lait chocolaté dans la préparation. Faire cuire 5 minutes sans cesser de remuer, jusqu'à ce que la crème nappe le dos d'une cuillère.
4 Faire refroidir 30 minutes au réfrigérateur. Passer au tamis puis incorporer peu à peu la crème liquide. Verser le tout dans un récipient métallique peu profond. Congeler 2 heures (les bords doivent être solidifiés, mais pas le centre). Transférer dans une jatte et mélanger au batteur électrique pour obtenir une crème lisse. Répéter l'opération deux fois, puis congeler 7 à 8 heures dans un récipient en plastique de 2 litres, couvert de papier sulfurisé ou de film plastique ainsi que d'un couvercle.
NOTE : Cette recette peut également se préparer avec une sorbetière.

CONSEILS

Pour une bonne congélation, la température doit être de -18 °C. Le congélateur doit être régulièrement dégivré, et pas trop plein. Protéger la glace préparée avec du papier sulfurisé ou du film plastique, afin d'empêcher la formation de cristaux en surface.
Pour savourer pleinement les arômes d'une glace faite maison, la consommer légèrement ramollie.

le lait. Ajouter peu à peu le mélange au café, avec les grains, en continuant à battre. Passer la préparation au tamis et éliminer les grains de café.

3 Verser la préparation dans le moule et congeler jusqu'à ce qu'elle soit à demi solidifiée. La transférer dans un saladier préalablement glacé et la travailler au batteur électrique pour la faire épaissir. Remettre dans le moule et couvrir de film plastique. Faire durcir au congélateur. Battre une nouvelle fois avant de transférer dans un récipient et remettre au congélateur. Couvrir la surface de film plastique ou de papier sulfurisé. Servir en boules avec des pétales de rose givrés (voir Note), ou conserver jusqu'à 1 semaine au congélateur.

NOTE : Pour givrer des pétales de rose, battre légèrement 1 blanc d'œuf, y tremper des pétales de rose propres (ou les badigeonner de blanc d'œuf au pinceau), puis les saupoudrer de sucre. Ôter l'excédent de sucre et laisser sécher sur une plaque garnie de papier.

Cette recette peut aussi se préparer à la sorbetière.

GLACE AU CITRON

Préparation : 20 minutes + congélation
Cuisson : 15 minutes
Pour 4 à 6 personnes

✷ ✷

6 jaunes d'œufs

250 g de sucre en poudre

2 cuil. à café de zeste de citron râpé

80 ml de jus de citron

500 ml de crème liquide, légèrement
      fouettée

Zeste de citron, pour la décoration

1 Dans un saladier résistant à la chaleur, battre les jaunes d'œufs au fouet ou au batteur. Poser le saladier sur une casserole d'eau bouillante, hors du feu, et battre jusqu'à ce que la préparation mousse et épaississe. Ajouter le sucre, le zeste et le jus de citron, puis continuer à battre jusqu'à ce que le mélange blanchisse. Laisser refroidir.

2 Avec une cuillère en métal, incorporer la crème fouettée dans la préparation. Verser dans un moule à glace métallique de 1,25 litre et congeler 2 heures. Quand les bords sont à demi congelés, bien battre puis recongeler. Répéter cette étape deux fois. Garnir de zeste de citron.

NOTE : Cette recette peut également se préparer à la sorbetière.

GLACE AU MOKA

Préparation : 20 minutes + congélation
Cuisson : 10 à 15 minutes
Pour 4 à 6 personnes

✷ ✷

40 g de café en grains

750 ml de crème liquide

250 g de chocolat noir supérieur, concassé

185 g de sucre en poudre

6 jaunes d'œufs

250 ml de lait

1 Garnir un moule rectangulaire de film plastique et le mettre au congélateur. Mélanger les grains de café et la crème liquide dans une casserole. La mettre sur feu moyen et remuer jusqu'à ce que le mélange commence à bouillir. Ajouter le chocolat, retirer du feu et laisser reposer 1 minute avant de tourner.

2 Dans un saladier, mélanger le sucre et les jaunes d'œufs, battre jusqu'à épaississement puis incorporer

EN HAUT :
Glace au moka

PAVÉ GLACÉ CHOCOLAT-WHISKY

Préparation : 10 minutes + congélation
Cuisson : 10 minutes
Pour 6 personnes

 ✦ ✦

250 g de chocolat noir supérieur,
   grossièrement concassé

60 g de beurre, ramolli

4 jaunes d'œufs

315 ml de crème liquide

2 cuil. à café d'essence de vanille

2 cuil. à soupe de whisky

3 cuil. à soupe de poudre de cacao, pour
   la décoration

1 Garnir un moule à cake de 21 x 14 x 7 cm de film plastique. Mettre le chocolat dans un saladier résistant à la chaleur. Faire frémir une petite casserole d'eau, la retirer du feu et placer le saladier au-dessus de la cas-serole, en veillant à ce que le fond ne touche pas l'eau. Faire fondre le chocolat en tournant avec une cuillère en bois (on peut aussi le mettre 1 minute au micro-ondes à puissance maximale, en le mélangeant à mi-cuisson). Laisser refroidir.

2 Dans un bol, travailler le beurre et les jaunes d'œufs en une crème épaisse, puis incorporer le chocolat. Dans une terrine, fouetter la crème liquide et l'essence de vanille au batteur électrique. Incorporer le whisky. Avec une cuillère en métal, mélanger brièvement la crème fouettée et la prépa-ration au chocolat.

3 Verser la préparation dans le moule, couvrir la surface de film plastique et congeler 2 à 3 heures ou toute une nuit. Sortir la glace du congélateur, la démouler soigneusement et détacher le film plas-tique. Égaliser la surface avec une palette. Disposer sur un plat de service et saupoudrer de cacao. La glace peut se conserver 1 semaine au congélateur. Couper en tranches au moment de servir. Accompagner de crème fraîche et de gaufrettes.

NOTE : Ce dessert se consomme ferme, mais ne sera pas aussi dur que de la glace ordinaire en raison de sa teneur en alcool.

LA GLACE et L'ALCOOL
L'ajout d'alcool dans les glaces abaisse le point de congélation. D'ailleurs, quel-quefois, la glace ne congèle pas du tout ! Les alcools font baisser le point de congéla-tion des glaces d'environ 1 °C par cuil. à soupe, et celui des sorbets de 6 °C.

EN HAUT : Pavé glacé chocolat-whisky

261

LA CASSATE

D'origine napolitaine, la cassate se compose tradition-nellement d'un mélange de ricotta et de fruits confits enrobé d'une glace parfumée. En Italie, où cassata signifie « petite caisse », la glace se présente sous forme de pavé rectangulaire. La cassata siciliana est un dessert sicilien traditionnel, préparé dans un moule en forme de dôme et composé de gâteau, de pâte d'amandes verte, de fruits confits, de ricotta et de chocolat. La cassata gelata alla siciliana est une version glacée de la précédente : elle présente, en alternance, des couches de gâteau et de glace à la vanille et à la pistache, des blancs en neige, de la crème fraîche, du chocolat et des fruits confits.

EN HAUT : Cassate

CASSATE

Préparation : 50 minutes + congélation
Cuisson : aucune
Pour 10 personnes

Première couche

2 œufs, blancs et jaunes séparés

40 g de sucre glace

185 ml de crème liquide

50 g d'amandes effilées, grillées

Deuxième couche

130 g de chocolat noir supérieur, concassé

1 cuil. à soupe de cacao amer en poudre

2 œufs, blancs et jaunes séparés

40 g de sucre glace

185 ml de crème liquide

Troisième couche

2 œufs, blancs et jaunes séparés

30 g de sucre glace

60 ml de crème liquide

125 g de ricotta

250 g de fruits confits (ananas, abricots, cerises, figues et pêches), finement hachés

1 cuil. à café d'essence de vanille

1 Garnir de papier d'aluminium le fond et les côtés d'un moule carré de 20 cm.

2 Première couche : battre les blancs d'œufs en neige. Ajouter le sucre glace peu à peu, sans cesser de battre. Dans une terrine, fouetter la crème liquide jusqu'à ce qu'elle devienne ferme. Avec une cuillère en métal, incorporer les jaunes d'œufs et les blancs en neige, puis ajouter les amandes. Verser dans le moule et tapoter doucement le moule contre le plan de travail afin d'égaliser la surface. Congeler 30 à 60 minutes.

3 Deuxième couche : faire fondre le chocolat dans un bol placé sur une casserole d'eau frémissante (hors du feu). Veiller à ce que le fond ne touche pas l'eau. Incorporer le cacao. Laisser refroidir légèrement, puis procéder comme pour l'étape 1 avec les blancs d'œufs, le sucre glace et la crème liquide. Avec une cuillère en métal, incorporer le chocolat dans la crème. Ajouter les jaunes d'œufs et les blancs en neige et bien mélanger. Verser sur la première couche congelée. Tapoter le moule sur le plan de travail pour égaliser la surface. Congeler 30 à 60 minutes.

4 Troisième couche : procéder comme pour l'étape 1 avec les blancs d'œufs, le sucre glace et la crème liquide. Incorporer la ricotta dans la crème. Avec une cuillère en métal, ajouter les jaunes d'œufs et les blancs en neige, puis incorporer les fruits confits et la vanille. Verser sur la deuxième couche, couvrir la surface de papier sulfurisé, puis congeler toute une nuit. Servir en tranches, accompagné de fruits confits.

BOMBE GLACÉE DE NOËL

Préparation : 1 heure + temps de repos
  + congélation
Cuisson : aucune
Pour 10 personnes

50 g d'amandes grillées, hachées

45 g d'écorces d'agrumes confites, hachées

60 g de raisins secs, hachés

60 g de raisins de Smyrne

60 g de raisins de Corinthe

80 ml de rhum

1 litre de glace à la vanille de qualité supérieure

100 g de cerises rouges et vertes confites, coupées en quatre

1 litre de glace au chocolat de qualité supérieure

1 cuil. à café d'un mélange de gingembre et clous de girofle en poudre

1 cuil. à café de cannelle en poudre

1/2 cuil. à café de noix muscade râpée

1 Dans un saladier, mélanger amandes, écorces confites, raisins secs et rhum; couvrir de film plastique et laisser macérer toute une nuit. Refroidir un moule à glace ou à pudding de 2 litres au congélateur.

2 Faire ramollir la glace à la vanille et y incorporer les cerises confites. Tasser la glace aux fruits à l'intérieur du moule réfrigéré : tapisser le fond et les côtés, en laissant un creux au milieu. Remettre au congélateur toute une nuit (si nécessaire, égaliser le pourtour de la glace).

3 Le lendemain, mélanger la glace au chocolat avec les épices et les fruits macérés. En garnir le creux de la glace à la vanille; égaliser la surface. Congeler toute une nuit. Démouler la bombe glacée sur un plat de service et décorer. Servir en portions.

NOTE : On peut insérer dans cette bombe glacée des petits objets porte-bonheur. Les envelopper de papier sulfurisé et les enfoncer à la base de la bombe avant de la démouler. Ne pas oublier de prévenir les convives !

LES MOULES À GLACE

Traditionnellement, les moules à glace sont métalliques et munis d'un couvercle qui empêche la formation de cristaux en surface. Le métal étant un excellent conducteur de chaleur, celle-ci disparaît rapidement à la congélation, et la glace est facile à démouler quand on réchauffe brièvement le moule. Les moules sont généralement en aluminium, mais on en trouve en cuivre plaqué d'étain, plus chers. Les moules anciens doivent être utilisés avec précaution, car l'étain s'use rapidement. Ne pas utiliser de moules destinés à la décoration, qui sont généralement plaqués d'étain à base de plomb. Les moules en terre cuite et en verre pour gelées et desserts ne supportent pas toujours les températures du congélateur. Le plastique, en revanche, convient parfaitement. Les moules décorés sont plus difficiles à remplir et à démouler, car des poches d'air se forment au moment du remplissage. Certains moules à charnières, plus onéreux, peuvent pallier ce problème.

CI-CONTRE :
Bombe glacée de Noël

GLACE PRALINÉE AU CARAMEL

Préparation : 25 minutes + congélation
Cuisson : 7 minutes
Pour 4 personnes

★★★

70 g d'amandes mondées, grillées

60 g de sucre en poudre

185 ml de crème liquide

250 g de mascarpone

125 g de chocolat blanc, fondu et refroidi

2 cuil. à soupe de sucre cristallisé

Figues fraîches et gaufrettes, en
accompagnement (facultatif)

1 Garnir une plaque à pâtisserie de papier d'aluminium, le huiler légèrement et déposer les amandes dessus. Faire fondre le sucre en poudre à feu doux dans une petite casserole. Tourner la casserole (ne

CI-DESSOUS :
Glace pralinée au caramel

pas remuer), jusqu'à ce que le sucre fonde et caramélise (3 à 5 minutes environ).

2 Pour préparer le pralin, verser le caramel sur les amandes. Laisser refroidir et durcir. Concasser la préparation et la broyer au rouleau à pâtisserie (en la protégeant dans un sac en plastique), ou la passer brièvement au mixeur.

3 Fouetter la crème jusqu'à ce qu'elle soit bien ferme. Dans une terrine, mélanger le mascarpone et le chocolat. Avec une cuillère en métal, incorporer la crème fouettée et le pralin. Transférer dans un récipient en métal de 1 litre peu profond; couvrir la surface de papier sulfurisé et congeler 6 heures, ou toute une nuit. Sortir du congélateur 15 minutes avant de servir, afin que la glace soit légèrement ramollie.

4 Pour les brisures de caramel, garnir une plaque à pâtisserie de papier d'aluminium et le beurrer légèrement. Saupoudrer le sucre de façon uniforme sur la plaque et la passer 2 minutes au gril chaud (le sucre doit être fondu et doré). Surveiller fréquemment en fin de cuisson, car le sucre brûle rapidement. Retirer du four, laisser refroidir et durcir, puis rompre en éclats. Servir la glace avec les brisures de caramel, et éventuellement avec des figues fraîches et des gaufrettes.

GLACE AU PAIN BIS

Préparation : 25 minutes + congélation
Cuisson : 15 à 20 minutes
Pour 6 personnes

★

2 jaunes d'œufs

60 g de sucre en poudre

125 ml de lait

125 g de mie de pain bis, émiettée

55 g de beurre, fondu

2 cuil. à soupe de cassonade

315 ml de crème liquide

1 cuil. à soupe de rhum

Lamelles d'écorce d'orange, pour la décoration

1 Préchauffer le four à 200 °C (therm. 6). Travailler les jaunes d'œufs et le sucre en une crème pâle. Chauffer le lait dans une casserole, jusqu'à ce qu'il commence à frémir, et le verser sur les œufs, en battant constamment.

2 Remettre la préparation dans une autre casserole et faire cuire à feu doux, sans cesser de remuer, jusqu'à ce que la crème nappe légèrement le dos d'une cuillère en bois. Retirer du feu (ne pas faire bouillir la crème, car elle tournerait). Transférer dans une jatte. Couvrir la surface de film plastique et laisser refroidir.

3 Mélanger la mie de pain avec le beurre et la cassonade. Étaler sur une plaque à pâtisserie garnie de papier sulfurisé, et enfourner 15 minutes environ. Remuer et tourner une ou deux fois en cours de cuisson. Laisser refroidir avant d'émietter.

4 Fouetter la crème, puis ajouter le rhum. Incorporer délicatement la crème à la préparation froide. Congeler 1 heure dans un récipient en métal ou en plastique ; incorporer les miettes de pain et congeler jusqu'à ce que la glace soit ferme. Garnir de lamelles d'écorce d'orange.

GLACE AUX TROIS CHOCOLATS

Préparation : 1 heure + congélation
Cuisson : 15 à 20 minutes
Pour 8 à 10 personnes

★ ★

150 g de chocolat au lait, concassé

6 œufs

90 g de sucre glace

60 g de beurre

500 ml de crème liquide

150 g de chocolat blanc, concassé

2 cuil. à café de café instantané

3 ou 4 cuil. à café de rhum ambré

150 g de chocolat noir supérieur, concassé

1 Garnir un moule à cake de 10 x 23 cm de papier sulfurisé (le faire dépasser du moule). Faire fondre le chocolat au lait dans un saladier maintenu légèrement au-dessus de l'eau frémissante d'une casserole hors du feu. Séparer le jaune et le blanc de 2 œufs et battre les blancs en neige. Incorporer peu à peu 30 g de sucre glace, jusqu'à ce que les blancs soient fermes et luisants. Incorporer les 2 jaunes d'œufs et le chocolat refroidi. Faire fondre 20 g de beurre et le mélanger à la préparation. Fouetter 170 ml de crème liquide et l'incorporer à la préparation. Verser dans le moule, en tenant celui-ci incliné sur la longueur. Le mettre au congélateur en conservant cette même inclinaison, et laisser durcir 1 à 2 heures.

2 Répéter l'opération avec le chocolat blanc. Verser la préparation sur l'autre côté du moule, de façon que la glace soit à niveau. Mettre le moule à plat dans le congélateur.

3 Faire de même avec le reste des ingrédients, en incorporant dans le chocolat noir le rhum et le café dissous dans 1 cuil. à soupe d'eau. Verser dans le moule et égaliser la surface. Congeler plusieurs heures. Démouler sur un plat, puis couper en tranches fines. Cette glace peut être garnie de feuilles de chocolat (voir p. 239).

EN HAUT :
Glace aux trois chocolats

COULIS ET SIROPS

Fruits frais, épices et aromates se conjuguent pour former de délicieux sirops et coulis

qui transforment une simple coupe de glace en un mets de roi…

SAUCE À LA RHUBARBE

Hacher 350 g de rhubarbe et la mettre dans une casserole avec 95 g de cassonade, 250 ml d'eau et 1 pincée d'un mélange de cannelle, gingembre, clous de girofle et noix muscade en poudre. Porter doucement à ébullition, en remuant pour faire fondre le sucre. Laisser cuire 10 minutes, en remuant souvent. Passer au chinois et servir chaud ou froid. Pour 375 ml.

SIROP DE LEMON-GRASS, CITRON VERT ET CORIANDRE

Râper finement 250 g de sucre de palme et le mettre dans une petite casserole avec 250 ml d'eau. Remuer à feu doux jusqu'à dissolution complète. Ajouter 2 tiges de lemon-grass finement émincées (partie blanche seulement), 1 cuil. à café de graines de coriandre légèrement écrasées, 1 cuil. à café de zeste de citron vert et 2 cuil. à café de jus de citron vert. Porter à ébullition et laisser cuire 15 à 20 minutes, jusqu'à ce que la consistance devienne sirupeuse. Passer éventuellement au chinois et servir avec des fruits exotiques, de la glace ou des crêpes. Pour 250 ml.

COULIS DE MANGUES

Hacher 2 petites mangues, les passer au mixeur avec 3 cuil. à soupe de jus d'orange et 2 cuil. à café de Cointreau (facultatif). Pour 350 ml.

COULIS DE FRUITS DE LA PASSION

Dans une petite casserole, mettre 125 mg de pulpe de fruit de la Passion frais (pas en conserve), 125 ml d'eau et 2 cuil. à soupe de sucre en poudre. Porter doucement à ébullition, en remuant pour faire fondre le sucre. Laisser cuire 5 minutes sans remuer. Pour 250 ml.

SAUCE AUX MYRTILLES CHAUDE

Dans une jatte non métallique, mélanger 500 g de myrtilles, 60 g de sucre et 1 cuil. à soupe de vinaigre balsamique. Laisser reposer 30 minutes. Mettre dans une casserole avec 2 cuil. à soupe d'eau et remuer à feu doux pour faire fondre le sucre. Porter à ébullition et laisser cuire 5 minutes. Servir chaud. Accompagne parfaitement la glace, la ricotta fraîche ou le gâteau au chocolat chaud. Pour 500 ml.

COULIS DE FRAISES

Équeuter 250 g de fraises et les passer au mixeur avec 2 cuil. à soupe de sucre glace, 2 cuil. à café de jus de citron et 1 ou 2 cuil. à café de Grand Marnier (facultatif). Mixer jusqu'à obtention d'une purée lisse et passer au chinois fin. Pour 250 ml.

COULIS DE FRUITS ROUGES

Passer 300 g de fruits rouges frais ou décongelés (un mélange de framboises, fraises, myrtilles et mûres est idéal) et 2 cuil. à soupe de sucre glace au mixeur, en mixant par à-coups jusqu'à obtention d'une purée lisse. Passer au chinois fin. Ajouter 2 cuil. à café de jus de citron et 3 cuil. à café de liqueur de cassis (facultatif) ; bien mélanger. Pour 250 ml.

SAUCE AUX PÊCHES ÉPICÉE

Mettre 500 g de pêches dans un saladier, couvrir d'eau bouillante et laisser reposer

20 secondes. Égoutter, peler et hacher, puis mettre dans une casserole avec 250 ml d'eau, 1/2 gousse de vanille, 2 clous de girofle et 1 bâton de cannelle. Porter à ébullition, baisser le feu et laisser cuire 15 à 20 minutes, jusqu'à ce que les fruits soient tendres. Ajouter 3 cuil. à soupe de sucre et remuer à feu doux jusqu'à dissolution complète. Augmenter le feu et laisser cuire 5 minutes. Retirer la vanille et les épices, et laisser refroidir légèrement. Passer au mixeur, puis au chinois fin. Pour 440 ml.

DANS LE SENS DES AIGUILLES D'UNE MONTRE, EN PARTANT DU HAUT À GAUCHE : Lemon-grass, citron vert et coriandre ; Mangue ; Fruit de la Passion ; Fruits rouges ; Pêche épicée ; Fraise ; Myrtille ; Rhubarbe.

1 Mettre les jaunes d'œufs dans un saladier résistant à la chaleur et incorporer peu à peu le sucre. Battre jusqu'à ce que le mélange blanchisse et épaississe (ne pas fouetter au batteur électrique, car il y aurait trop d'air dans la préparation). Ajouter le cacao tamisé.

2 Dans une casserole, mettre le lait, la crème et la vanille. Porter à ébullition. Gratter les graines de la gousse de vanille et les incorporer au lait. Éliminer la gousse. Ajouter le lait chaud dans la préparation aux œufs, en battant doucement. Mettre le saladier sur une casserole d'eau chaude et remuer constamment à feu doux jusqu'à ce que la crème nappe le dos d'une cuillère en bois (compter 20 minutes environ). Ne pas laisser la crème bouillir, car elle tournerait. Retirer du feu, passer et verser dans une jatte. Réfrigérer un moule à gâteau carré de 20 cm au congélateur.

3 Faire fondre le chocolat au bain-marie (le bol ne doit pas toucher la surface de l'eau bouillante). L'ajouter à la crème vanillée, et remuer constamment jusqu'à ce que le mélange soit homogène. Laisser refroidir, puis verser dans le moule réfrigéré. Couvrir de film plastique, et congeler jusqu'à ce que la glace soit à moitié solidifiée. Sortir du congélateur, verser dans une jatte et fouetter à la cuillère en bois ou au batteur électrique jusqu'à ce qu'elle soit lisse. Remettre dans le moule. Répéter cette dernière étape deux fois, puis couvrir de film plastique et congeler toute une nuit. Laisser la glace 15 à 20 minutes au réfrigérateur avant de servir, afin qu'elle ramollisse légèrement.

GLACE AU CHOCOLAT

Préparation : 1 heure + congélation
Cuisson : 30 minutes
Pour 4 personnes

★★

8 jaunes d'œufs
125 g de sucre en poudre
2 cuil. à soupe de poudre de cacao
500 ml de lait
250 ml de crème liquide
1 gousse de vanille, fendue dans la longueur
250 g de chocolat noir supérieur, concassé

EN HAUT :
Glace au chocolat

CONSEILS

Manipulées avec négligence, les glaces offrent un terrain parfait pour la prolifération microbienne. Les bactéries sont normalement éliminées à très haute température, et rendues inactives à très basse température. Les températures situées entre ces deux extrêmes peuvent être source de problèmes. Les crèmes doivent mises au frais dès que possible, et les produits laitiers se conservent au réfrigérateur jusqu'au moment de les utiliser. Une glace ayant été légèrement décongelée puis recongelée doit être consommée rapidement. Ne jamais la recongeler. Une glace complètement décongelée ne doit pas être consommée. Il faut laver soigneusement les ustensiles et stériliser la sorbetière.

Répartir équitablement la crème chaude dans les bols de chocolat.

Verser la préparation au chocolat au lait sur la couche déjà congelée de glace au chocolat noir.

PARFAIT AU CHOCOLAT

Préparation : 40 minutes + congélation
Cuisson : 25 minutes
Pour 8 personnes

 ✷ ✷

6 jaunes d'œufs
125 g de sucre en poudre
150 g de chocolat noir, râpé
150 g de chocolat au lait, râpé
250 ml de lait
1 gousse de vanille, fendue dans la longueur
350 ml de crème liquide

1 Beurrer légèrement un moule à glace de 1,25 litre et le garnir de deux épaisseurs de film plastique dépassant sur les côtés (cela facilitera le démoulage du parfait). Mettre les jaunes d'œufs dans une jatte et incorporer le sucre peu à peu en battant bien. Continuer à battre jusqu'à ce que le mélange blanchisse et épaississe. Mettre les chocolats dans deux bols différents et réserver.

2 Mettre le lait et la vanille dans une petite casserole, Porter doucement à ébullition, puis retirer du feu et gratter les graines pour les incorporer au lait. Éliminer la gousse. Verser délicatement le lait sur les jaunes d'œufs, sans cesser de battre. Remettre la préparation dans une casserole propre et cuire à feu doux, sans cesser de remuer, jusqu'à ce que la crème nappe le dos d'une cuillère en bois (compter 20 minutes environ). Ne pas trop cuire car la crème tournerait.

3 Répartir équitablement la crème chaude dans les deux bols de chocolat. Avec une cuillère en bois, bien remuer jusqu'à ce que le chocolat soit complètement fondu. Laisser refroidir complètement. Fouetter la crème au batteur électrique. La répartir équitablement dans les préparations au chocolat, et remuer délicatement. Verser la préparation au chocolat noir au fond du moule à glace. Congeler 30 minutes, jusqu'à ce qu'elle soit ferme. Verser la préparation au chocolat au lait dessus, en la faisant couler sur le dos d'une cuillère afin de former une couche régulière. Égaliser la surface avec le dos d'une cuillère. Couvrir de film plastique et congeler toute une nuit.

4 Juste avant de servir, soulever délicatement le parfait du plat à l'aide du film plastique qui garnit le moule. Trancher des portions, et remettre le parfait immédiatement au congélateur.

EN HAUT :
Parfait au chocolat

269

PARFAIT À LA CACAHUÈTE

Préparation : 40 minutes + congélation
Cuisson : 15 minutes
Pour 8 personnes

✷✷

375 g de sucre en poudre

500 ml de lait

6 jaunes d'œufs

1 cuil. à soupe de café instantané

600 ml de crème liquide

120 g de cacahuètes enrobées de chocolat,
    grossièrement hachées

1 Dans une casserole, faire fondre à feu doux 250 g de sucre avec 80 ml d'eau, sans faire bouillir. Détacher les cristaux de sucre des parois de la casserole avec un pinceau mouillé. Porter à ébullition, baisser le feu et laisser cuire 4 minutes sans remuer, pour obtenir un caramel. Retirer du feu et laisser refroidir légèrement avant d'incorporer le lait (attention aux projections). Remettre sur le feu et

CI-DESSOUS :
Parfait à la cacahuète

remuer jusqu'à ce que le caramel soit dissous.
2 Garnir un moule à cake de 15 x 23 cm de film plastique. Dans une casserole, battre vigoureusement le reste du sucre et les jaunes d'œufs. Incorporer le lait caramélisé et le café délayé dans 1 cuil. à café d'eau. Chauffer la préparation au bain-marie jusqu'à ce qu'elle épaississe et nappe le dos d'une cuillère.
3 Laisser refroidir, puis ajouter la crème liquide. Verser la préparation dans un grand moule peu profond et congeler. Lorsque la glace est ferme, la transférer dans une grande jatte et la travailler au batteur électrique jusqu'à obtention d'un mélange très léger. Remettre dans le moule et congeler comme précédemment. Répéter cette étape deux fois. Incorporer les cacahuètes et verser la préparation dans le moule à cake. Couvrir la surface d'une feuille de papier sulfurisé puis congeler. Couper en tranches avant de servir, et garnir éventuellement de morceaux de caramel.
NOTE : Les cacahuètes enrobées de chocolat s'achètent dans les rayons de friandises.

PARFAIT AU CAFÉ

Préparation : 10 minutes + congélation
Cuisson : 20 minutes
Pour 4 à 6 personnes

✷✷

45 g de café moulu

185 g de sucre en poudre

4 jaunes d'œufs

250 ml de crème fraîche épaisse

1 Mettre le café, le sucre et 185 ml d'eau dans une casserole, porter à ébullition, puis retirer du feu et laisser reposer 3 minutes. Passer le liquide dans un filtre en papier ou un chinois garni d'étamine. Remettre dans la casserole rincée et garder au chaud.
2 Dans une casserole, battre les jaunes d'œufs jusqu'à ce qu'ils blanchissent. Incorporer le sirop au café, petit à petit. Chauffer au bain-marie et remuer jusqu'à ce que la préparation épaississe et nappe le dos d'une cuillère (ne pas faire bouillir, car la crème tournerait). La retirer du feu et la fouetter au batteur électrique pour la faire augmenter de volume. Mettre au réfrigérateur.
3 Fouetter la crème puis l'incorporer à la préparation. Verser dans un moule à cake garni de film plastique, couvrir la surface de papier sulfurisé et congeler au moins 2 heures. Transférer le parfait au réfrigérateur 10 minutes avant de le démouler et de le couper en tranches.

COUPES GLACÉES CAPPUCCINO

Préparation : 1 h 45
Cuisson : 30 minutes
Pour 10 personnes

Gâteau au chocolat

185 g de beurre

330 g de sucre en poudre

2 cuil. à café 1/2 d'essence de vanille

3 œufs

75 g de farine avec levure incorporée

225 g de farine ordinaire

1 cuil. à café 1/2 de bicarbonate de soude

90 g de poudre de cacao

280 ml de babeurre

1 cuil. à soupe de café instantané

1 litre de glace à la vanille, ramollie

250 ml de crème fraîche épaisse

1 cuil. à soupe de sucre glace

125 g de pépites de chocolat noir, fondues

Poudre de cacao, pour la décoration

1 Beurrer légèrement un moule à muffins (avec dix trous de 250 ml). Préchauffer le four à 180 °C (therm. 4).
2 Pour faire le gâteau au chocolat, travailler le beurre et le sucre au batteur électrique jusqu'à obtention d'une crème légère. Incorporer la vanille. Ajouter les œufs un par un, sans cesser de battre.
3 Avec une cuillère en métal, incorporer le mélange de farines tamisées, de bicarbonate de soude et de cacao en alternance avec le babeurre. Remuer pour rendre la préparation homogène.
4 Répartir équitablement dans les moules et enfourner 25 minutes (vérifier la cuisson avec la lame d'un couteau : elle doit ressortir sèche). Laisser reposer 5 minutes avant de démouler sur une grille.
5 Délayer le café dans 2 cuil. à soupe d'eau bouillante, puis laisser refroidir. Malaxer la glace à la vanille dans une terrine jusqu'à ce qu'elle soit lisse. Incorporer le mélange au café et congeler.
6 Fouetter la crème et le sucre glace au batteur électrique. Réfrigérer.
7 Dessiner le contour d'une petite cuillère, dix fois, sur du papier sulfurisé, puis retourner le papier. Verser le chocolat fondu dans un cornet en papier.

Couper le bout du cornet et dessiner le contour de la cuillère avec le chocolat avant de remplir l'intérieur. Laisser durcir.
8 Découper un chapeau sur chaque gâteau, à 1 cm du bord. Réserver les chapeaux. Avec une cuillère, évider le gâteau en laissant un pourtour de 1 cm (l'excédent peut être congelé pour un autre usage).
9 Ramollir la glace au café et en remplir les gâteaux (elle doit dépasser légèrement du gâteau). Remettre les chapeaux et appuyer légèrement. Étaler grossièrement la crème fouettée dessus, pour imiter la mousse du cappuccino. Saupoudrer de cacao et servir décoré d'une cuillère en chocolat.

EN HAUT : Coupes glacées cappuccino

GLACE AU THÉ VERT

Préparation : 15 minutes + congélation
Cuisson : 30 minutes
Pour 4 personnes

4 cuil. à soupe de thé vert en feuilles

500 ml de lait

6 jaunes d'œufs

125 g de sucre en poudre

500 ml de crème liquide

1 Dans une casserole, mettre le thé vert et le lait et faire frémir doucement (ne pas hâter le processus : plus le lait met de temps à frémir, plus il sera parfumé). Laisser reposer 5 minutes avant de filtrer.

2 Battre les jaunes d'œufs et le sucre jusqu'à ce que le mélange blanchisse et épaississe, puis ajouter le lait infusé.

3 Chauffer la préparation au bain-marie (le bol ne doit pas toucher l'eau bouillante) en remuant, jusqu'à ce qu'elle épaississe et nappe le dos d'une cuillère. Retirer du feu et laisser refroidir légèrement avant d'ajouter la crème.

4 Verser la préparation dans un récipient métallique peu profond et congeler 3 à 4 heures : la glace doit être à demi solidifiée. Transférer la glace dans une jatte, la travailler au batteur électrique jusqu'à ce qu'elle devienne crémeuse, puis la remettre dans le récipient. Répéter cette étape deux fois. Transférer dans un moule à glace, couvrir la surface de film plastique et congeler toute une nuit.

NOTE : Pour obtenir une glace de couleur verte, ajouter quelques gouttes de colorant alimentaire.

GLACE MARBRÉE À LA FRAMBOISE

Préparation : 30 minutes + congélation
Cuisson : aucune
Pour 8 à 10 personnes

250 g de framboises

1 litre de glace à la vanille de qualité supérieure

250 ml de crème liquide

Framboises supplémentaires, en
 accompagnement

1 Garnir de film plastique (ou de papier d'aluminium) le fond et les côtés d'un moule à glace de 1,75 litre.

2 Réduire les framboises en purée au mixeur. Sortir la glace du congélateur et la laisser ramollir. Fouetter la crème. Avec une cuillère en métal, l'incorporer délicatement à la purée de framboises. Verser la préparation dans un récipient métallique peu profond et congeler jusqu'à ce qu'elle soit à demi solidifiée. Remuer de temps en temps jusqu'à épaississement. Quand elle est à demi congelée, la sortir du congélateur et bien battre.

3 Déposer des cuillerées de glace à la vanille au fond du moule, puis des cuillerées de glace à la framboise dans les interstices. Mêler brièvement les glaces avec la pointe d'un couteau, en veillant à ne pas déchirer le film plastique.

4 Congeler 2 heures, jusqu'à ce que la glace soit à demi solidifiée, puis égaliser les bords. Congeler toute une nuit. Servir en boules ou en tranches, et garnir de framboises.

GLACE À LA MANGUE

Préparation : 20 minutes + congélation
Cuisson : aucune
Pour 900 ml environ

3 mangues (1,5 kg environ)

125 g de sucre en poudre

300 ml de crème liquide

1 Couper les mangues en morceaux et les passer au mixeur pour obtenir une purée lisse. Transférer dans un saladier, ajouter le sucre et bien remuer pour le faire fondre.

2 Fouetter la crème jusqu'à ce qu'elle soit bien ferme, puis l'incorporer à la purée de mangues.

3 Verser la préparation dans un moule rectangulaire peu profond, couvrir et congeler 1 h 30 : elle doit être à demi solidifiée. La verser rapidement dans une jatte et la travailler 30 secondes au batteur électrique, jusqu'à ce qu'elle devienne lisse. Remettre dans le moule ou dans un récipient en plastique, couvrir de film plastique et congeler. Répéter cette étape deux fois. Couvrir la surface de film plastique et congeler au moins 8 heures. Sortir la glace du congélateur 15 minutes avant de servir, pour la ramollir légèrement. Servir en boules avec de la mangue fraîche.

NOTE : Cette recette peut également se préparer à la sorbetière.

Verser la préparation dans la sorbetière.

Mettre la sorbetière en route.

La glace est prête quand elle épaisse et glacée, mais non solide.

Transférer la préparation glacée dans un récipient métallique et laisser prendre au congélateur.

PAGE CI-CONTRE, DE HAUT EN BAS : Glace au thé vert; Glace à la mangue; Glace marbrée à la framboise.

COUPES GLACÉES Toujours

spectaculaires et appétissantes, les coupes glacées alternent des couches colorées de

glace, de fruits, de sauces ou de coulis, pour former le plus exquis des desserts…

COUPE VANILLE-CARAMEL

Faire chauffer 90 g de beurre dans une casserole à fond épais. Ajouter 140 g de cassonade et remuer sur feu doux pour la faire fondre. Augmenter le feu et faire cuire 3 minutes sans bouillir, jusqu'à ce que le mélange caramélise. Hors du feu, laisser refroidir légèrement. Incorporer 170 ml de crème fraîche liquide, laisser refroidir, puis battre vigoureusement. Répartir 500 g de glace à la vanille, des morceaux de gaufrettes enrobées de chocolat et la sauce au caramel dans quatre coupes. Garnir de gaufrettes et servir immédiatement. Pour 4 personnes.

COUPE FRAISE-FRAMBOISE

Préparer une gelée en mélangeant 350 g de coulis de fraises prêt à l'emploi et 10 feuilles de gélatine, préalablement ramollies dans l'eau froide et pressées. Faire prendre au réfrigérateur. Préparer un coulis en passant 125 g de fraises hachées au mixeur. Dans six coupelles en verre, répartir 500 g de glace à la vanille. Garnir de gelée, ajouter des petits morceaux de fraise (100 g en tout), des framboises, et napper de coulis de fraises. Servir immédiatement. Pour 6 personnes.

COUPE CERISES AU KIRSCH

Dans une casserole, mélanger 3 cuil. à soupe de sucre, 2 cuil. à soupe de cassonade, 1 cuil. à café d'un mélange de cannelle, gingembre, clous de girofle et noix muscade en poudre, et 3 cuil. à soupe de kirsch avec 250 ml d'eau. Remuer sans faire bouillir jusqu'à ce que le sucre soit dissous, puis porter à ébullition. Ajouter 500 g de cerises dénoyautées et baisser le feu ; laisser cuire 10 minutes, retirer et laisser refroidir. Alterner couches de cerises et de glace à la vanille (1 litre) dans des coupelles, et napper de sirop à la cerise. Pour 6 personnes.

COUPE CHOCOLAT-KAHLUA

Dans une jatte, mettre 125 g de biscuits fourrés à la vanille et au chocolat, réduits en miettes, et 2 cuil. à soupe de Kahlua. Laisser reposer 5 minutes. Alterner des couches de glace au chocolat (500 g), le mélange à base de biscuits, 250 ml de crème fouettée et 60 g de pépites de chocolat dans quatre coupes en verre. Terminer par de la crème fouettée et des pépites de chocolat. Pour 4 personnes.

COUPE CARAMEL-NOISETTES

Dans une casserole, mettre 100 g de beurre, 2 cuil. à soupe de mélasse, 100 g de cassonade et 250 ml de crème liquide. Remuer à feu doux jusqu'à dissolution (sans bouillir). Laisser refroidir. Alterner des couches de glace à la vanille (1 litre) et de caramel chaud dans des coupes en verre. Garnir de noisettes hachées. Pour 4 à 6 personnes.

BANANA SPLIT

Dans une casserole, mettre 200 g de chocolat noir supérieur, 185 ml de crème liquide et 30 g de beurre : faire fondre à feu doux en remuant. Laisser refroidir légèrement. Partager 4 bananes mûres dans la longueur et disposer une moitié de chaque côté d'un plat individuel en verre. Déposer 3 boules de glace entre les bananes et napper de sauce au chocolat chaude. Saupoudrer de noix ou de noisettes hachées. Pour 4 personnes.

DE GAUCHE À DROITE : Coupe vanille-caramel ; Coupe fraise-framboise ; Coupe cerises au kirsch ; Coupe chocolat-Kahlua ; Coupe caramel-noisettes ; Banana split.

275

LES SORBETS ET GLACES AUX FRUITS

Les sorbets sont des glaces à base d'eau, qui ne contiennent généralement ni produits laitiers ni œufs, à l'exception parfois de blancs d'œufs battus. Lors d'un repas copieux, les sorbets peuvent être servis entre deux plats, pour « rafraîchir le palais » (ce qu'on appelle le « trou normand »), ou bien sûr consommés en dessert. Le célèbre cuisinier Escoffier précise que les sorbets s'apprécient surtout presque fondus. L'ingrédient de base d'un sorbet peut-être un fruit, une liqueur ou une infusion aromatique.

Les « sharbets » sont la version orientale de nos sorbets. Le mot vient de l'arabe sharab/sharbah, qui signifie « boisson froide sucrée ». Il s'agit de glace à l'eau contenant un peu de lait ou de crème fraîche.

Les « glaces aux fruits » ont une teneur en fruits moins élevée que celle des sorbets et incorporent parfois du lait et/ou de la crème.

EN HAUT :
Sorbet aux deux citrons

SORBET AUX DEUX CITRONS

Préparation : 25 minutes + congélation
Cuisson : 10 minutes
Pour 4 personnes

250 g de sucre en poudre
185 ml de jus de citron
185 ml de jus de citron vert
2 blancs d'œufs, légèrement battus

1 Faire fondre le sucre avec 500 ml d'eau à feu doux, en remuant jusqu'à ce qu'il soit dissous. Porter à ébullition, baisser le feu et faire cuire 5 minutes. Laisser refroidir.
2 Ajouter les jus de citron au sirop et verser dans un plat métallique peu profond. Couvrir de film plastique et congeler 2 heures. Passer la préparation à demi congelée au mixeur ou au batteur électrique, puis remettre au congélateur. Répéter cette étape deux fois.
3 Transférer dans un saladier ou dans le bol du mixeur. Mixer ou travailler au batteur électrique et ajouter les blancs d'œufs. Bien battre. Remettre dans le plat, couvrir de film plastique et congeler.
4 Pour confectionner ce sorbet à la sorbetière, ajouter le blanc d'œuf en fin de brassage (la sorbetière doit encore être en train de tourner).

SORBET À L'ANANAS

Préparation : 25 minutes + congélation
Cuisson : 15 minutes
Pour 4 personnes

850 ml de jus d'ananas sans sucre ajouté
375 g de sucre en poudre
3 cuil. à soupe de jus de citron, passé
1 blanc d'œuf, légèrement battu

1 Faire chauffer le jus d'ananas et le sucre à feu doux jusqu'à ce que le sucre soit dissous. Porter à ébullition, baisser le feu et laisser cuire 5 minutes. Écumer si nécessaire.
2 Incorporer le jus de citron, puis verser le tout dans un récipient métallique peu profond. Couvrir de film plastique et congeler 2 heures. Travailler la préparation à demi congelée au mixeur ou au batteur électrique, et remettre au congélateur. Répéter cette étape deux fois, puis ajouter le blanc d'œuf. Bien battre pour l'incorporer. Remettre dans le récipient, couvrir de film plastique et congeler.
3 Pour confectionner ce sorbet à la sorbetière, ajouter le blanc d'œuf en fin de brassage (la sorbetière doit encore être en train de tourner).

SORBET À LA MENTHE ET AUX AGRUMES

Préparation : 25 minutes + congélation
Cuisson : 35 minutes
Pour 4 personnes

375 g de sucre en poudre
50 g de feuilles de menthe entières + 15 g de feuilles de menthe finement émincées
185 ml de jus de citron ou de pamplemousse
315 ml de jus d'orange
125 ml de vin blanc sec

1 Dans une casserole, mettre le sucre, les feuilles de menthe entières et 750 ml d'eau. Remuer à feu doux jusqu'à ce que le sucre soit dissous. Porter à ébullition, baisser le feu et laisser cuire 30 minutes. Passer et éliminer les feuilles.
2 Incorporer les jus de fruit et le vin. Verser dans un récipient en métal et, quand la préparation est refroidie, incorporer les feuilles de menthe émincées. Congeler jusqu'à ce qu'elle soit à demi solidifiée.
3 Travailler la glace au mixeur ou au batteur électrique. Remettre au congélateur. Répéter cette étape deux fois. Couvrir de film plastique et congeler toute une nuit. Laisser ramollir légèrement avant de servir.

SORBET ORANGE-PASSION

Préparation : 15 minutes + congélation
Cuisson : aucune
Pour 4 personnes

750 ml de jus d'orange
185 ml de pulpe de fruits de la Passion
125 g de sucre en poudre
2 blancs d'œufs, légèrement battus

1 Dans une grande jatte, mélanger le jus d'orange, le fruit de la Passion et le sucre. Verser dans un récipient métallique peu profond et congeler jusqu'à ce que la glace soit à demi solidifiée (ne pas la laisser trop durcir). La sortir du congélateur et la travailler au mixeur ou au batteur électrique. Remettre au congélateur. Répéter cette étape deux fois, en ajoutant les blancs d'œufs au dernier brassage. Remettre dans le récipient, couvrir de film plastique et congeler 3 heures.
2 Dans une sorbetière, verser la préparation et compter environ 30 minutes pour que la glace soit prise.

GLACE À LA LAVANDE

Préparation : 15 minutes + congélation
Cuisson : 15 minutes
Pour 6 à 8 personnes

8 brins de lavande (4 à 6 si c'est l'époque de floraison : la lavande est alors plus parfumée)
600 ml de crème fraîche épaisse
1 petit morceau de zeste de citron
160 g de sucre en poudre
4 jaunes d'œufs, légèrement battus

1 Laver et sécher la lavande. La mettre dans une casserole avec la crème et le zeste de citron. Chauffer jusqu'à ce que le mélange frémisse, puis incorporer le sucre et le faire fondre. Passer le liquide au chinois fin avant de le verser sur les jaunes d'œufs. Remettre la préparation dans la casserole et remuer à feu doux jusqu'à épaississement (la crème doit napper le dos d'une cuillère), sans faire bouillir. Verser dans un plat métallique peu profond et laisser refroidir.
2 Congeler la préparation (elle doit être à demi solidifiée), puis la battre au fouet ou au batteur électrique. Congeler de nouveau et répéter cette étape deux fois. Couvrir de film plastique et congeler.

CI-DESSOUS :
Sorbet orange-passion (à gauche) ;
Sorbet à la menthe et aux agrumes (à droite)

**LE KULFI
ET LE SEMIFREDDO**

Le *kulfi* est une glace traditionnelle indienne, obtenue à partir de lait que l'on fait réduire longuement. Cette opération confère à la glace un goût inimitable. (Pour gagner du temps, on peut le préparer avec du lait concentré.) Le *kulfi* possède une texture dense et se présente généralement sous forme de petits cônes. On utilise des moules à cornet ou de toute autre forme pour les confectionner.

En italien, semifreddo signifie « à demi congelé ». C'est une glace plutôt moelleuse en raison de sa teneur en alcool et en sucre. Elle prend également le nom de perfetti en Italie, lorsqu'elle est mise à congeler sans brassage.

PAGE CI-CONTRE :
Kulfi (en haut) ;
Semifreddo (en bas)

KULFI

Préparation : 20 minutes + congélation
Cuisson : 50 minutes
Pour 6 personnes

1,5 litre de lait

8 graines de cardamome

4 cuil. à soupe de sucre en poudre

20 g d'amandes mondées, finement hachées

20 g de pistaches, finement hachées

1 Dans une grande casserole à fond épais, mettre le lait et la cardamome ; porter à ébullition, baisser le feu et laisser cuire, en remuant souvent, jusqu'à ce que le liquide ait réduit d'un tiers (il doit rester l'équivalent de 1 litre. Compter le temps nécessaire). Remuer constamment pour éviter que le lait n'attache.

2 Ajouter le sucre et prolonger la cuisson de 2 à 3 minutes. Retirer les graines de cardamome et ajouter les fruits secs. Verser la préparation dans un récipient en métal ou en plastique peu profond, couvrir la surface de film plastique et congeler 1 heure. Sortir du congélateur et remuer vigoureusement. Remettre au congélateur et répéter cette étape deux fois.

3 Garnir six moules à cornet de papier sulfurisé ou huiler légèrement six moules à pudding de 250 ml. Répartir la préparation dans les moules puis congeler toute une nuit. Au moment de servir, démouler les kulfi et décorer la surface d'une croix incisée sur 0,5 cm de profondeur.

GLACE EN BEIGNET

Préparation : 20 minutes + plusieurs jours de
congélation
Cuisson : 1 minute
Pour 6 personnes

2 litres de glace à la vanille

1 œuf

125 g de farine

150 g de chapelure fine

2 cuil. à soupe de poudre de noix de coco

Huile, pour la friture

1 Former six grosses boules de glace et les mettre au congélateur.

2 Confectionner une pâte épaisse avec l'œuf, la farine et 185 ml d'eau. Enduire les boules de glace

de cette pâte, puis les rouler dans la chapelure et la noix de coco. Remettre au congélateur plusieurs jours.

3 Chauffer l'huile à 180 °C (l'huile est prête quand un petit morceau de pain dore en 15 secondes). Plonger une boule à la fois et la faire dorer quelques secondes. Travailler très rapidement, de manière à ne pas faire fondre la glace. Servir immédiatement.

SEMIFREDDO

Préparation : 20 minutes
Cuisson : 30 minutes
Pour 8 personnes

⚹ ⚹

9 jaunes d'œufs

250 g de sucre en poudre

80 ml de marsala

375 ml de crème fraîche épaisse, fouettée

Le zeste râpé de 2 oranges

Oranges caramélisées
2 oranges

125 g de sucre en poudre

1 Dans un saladier résistant à la chaleur, mélanger les jaunes d'œufs, le sucre et le marsala. Placer le saladier au-dessus d'une casserole d'eau bouillante, hors du feu, en veillant à ce que le fond du saladier ne touche pas l'eau. Battre au fouet ou au batteur électrique jusqu'à ce que la préparation ait épaissi et doublé de volume (le sucre doit être complètement dissous). Mettre le saladier sur un récipient rempli de glaçons et battre jusqu'à refroidissement. Incorporer la crème fouettée et congeler (la glace doit être à demi solidifiée). Incorporer le zeste d'orange. Verser dans un moule à glace de 1,5 litre garni de film plastique. Congeler 4 heures, ou toute une nuit.

2 Peler les oranges à vif, puis les couper en tranches fines et les mettre dans un saladier en verre. Faire fondre le sucre à feu doux dans une petite casserole. Une fois qu'il est fondu, augmenter légèrement le feu et pencher la casserole d'un côté puis de l'autre pour qu'il caramélise uniformément. Quand il est bien doré, ajouter délicatement 80 ml d'eau, en prenant garde aux projections. Faire refondre le caramel et le verser sur les oranges. Couvrir de film plastique et réfrigérer.

3 Couper le semifreddo en tranches et servir avec les tranches d'orange caramélisées.

GRANITÉ DE FRAISES

Réduire les fraises en purée, puis ajouter le sirop de sucre refroidi et bien mixer.

Verser la purée préalablement tamisée dans un récipient métallique, puis couvrir et congeler jusqu'à ce que le granité se solidifie sur les bords.

Briser les cristaux de glace à la fourchette, puis remettre au congélateur et recommencer plusieurs fois, jusqu'à ce que le granité ait la consistance adéquate.

GRANITÉ DE CAFÉ

Préparation : 20 minutes + congélation
Cuisson : 5 minutes
Pour 6 personnes

185 g de sucre en poudre
1 cuil. à soupe 1/2 de poudre de cacao
1,25 litre de café bien serré

1 Mettre le sucre et le cacao dans une grande casserole, puis ajouter peu à peu 125 ml d'eau. Remuer à feu doux jusqu'à ce que le sucre soit dissous. Porter à ébullition, puis baisser le feu et laisser cuire 3 minutes.
2 Retirer du feu et ajouter le café. Verser dans un récipient en métal peu profond et laisser refroidir complètement. Congeler jusqu'à ce qu'il soit à demi solidifié, puis remuer avec une fourchette pour bien répartir les cristaux de glace. Congeler de nouveau.
3 Avec une fourchette, travailler le granité en fins cristaux et remettre 1 heure au congélateur avant de servir. Verser dans des coupes.
NOTE : Le granité étant très dur une fois congelé, il doit être mis dans un récipient peu profond et travaillé quand il est à demi solidifié. Il serait difficile à travailler dans un récipient profond.

GRANITÉ DE FRAISES

Préparation : 15 minutes + congélation
Cuisson : 10 minutes
Pour 4 personnes

125 g de sucre en poudre
500 g de fraises
2 cuil. à soupe de jus de citron

1 Faire fondre le sucre dans 125 ml d'eau sur feu doux. Porter à ébullition et laisser cuire 5 minutes. Laisser refroidir.
2 Équeuter les fraises et les passer 30 secondes au mixeur avec le jus de citron. Ajouter le sirop refroidi et mixer pour bien mélanger.
3 Passer la purée de fraises au chinois fin pour ôter les graines. Verser dans un récipient métallique peu profond, couvrir de film plastique et congeler 2 heures, jusqu'à ce que le granité soit solidifié sur les bords. Remuer avec une fourchette pour casser les cristaux. Remettre 1 heure au congélateur puis remuer de nouveau à la fourchette. Recommencer jusqu'à ce que la préparation ait une texture grenue, puis placer dans un récipient, couvrir de film plastique et remettre 3 à 4 heures au congélateur.

EN HAUT :
Granité de café

4 Avant de servir, décongeler le granité 15 à 20 minutes au réfrigérateur et remuer de nouveau avec une fourchette. Recongeler.

NOTE : Si le granité a été congelé plusieurs jours, il faudra certainement le travailler et le recongeler plus d'une fois avant qu'il n'obtienne la consistance adéquate. Il s'accompagne très bien de crème fraîche.

ORANGES GIVRÉES

Préparation : 20 minutes + congélation
Cuisson : aucune
Pour 6 personnes

10 à 12 oranges
90 g de sucre glace
2 cuil. à café de jus de citron

1 Couper les oranges en deux et les presser, en veillant à ne pas abîmer la peau. Dissoudre le sucre glace dans le jus d'orange, ajouter le jus de citron et verser dans un récipient à congélateur. Couvrir la surface de film plastique et congeler 1 heure.

2 Gratter la pulpe et les membranes de six moitiés d'orange, couvrir les peaux de film plastique et réfrigérer.

3 Au bout d'une heure, repousser vers le centre le jus qui s'est solidifié sur le bord et recongeler. Répéter cette étape toutes les heures, jusqu'à ce que le sorbet soit presque solidifié, puis congeler toute une nuit. Répartir le sorbet dans les peaux d'orange et congeler jusqu'au moment de servir. Ce sorbet, très dur à la sortie du congélateur, fond très vite.

SORBET BELLINI

Préparation : 20 minutes + congélation
Cuisson : 25 minutes
Pour 6 personnes

500 g de sucre en poudre
5 grosses pêches
185 ml de champagne
2 blancs d'œufs, légèrement battus

1 Dans une grande casserole, mélanger le sucre avec 1 litre d'eau et remuer à feu doux jusqu'à ce qu'il soit dissous. Porter à ébullition, ajouter les pêches et laisser cuire 20 minutes. Retirer les pêches à l'aide d'une écumoire et laisser refroidir complètement. Réserver 250 ml de sirop.

2 Peler les pêches, retirer les noyaux et couper la pulpe en morceaux. Les réduire en purée au mixeur, ajouter le sirop réservé et le champagne, puis mixer brièvement. Verser dans un récipient métallique peu profond et congeler 6 heures environ, jusqu'à ce que le sorbet soit presque solidifié. Sortir du congélateur et fouetter au batteur électrique.

3 Recongeler et répéter cette étape deux fois, en ajoutant les blancs d'œufs au dernier brassage. Mettre dans un récipient, couvrir la surface de film plastique et congeler. Servir le sorbet en boules, avec des tranches de pêches fraîches et des gaufrettes.

NOTE : Le Bellini est un cocktail italien composé de jus de pêche et de vin mousseux (*prosecco*).

EN HAUT : Sorbet Bellini

LES DESSERTS ALLÉGÉS

Il arrive que l'on ait envie de déguster un délicieux tiramisu, et qu'on se l'interdise pour cause de régime. Mais il n'est pas bon de se priver en permanence : tout le monde a le droit à une douceur de temps à autre ! D'autant plus que certaines gourmandises ne font pas grossir. Le choix de desserts proposé ici (où figure, en tête de recette, la teneur en lipides par portion) peut rendre un régime supportable... voire tout à fait agréable !

RIZ AU LAIT GRATINÉ

Lipides par portion : 3,5 g
Préparation : 15 minutes
Cuisson : 1 h 10
Pour 4 personnes

110 g de riz rond

1 litre de lait écrémé

60 g de sucre en poudre

1 cuil. à café de zeste d'orange râpé

1 cuil. à café de zeste de citron râpé

1 cuil. à café d'essence de vanille

20 g de noisettes

1 cuil. à soupe de cassonade

1 Laver le riz à l'eau froide dans une passoire jusqu'à ce que l'eau soit claire, puis égoutter soigneusement. Mettre le lait et le sucre dans une casserole et remuer à feu doux pour faire fondre le sucre. Ajouter le riz et les zestes et remuer brièvement. Porter à ébullition et baisser le feu aussi bas que possible. Cuire 1 heure, en remuant de temps en temps, jusqu'à ce le riz soit tendre et la préparation onctueuse. Incorporer l'essence de vanille.

2 Étaler les noisettes sur une plaque à pâtisserie et les faire griller (à 180 °C) pendant 5 minutes.

Frotter les noisettes chaudes dans un torchon afin d'éliminer la peau. Laisser refroidir et broyer grossièrement dans le bol d'un robot. Préchauffer le gril au maximum.

3 Verser le riz dans quatre ramequins de 185 ml. Mélanger la cassonade et les noisettes et les saupoudrer sur le riz. Faire griller brièvement jusqu'à ce que le sucre fonde et que les noisettes dorent. Servir immédiatement.

TIRAMISU

Lipides par portion : 5,5 g
Préparation : 15 minutes + réfrigération
Cuisson : 5 minutes
Pour 6 personnes

3 cuil. à soupe de préparation pour
   crème anglaise

250 ml de lait écrémé

2 cuil. à soupe de sucre en poudre

2 cuil. à café d'essence de vanille

250 g de fromage blanc allégé

2 blancs d'œufs

400 ml de café noir, refroidi

2 cuil. à soupe d'amaretto

EN HAUT :
Riz au lait gratiné

250 g de biscuits à la cuiller

2 cuil. à soupe de poudre de cacao non sucré

 Dans une petite casserole, délayer la crème en poudre dans 2 cuil. à soupe de lait écrémé. Ajouter le reste du lait, le sucre et la vanille, et remuer à feu moyen jusqu'à ébullition et épaississement. Retirer du feu. Transférer dans un bol, couvrir la surface de film plastique et laisser refroidir à température ambiante.

2 Dans une jatte, battre la crème préparée et le fromage blanc pendant 2 minutes environ. Monter les blancs d'œufs en neige, puis les incorporer à la préparation.

3 Verser le café dans une assiette creuse et ajouter l'amaretto. Prendre la moitié des biscuits et les tremper rapidement dans le café (ne pas trop les imbiber car ils ramolliraient). Les étaler sur une couche dans le plat de service.

4 Répartir la moitié de la crème sur les biscuits. Saupoudrer avec la moitié du cacao. Disposer le reste de biscuits et de crème en couches. Couvrir de film plastique et réfrigérer toute une nuit, ou 6 heures minimum. Avant de servir, saupoudrer le tiramisu de cacao.

TARTE AUX FRUITS DE LA PASSION

Lipides par portion : 6,5 g
Préparation : 30 minutes + réfrigération
Cuisson : 1 heure
Pour 8 personnes

✷✷

90 g de farine

2 cuil. à soupe de sucre glace

2 cuil. à soupe de préparation pour
   crème anglaise

30 g de beurre

3 cuil. à soupe de lait concentré allégé

Garniture

4 cuil. à soupe de pulpe de fruits de la Passion
   (environ 8 fruits)

125 g de ricotta

1 cuil. à café d'essence de vanille

30 g de sucre glace

2 œufs, légèrement battus

185 ml de lait concentré allégé

1 Préchauffer le four à 200 °C (therm. 6). Huiler légèrement un moule à tarte de 24 cm à fond amovible. Dans une terrine, tamiser la farine, le sucre glace et la crème en poudre, et incorporer le beurre en le travaillant avec les doigts jusqu'à obtention d'une pâte friable. Ajouter suffisamment de lait concentré pour former une pâte lisse. Pétrir brièvement sur un plan de travail fariné et former une boule. Couvrir de film plastique et réfrigérer 15 minutes.

2 Étaler la pâte sur le plan de travail fariné, foncer le moule et réfrigérer 15 minutes. Couvrir de papier sulfurisé et de noyaux de cuisson. Enfourner 10 minutes, retirer les noyaux et le papier, et prolonger la cuisson de 5 à 8 minutes. Laisser refroidir. Baisser le four à 160 °C (therm. 2-3).

3 Tamiser la pulpe des fruits pour retirer les graines, en réservant 2 cuil. à café de graines. Battre la ricotta avec la vanille et le sucre glace. Ajouter les œufs, la pulpe de fruits, les graines réservées et le lait, puis bien battre. Verser la préparation sur la pâte et enfourner 40 minutes. Laisser refroidir dans le moule. Saupoudrer les bords de sucre glace juste avant de servir.

EN HAUT : Tiramisu

GLACE FRAISE-BANANE

Lipides par portion : 3 g
Préparation : 10 minutes + congélation
Cuisson : aucune
Pour 4 personnes

300 g de tofu, haché

250 g de fraises, hachées

2 bananes mûres, hachées

60 g de sucre en poudre

1 Passer le tofu, les fraises, les bananes et le sucre au mixeur, jusqu'à obtention d'une purée lisse.
2 Verser dans une terrine peu profonde et congeler jusqu'à ce que la glace soit à demi solidifiée. La travailler grossièrement avec une fourchette. Transférer dans une jatte et battre vigoureusement pour que la préparation devienne lisse. Verser dans un moule à cake de 15 x 25 cm, couvrir et recongeler jusqu'à ce que la glace ait durci. On peut également la préparer dans une sorbetière (il faut obtenir une texture épaisse et onctueuse). Laisser 30 minutes au réfrigérateur avant de servir, afin que la glace soit légèrement ramollie.

SURPRISES GLACÉES

Lipides par portion : 6 g
Préparation : 15 minutes + congélation
Cuisson : 2 à 3 minutes
Pour 6 personnes

450 g de tranches d'ananas en boîte,
   dans leur jus

1/2 gâteau roulé à la confiture de 300 g

6 boules de glace allégée

2 blancs d'œufs

90 g de sucre en poudre

1 Préchauffer le four à 230 °C (therm. 8). Égoutter l'ananas. Réserver le jus et six tranches. Couper le gâteau roulé en six tranches égales. Les placer sur une plaque à pâtisserie garnie de papier sulfurisé et les arroser légèrement de jus d'ananas.
2 Garnir les tranches de gâteau d'une tranche d'ananas, puis d'une boule de glace (parfum au choix). Remettre au congélateur jusqu'au moment voulu.
3 Monter les blancs d'œufs en neige. Ajouter le sucre peu à peu, sans cesser de battre : les blancs doi-

vent être fermes et brillants. Couvrir les boules de glace de meringue, puis enfourner 2 à 3 minutes pour faire dorer la meringue. Servir immédiatement.

BAVAROIS AUX FRUITS DE LA PASSION

Lipides par portion : 2,5 g
Préparation : 10 minutes + réfrigération
Cuisson : aucune
Pour 8 personnes

340 g de sirop de fruit de la Passion

300 g de tofu, égoutté et haché

600 ml de babeurre

2 cuil. à soupe de sucre en poudre

1 cuil. à café d'essence de vanille

6 cuil. à café de gélatine (feuilles, voir p. 11)

8 fraises, pour la décoration

185 ml de pulpe de fruits de la Passion

1 Passer le sirop de fruit de la Passion au chinois fin pour ôter les graines. Le mélanger avec le tofu, le babeurre, le sucre et la vanille, au mixeur, pendant au moins 1 minute. Réserver dans le mixeur.
2 Mettre 1 cuil. à soupe d'eau froide dans un bol résistant à la chaleur, saupoudrer uniformément la surface avec la gélatine et laisser gonfler. Porter à ébullition une casserole contenant 4 cm d'eau, la retirer du feu et poser délicatement le bol dedans. Remuer jusqu'à dissolution complète de la gélatine. Laisser refroidir.
3 Placer huit darioles de 200 ml dans un plat allant au four. Ajouter la gélatine à la préparation réservée dans le mixeur, et mélanger pendant 1 minute. Verser dans les moules, couvrir le plat de film plastique et réfrigérer toute une nuit.
4 Couper les fraises en deux. Au moment de servir, démouler délicatement les bavarois à l'aide d'une spatule après avoir plongé la base des moules 2 secondes dans l'eau chaude. Les disposer sur les assiettes et napper le pourtour de pulpe de fruits de la Passion. Garnir de fraises et servir.

PAGE CI-CONTRE :
Glace fraise-banane (en haut) ; Bavarois aux fruits de la Passion (en bas)

POIRES EN HABIT ET COULIS DE FRAISES

Lipides par portion : 7 g
Préparation : 45 minutes + temps de repos
Cuisson : 40 minutes
Pour 4 personnes

★★★

60 ml de vin blanc

60 g de sucre en poudre

1 bâton de cannelle

2 clous de girofle

1 gousse de vanille

4 poires à chair ferme

4 dattes, grossièrement hachées

2 cuil. à soupe de raisins de Smyrne

85 g de farine

1 œuf, légèrement battu

250 ml de lait écrémé

2 cuil. à soupe d'amandes en poudre

1 cuil. à soupe de cassonade

1/2 cuil. à café de cannelle en poudre

1 cuil. à soupe d'amandes effilées

EN HAUT : Poires en habit et coulis de fraises

Coulis de fraises

125 g de fraises, hachées
1 cuil. à café de sucre en poudre
2 cuil. à soupe de jus d'orange

Sucre glace, pour la décoration

1 Dans une casserole suffisamment grande pour contenir les poires, mettre 500 ml d'eau, le vin, le sucre, la cannelle et les clous de girofle. Fendre la gousse de vanille dans la longueur, gratter les graines et les mettre dans la casserole. Ajouter la gousse et remuer à feu doux pour faire fondre le sucre.
2 Ajouter les poires et laisser cuire 20 minutes à couvert (le cœur doit être bien tendre). Laisser refroidir dans le sirop. Égoutter les poires et les poser sur du papier absorbant. Retirer le cœur avec un vide-pomme, à partir de la base, puis peler les fruits. Remplir la base des poires avec le mélange de dattes et de raisins secs.
3 Pour faire les crêpes, tamiser la farine dans une terrine, puis ajouter peu à peu le mélange de lait et d'œufs en battant bien. Passer au-dessus d'un récipient à bec et laisser reposer 10 minutes.
4 Préchauffer le four à 200 °C (therm. 6). Huiler légèrement une poêle à revêtement antiadhésif de 24 cm, la chauffer et verser un quart de la pâte en faisant tourner la poêle pour bien recouvrir le fond. Faire dorer légèrement d'un côté puis de l'autre. Confectionner trois autres crêpes.
5 Placer les crêpes sur le plan de travail. Déposer au centre de chacune un quart du mélange d'amandes, de cassonade et de cannelle. Garnir d'une poire. Rassembler les crêpes autour des poires et les attacher avec de la ficelle de cuisine. Saupoudrer d'amandes effilées et enfourner 10 minutes sur une plaque à pâtisserie garnie de papier sulfurisé (les amandes et le bord des crêpes doivent être dorés, et la poire juste chaude).
6 Hacher les fraises, le sucre et le jus d'orange au mixeur, puis passer le coulis. Saupoudrer les poires de sucre glace et les servir avec le coulis de fraises.

MOUSSE DE POMMES

Faire cuire 3 ou 4 pommes pelées et hachées dans un peu de sucre, de cannelle et d'eau, puis les réduire en purée. Mettre un peu d'eau dans un bol résistant à la chaleur, saupoudrer la surface avec 2 cuil. à café de gélatine et laisser gonfler (en feuilles, voir p. 11). Mettre le bol dans une casserole d'eau bouillante, hors du feu, et bien mélanger. Verser dans la purée chaude. Laisser refroidir légèrement. Battre 3 blancs d'œufs en neige et les incorporer à la préparation chaude. Réfrigérer avant de servir. Pour 4 personnes.

TARTE À LA BANANE ET AUX MYRTILLES

Lipides par portion : 6 g
Préparation : 30 minutes
Cuisson : 25 minutes
Pour 6 personnes

125 g de farine ordinaire

60 g de farine avec levure incorporée

1 cuil. à café de cannelle

1 cuil. à café de gingembre moulu

40 g de beurre, coupé en morceaux

100 g de cassonade + 1 cuil. à soupe

125 ml de babeurre

200 g de myrtilles

2 bananes

2 cuil. à café de jus de citron

1 Préchauffer le four à 200 °C (therm. 6). Garnir une plaque à pâtisserie de papier sulfurisé. Tamiser les deux farines et les épices dans une terrine. Ajouter le beurre et la cassonade et travailler avec les doigts jusqu'à ce que le beurre soit bien incorporé. Creuser une fontaine au centre et ajouter juste assez de babeurre pour former une pâte souple.

2 Étaler la pâte sur un plan de travail fariné, en un rond de 23 cm. La placer sur la plaque préparée, et rouler le pourtour de la pâte pour faire une bordure.

3 Étaler les myrtilles sur la pâte. Couper les bananes en rondelles et les mélanger au jus de citron. Les disposer en une couche régulière sur les myrtilles, puis saupoudrer de cassonade et enfourner 25 minutes, jusqu'à ce que la pâte soit dorée. Servir immédiatement.

NOTE : Cette pâte à tarte se prépare également au robot ménager. Pour la garniture de fruits, on peut remplacer les myrtilles par des framboises, ou utiliser des fruits tendres à noyau.

CI-DESSOUS : Tarte à la banane et aux myrtilles

CRUMBLE À LA RHUBARBE ET À LA POIRE

Lipides par portion : 8 g
Préparation : 20 minutes
Cuisson : 25 minutes
Pour 6 personnes

600 g de rhubarbe

2 lamelles de zeste de citron

1 cuil. à soupe de miel ou plus, selon le goût

2 poires bien mûres mais fermes

50 g de flocons d'avoine

35 g de farine complète

60 g de cassonade

50 g de beurre

*CI-DESSOUS : Crumble
à la rhubarbe et à la poire*

1 Supprimer l'extrémité de la rhubarbe, la laver et la couper en tronçons de 3 cm. La mettre dans une casserole avec le zeste de citron et 1 cuil. à soupe d'eau. Couvrir et faire ramollir 10 minutes à feu doux. Laisser refroidir un peu, puis incorporer le miel. Éliminer le zeste.

2 Préchauffer le four à 180 °C (therm. 4). Peler et épépiner des poires, puis les couper en cubes de 2 cm ; les mélanger à la rhubarbe. Verser les fruits dans un plat à gratin de 1,25 litre et égaliser la surface.

3 Pour la pâte à crumble, mélanger les flocons d'avoine, la farine complète et la cassonade dans une jatte. Incorporer le beurre avec les doigts, jusqu'à obtention d'une pâte friable. Éparpiller la pâte sur les fruits et enfourner 15 minutes environ, jusqu'à ce que le crumble soit doré.

MOUSSE À LA FRAMBOISE

Lipides par portion : 2 g
Préparation : 30 minutes + réfrigération
Cuisson : aucune
Pour 4 personnes

3 cuil. à café de gélatine (en feuilles, voir p. 11)

250 g de yaourt allégé à la vanille

400 g de fromage blanc allégé

4 blancs d'œufs

150 g de framboises fraîches ou surgelées,
   en purée

Framboises fraîche et feuilles de menthe,
   en accompagnement

1 Mettre 1 cuil. à soupe d'eau froide dans un bol résistant à la chaleur, saupoudrer uniformément la surface avec la gélatine et laisser gonfler. Porter à ébullition une casserole contenant 4 cm d'eau, la retirer du feu et poser délicatement le bol dedans. Remuer jusqu'à dissolution complète de la gélatine. Dans un saladier, mélanger le yaourt et le fromage blanc, puis ajouter la gélatine refroidie et bien mélanger.

2 Monter les blancs d'œufs en neige et les incorporer délicatement. Transférer la moitié de la préparation dans un autre saladier et ajouter les framboises en purée.

3 Répartir la mousse à la framboise dans quatre coupelles, puis garnir de mousse à la vanille. Réfrigérer plusieurs heures pour faire durcir. Décorer de framboises fraîches et de feuilles de menthe.

MOUSSE AU CHOCOLAT

Lipides par portion : 3 g
Préparation : 20 minutes + réfrigération
Cuisson : aucune
Pour 6 personnes

2 cuil. à soupe de poudre de cacao

1 cuil. à café de gélatine (en feuilles, voir p. 11)

300 g de tofu

1 cuil. à soupe de cognac

2 blancs d'œufs

60 g de sucre en poudre

1 Délayer le cacao dans 60 ml d'eau chaude. Mettre 1 cuil. à soupe d'eau froide dans un bol résistant à la chaleur, saupoudrer uniformément la surface avec la gélatine et laisser gonfler. Porter à ébullition une casserole contenant 4 cm d'eau, la retirer du feu et poser délicatement le bol dedans. Remuer jusqu'à dissolution complète de la gélatine.

2 Égoutter le tofu et le placer dans un mixeur. Ajouter le cacao et le cognac puis bien mélanger, en raclant les parois du bol. Transférer dans une jatte et incorporer la gélatine.

3 Monter les blancs d'œufs en neige. Ajouter le sucre peu à peu, en battant bien après chaque ajout (les blancs doivent être fermes). Incorporer les blancs dans la préparation, puis répartir dans six petites coupelles. Réfrigérer plusieurs heures avant de servir.

EN HAUT :
Mousse à la framboise

CHEESECAKE

Mélanger le beurre et les biscuits émiettés, puis tasser uniformément le mélange au fond du moule.

Incorporer délicatement les blancs d'œufs en neige à la préparation.

EN HAUT :
Cheesecake au citron

CHEESECAKE AU CITRON

Lipides par portion : 6 g
Préparation : 25 minutes + réfrigération
Cuisson : aucune
Pour 10 personnes

60 g de biscuits secs émiettés

30 g de beurre, fondu

300 g de ricotta

2 cuil. à soupe de sucre en poudre

1 cuil. à café de sucre vanillé

500 g de fromage blanc allégé

3 cuil. à café de zeste de citron râpé

2 cuil. à soupe de jus de citron frais

1 cuil. à soupe de gélatine (en feuilles, voir p. 11)

2 blancs d'œufs

250 g de fraises, coupées en deux, pour la décoration

1 Graisser un moule rond de 20 cm, assez profond et à fond amovible, et garnir le fond et le pourtour de film plastique. Dans un bol, mélanger les biscuits émiettés et le beurre. Tasser uniformément le mélange au fond du moule et réfrigérer pendant la préparation de la garniture.

2 Mélanger la ricotta et les sucres au mixeur. Ajouter le fromage blanc, le zeste et le jus de citron ; bien mélanger. Mettre 60 ml d'eau froide dans un bol résistant à la chaleur, saupoudrer uniformément la surface avec la gélatine et laisser gonfler. Porter à ébullition une casserole contenant 4 cm d'eau, la retirer du feu et poser délicatement le bol dedans. Remuer jusqu'à dissolution complète de la gélatine. Laisser refroidir. Ajouter la gélatine dans la préparation, mélanger puis transférer dans un grand saladier. Battre les blancs d'œufs en neige, puis les incorporer délicatement à la préparation.

3 Verser la préparation dans le moule et réfrigérer plusieurs heures ou toute une nuit, jusqu'à ce que le cheesecake soit ferme. Démouler précautionneusement le cheesecake en s'aidant du fond amovible. Décorer de fraises.

COUPES AU YAOURT ET AUX FRUITS

Lipides par portion : 1 g
Préparation : 10 minutes + réfrigération
Cuisson : aucune
Pour 4 personnes

2 belles bananes bien mûres

125 g de framboises fraîches

1 cuil. à café de sucre en poudre

500 g de yaourt nature allégé

4 cuil. à soupe de cassonade

1 Dans une jatte, mélanger les bananes, les framboises et le sucre, en écrasant bien le tout. Répartir la purée de fruits dans quatre coupes individuelles.
2 Répartir le yaourt dans les coupes, en couvrant la purée de fruits. Saupoudrer d'une couche de cassonade. Protéger avec du film plastique et laisser au moins 1 heure au réfrigérateur (la cassonade doit avoir fondu dans le yaourt).

POIRES POCHÉES AU JUS DE RAISIN

Lipides par portion : aucune
Préparation : 10 à 15 minutes + réfrigération
Cuisson : 1 h 20
Pour 6 personnes

6 poires à chair ferme

2 cuil. à soupe de jus de citron

500 ml de jus de raisin noir

500 ml de jus de cassis

2 cuil. à soupe de xérès doux

4 clous de girofle

1 kg de raisin noir

250 g de yaourt nature allégé

1/2 cuil. à café de cannelle en poudre

1 cuil. à soupe de miel

1 Peler et ôter le cœur des poires, en gardant la queue. Placer immédiatement les fruits dans un saladier rempli d'eau froide et de jus de citron, afin de les empêcher de noircir.
2 Dans une grande casserole (pouvant contenir toutes les poires), mettre les jus de raisin et de cassis, le xérès et les clous de girofle. Ajouter les poires. Porter le liquide à ébullition, puis baisser le feu. Couvrir et faire cuire 35 à 40 minutes : les poires doivent être tendres. Les retirer du feu et les laisser refroidir dans leur sirop. Les placer délicatement dans une grande jatte, avec le sirop, et couvrir de film plastique. Réfrigérer toute une nuit.
3 Passer le sirop dans une casserole, porter à ébullition, puis baisser le feu et laisser cuire 40 minutes, jusqu'à ce qu'il ait réduit des deux tiers. Au moment de servir, déposer une poire dans chaque assiette. Laisser légèrement refroidir le sirop et en napper les poires.
4 Garnir les assiettes de raisin. Juste avant de servir, mélanger le yaourt, la cannelle et le miel, et en napper les poires.

EN HAUT : Poires pochées au jus de raisin

INDEX

Les numéros de page en **gras** renvoient aux notes marginales. Les numéros de page en *italique* renvoient aux illustrations.

C

REMERCIEMENTS

RECETTES : Roslyn Anderson, Miles Beaufort, Anna Beaumont, Wendy Berecry, Janelle Bloom, Anna Boyd, Wendy Brodhurst, Kerrie Carr, Rebecca Clancy, Bronwyn Clark, Amanda Cooper, Anne Creber, Maria Gargas, Wendy Goggin, Michelle Earl, Jenny Grainger, Lulu Grimes, Coral Kingston, Kathy Knudsen, Michelle Lawton, Barbara Lowery, Rachel Mackey, Voula Mantzouridis, Melanie McDermott, Rosemary Mellish, Beth Mitchell, Kerrie Mullins, Sally Parker, Jacki Passmore, Rosemary Penman, Jennene Plummer, Tracey Port, Justine Poole, Kerrie Ray, Jo Richardson, Tracy Rutherford, Maria Sampsonis, Christine Sheppard, Stephanie Souvilis, Dimitra Stais, Beverly Sutherland Smith, Alison Turner, Jody Vassallo

PHOTOGRAPHES : Jon Bader, Paul Clarke, Joe Filshie, Andrew Furlong, Chris Jones, Andre Martin, Luis Martin, Andy Payne, Hans Sclupp, Peter Scott

STYLISTES : Marie-Helene Clauzon, Georgina Dolling, Kay Francis, Mary Harris, Donna Hay, Vicki Liley, Rosemary Mellish, Lucy Mortensen, Sylvia Seiff, Suzi Smith

Nous remercions les organismes et magasins suivants de nous avoir facilité la prise de photographies pour cet ouvrage :
The Bay Tree Kitchen Shop, NSW;
Limoges Australia, NSW;
MEC-Kambrook Pty Ltd, NSW;
Orson & Blake Collectables, NSW;
Pavillion Christofle, NSW;
Sunbeam Corporation Ltd;
Waterford Wedgwood Australia Limited, NSW.